LA CRISE DE TROP

Jusqu'à quand ? Pour en finir avec les crises financières, Raisons d'agir, 2008.

Conflits et pouvoirs dans les institutions du capitalisme (dir.), Presses de Sciences Po, 2008.

Spinoza et les sciences sociales. De la puissance de la multitude à l'économie des affects (dir., avec Yves Citton), Amsterdam, 2008.

L'Intérêt souverain. Essai d'anthropologie économique spinoziste, La Découverte, 2006.

Et la vertu sauvera le monde... Après la crise financière, le salut par l'« éthique » ?, Raisons d'agir, 2003.

La Politique du capital, Odile Jacob, 2002.

Fonds de pension, piège à cons ? Mirage de la démocratie actionnariale, Raisons d'agir, 2000.

Les Quadratures de la politique économique. Les infortunes de la vertu, Albin Michel, 1997.

Frédéric Lordon

La crise de trop

Reconstruction d'un monde failli

Fayard

© Librairie Arthème Fayard, 2009.
ISBN : 978-2-213-64410-3

« Agir, je viens. »

Henri Michaux, *Face aux verrous.*

Adieux à la finance

C'est probablement *le* document de la crise financière. Les événements historiques nous font parfois la grâce de se présenter entièrement ramassés en une seule pièce, une image, une parole ou un texte, qui par une puissance de concentration vertigineuse en offre une synthèse quasi parfaite. Que la crise des subprimes appartienne à la catégorie des événements historiques, il faudrait être stupide ou bien borné pour ne pas l'apercevoir. Même Jean-Claude Trichet, un peu tardivement sans doute, a fini par abandonner, vers l'automne 2008, le registre de l'irréparable euphémisme et cessé de parler de *« correction »* à propos de l'effondrement général. Que la lettre rendue publique par Andrew Lahde, président du *hedge fund* Lahde Capital Management[1], soit de la classe des documents « parfaits » n'est pas moins douteux tant s'y expriment l'esprit du capitalisme financier et ses contradictions sociales, qui plus est sous la forme inattendue de l'adresse, donc loin de tout propos analytique, et sans doute, pour cette raison même, avec d'autant plus de force.

---

1. http://www.ft.com/cms/s/0/128d399a-9c75-11dda42e000077b07658, s01=1.html.

9

Andrew Lahde est un financier riche à mourir. Mais envahi d'un inexplicable dégoût et décidé à tirer sa révérence. Le milieu qui a fait sa fortune, il l'abhorre. En fait il est pareil à lui, et en même temps si différent. C'est peut-être cette ambivalence qui explique la violence de ses sentiments – dans bon nombre de milieux sociaux, la position du reflet difforme est la pire de toutes. Semblable à son milieu, Andrew Lahde l'est assurément. On n'est pas gestionnaire de *hedge fund* sans s'être conformé aux us et coutumes de la tribu financière, et Lahde les connaît si bien qu'il peut en faire l'énumération, mais ici sur le mode libérateur de celui qui envoie tout valser : *« Je laisse à d'autres d'amasser des fortunes à neuf, dix ou onze chiffres. Les agendas remplis à craquer pour trois mois, ils attendent leurs deux semaines de vacances de janvier pendant lesquelles ils resteront collés à leurs Blackberries ou d'autres trucs dans le genre. Mais c'est quoi l'idée ? Tous seront oubliés dans cinquante ans. Balancez les Blackberries et profitez de la vie. »*

Il est difficile, à lire ces lignes, de ne pas être submergé par le flot des impressions contradictoires, entre la philosophie aussi bon marché que tard venue de celui qui, ayant fait fortune, peut prêcher le retrait du monde et les joies simples de l'existence, et l'extraordinaire cécité sociologique typique de la classe des hyperenrichis, incapables de penser la vie et le monde social autrement qu'à partir des hypothèses implicites de la très grande fortune – il faudrait faire lire cette lettre à un ouvrier de General Motors et recueillir ensuite ses impressions, notamment à propos des *« neuf, dix ou onze chiffres »*, à supposer qu'il résiste à l'impulsion de tout casser qui saisit en fait n'importe quel lecteur ordinaire.

Pourtant, le document est d'une bien plus grande richesse que ne le laissent supposer ces lignes. Car Andrew Lahde déborde d'un ressentiment social curieusement alimenté par ses réussites financières mêmes. Comment le *hedge fund* Lahde Capital Management a-t-il fabuleusement enrichi ses clients – et ses gestionnaires ? En anticipant de longue date la crise des subprimes et en prenant des positions à la baisse dont les contreparties ont été... les grandes banques d'affaires de Wall Street... qui y ont perdu leur culotte. C'est un rire plein de mépris bien fondé mais surtout affreusement acrimonieux qui éclate dans la lettre de Lahde au spectacle de « *ces idiots* » qui ont eu la bêtise de se trouver à l'autre extrémité de ses transactions ; pas seulement parce que leur incompétence s'y donne à voir en pleine lumière, mais parce que tous ces imbéciles qui sont la noblesse de finance – homologue structural aux États-Unis de la noblesse d'État dont parlait Bourdieu à propos de la France – transpirent, autant que l'incompétence, la suffisance de leurs origines sociales. Celles que Lahde n'avait pas en partage. « *Ce que j'ai appris du business des* hedge funds, *c'est que je le hais* », écrit Lahde en citant le propos d'un de ses collègues gestionnaires pour le reprendre à son compte et lui donner sa pleine extension. « *Je ne pourrais partager davantage cet avis. Les fruits pendants, c'est-à-dire ces idiots dont les parents ont payé la prépa, Yale et le MBA de Harvard, étaient à ramasser. Ces gens qui étaient la plupart du temps indignes de l'éducation qu'ils ont (supposément) reçue se sont élevés jusqu'aux sommets de firmes comme AIG, Bear Stearns et Lehman Brothers et à tous les niveaux du gouvernement. Toutes ces choses qui soutiennent cette aristocratie n'ont abouti qu'à rendre plus facile pour moi de trouver des gens assez bêtes pour être de l'autre côté de mes transactions. Dieu bénisse l'Amérique.* »

Il y a quelques années, Nicolas Guilhot avait écrit un passionnant ouvrage sur les mutations sociologiques de la finance dans la déréglementation des années 80[1]. À l'image

---

1. Nicolas Guilhot, *Financiers, philanthropes. Sociologie de Wall Street*, Raisons d'agir, coll. « Cours et travaux », 2004.

de ce qui s'était produit au tout début du XXe siècle pour la constitution des fortunes industrielles des barons voleurs (les Rockefeller and Co), cette nouvelle phase du capitalisme, expliquait-il, a été marquée par l'ascension d'une nouvelle classe d'ambitieux, infiniment moins bien dotés en capital social que les installés, qui ne faisaient que recevoir la transmission dynastique par laquelle se perpétuaient le pouvoir et les mœurs de l'aristocratie financière : tous « fils de... », certains de sortir des meilleures universités, ils n'avaient plus qu'à se pencher pour ramasser la brassée de propositions qui leur était aussitôt offerte. Or la déréglementation déstabilise cet univers en faisant surgir de nouvelles techniques, de nouveaux marchés, de nouveaux actifs, c'est-à-dire de nouvelles opportunités qui ouvrent une voie de passage, certes étroite, mais praticable, à tous les mal-nés désireux de faire leur chemin. Ceux-là sont voués aux universités de seconde zone, aux petits boulots de jeunesse et à la débrouille. Mais leur audace et leur absence totale de scrupules, alliées évidemment à l'explosion des marchés, vont faire leurs fortunes. Michael Milken, Ivan Boesky sont les grands noms de cette épopée d'ascension sociale par la finance, qui finira comme on sait dans la délinquance et la prison.

Ainsi, et pourvu qu'on puisse envisager la chose de manière assez froidement analytique, la finance aussi connaît la lutte des classes ! Il va sans dire que tous ces gens sont du même côté du pouvoir de l'argent et que cette lutte-là n'a rien à voir avec celle qui les confronte solidairement aux salariés. Mais elle n'en est pas moins une donnée sociologique importante – dont la lettre de Lahde donne une manifestation aussi spectaculaire que contradictoire.

« J'ai maintenant du temps pour restaurer ma santé détruite par le stress que je me suis imposé ces deux dernières années, comme dans toute ma vie – où j'ai eu à lutter à l'université, dans les écoles, pour mes emplois et mes affaires,

*contre ceux qui avaient les avantages (les parents riches)
que je n'avais pas.* » Si honteusement enrichi soit-il, rien
n'a pu venir à bout de ce ressentiment accumulé ; la réussite même dans son milieu d'élection n'a pas cessé de nourrir la détestation qu'il lui porte, et l'expression qu'il lui
donne, tout en mettant en accusation – d'ailleurs sous la
forme la plus efficace : de l'intérieur – la classe financière,
demeure une insulte à tous ceux qui ne vivent pas dans cet
isolat grand comme un timbre-poste. De cela, Lahde n'a
visiblement aucune conscience, et, pour cette part, l'oubli
de ses origines sociales est total. Telle est la force écrasante
de la finance – et de ses fortunes – qu'elle sépare l'expérience des inégalités sociales de ses conditions d'origine
pour lui ôter toute généralité politique et n'en faire plus
qu'un motif de vindicte personnelle.

Conforme jusqu'au bout à sa vocation inintentionnelle de
symptôme d'un monde qui finit dans la confusion la plus
extrême, la lettre de Lahde se clôt par un invraisemblable
plaidoyer... pour le chanvre ! Le drapeau américain en a
été tissé, écrit-il, on en a tiré le papier sur lequel a été cou-
chée la Constitution des Pères fondateurs, on en fait des vête-
ments et des aliments depuis la nuit des temps. L'opprobre
dont le gouvernement accable le chanvre est pour Lahde un
inadmissible scandale et le signe le plus éminent du dérè-
glement des temps... Car le chanvre se fume également, il
soigne et il apaise – tout le contraire de *« l'alcool, qui finit
en bagarres et violences conjugales ».* Ce sont les mêmes
fils à papa qui, en plus de faire la ruine de Wall Street,
infestent l'administration et prohibent la substance mer-
veilleuse pour mieux aider les géants de la pharmacie à
nous fourguer leurs saloperies de *« Paxil, Zoloft, Xanax et
autres drogues addictives ».* Pour peu qu'on surmonte le
sentiment de bizarrerie que fait immanquablement surgir
cet envoi, on pourrait se trouver d'un coup plus proche de
Lahde... Cependant, on l'aura compris, le véritable usage

de cet incroyable texte n'est pas de susciter l'adhésion ou la critique, mais bien plutôt d'être lu comme un document, le document du maelström, des chaos d'affects, de la confusion de tout, et d'un effondrement de valeurs. Le document du capitalisme financier finissant.

Il y a bien des années, André Gorz avait écrit des *Adieux au prolétariat*. C'était sans doute enterrer la lutte des classes un peu vite. Mais au moins nous a-t-il laissé une formule à tranchant historique, et prête à resservir pour une bonne occasion. Après une longue attente, il se pourrait que celle-ci nous soit enfin donnée. C'est de l'intérieur même de la finance que se dit le dégoût de la finance, et même si le message est déterminé par les plus mauvaises raisons, il ne tient qu'à nous d'en faire un meilleur usage en y substituant les bonnes. Que l'écœurement gagne par le dedans et, sans doute très involontairement, rejoigne l'écœurement éprouvé du dehors, n'est-ce pas le signe de quelque chose ? Celui par exemple que le temps est venu de prononcer les adieux à la finance.

Grands vents

Andrew Lahde peut écrire toutes les lettres ouvertes du monde, pleurer ou vomir sur les *hedge funds* qui l'ont si bien enrichi mais, pauvre homme, ont esquinté son existence, la crise financière est déjà ailleurs. Comme il était prévisible depuis longtemps, elle a muté sauvagement en crise économique. Mais d'un calibre qui, lui, promet déjà de faire date. Et la dynamique de l'histoire n'est pas partie pour s'arrêter en si bon chemin. Cette crise économique-là ne sera pas comme les précédents ralentissements, ni un simple cahot de la croissance parmi les autres. Cette fois-ci, les seuils de tolérance sont en vue. Et ce pourrait être la crise économique de trop, celle dont on fait les grandes tornades politiques et sociales. Par une sorte de processus sans sujet, voulu de personne en particulier, c'est le mode d'emploi de la bombe à hydrogène politique qui est en train de s'écrire ; il n'est nul besoin d'aller en chercher les composants chimiques dans un obscur recoin de l'Internet, tous sont là, exposés sous nos yeux, il suffit de les observer et d'attendre leur précipité. Petite recette de chimie détonante : 1) la tragique désorientation des décideurs ; 2) la (remarquable) persévérance dans l'obscénité des hommes de la finance, même au tréfonds de la déconfiture ; 3) l'état de rage qui gagne une part croissante de la population ; 4) la cécité, par atermoiement ou simple incapacité, de la quasi-totalité des médiateurs, gouvernants, partisans et syndicaux, incapables de saisir l'enjeu véritable de la situation, qui ne réclame pas le retrait d'une réforme, ni même d'une politique, mais une nouvelle donne d'une ampleur semblable à celle qui eut lieu au sortir de la deuxième guerre.

« Décideurs » dans le brouillard

À ce qu'on dit, les dirigeants dirigent parce qu'ils sont d'une clairvoyance supérieure à la moyenne. Il y a comme ça des mythes en attente d'urgentes révisions. Car à tous les étages du pouvoir, politique comme financier, ce ne sont plus que désarroi et désorientation. La somme des revirements et des tête-à-queue déguisés en corrections de trajectoire trahit un état de confusion stratégique qui, sans même interroger la légitimité des dirigeants à diriger, a de quoi donner quelques inquiétudes.

Du côté de la finance, le salut a d'abord semblé passer par l'adossement aux banques commerciales des banques d'affaires en voie d'effondrement : Bear Stearns est racheté par JPMorgan Chase, Merrill Lynch par Bank of America, Morgan Stanley envisage la fusion avec Wachovia puis passe une alliance avec Mitsubishi UFJ Financial Group, etc. On en comprend sans peine la raison : pour toutes ces banques d'investissement sinistrées, incapables de se refinancer dans les marchés où plus personne ne veut entendre parler d'elles, ni de grand monde d'ailleurs, rien ne vaut de se retrouver assises sur le tas d'or des dépôts ! Et telle est bien l'explication donnée par les intéressés eux-mêmes : les dépôts sont d'admirables matelas de liquidités qui permettent d'encaisser plus facilement quelques menus gadins spéculatifs. Les déposants seront donc ravis d'apprendre que leurs avoirs monétaires ont maintenant vocation à amortir les pertes de marché et à sauver les opérateurs de la crise de liquidités. La crise de

1929 avait mine de rien fini par produire quelques effets d'apprentissage, et notamment celui ayant conduit à la stricte séparation bancaire des activités de marché et des activités de prêt commercial (Glass Steagall Act), afin d'éviter que les déboires des premières ne contaminent les secondes et ne diffusent leurs effets dans toute l'économie via le canal du crédit. Or non seulement le Glass Steagall Act a été jugé ringardissime par la hourra-déréglementation, et joyeusement abrogé par l'équipe Clinton, mais, loin que la crise financière ait conduit à y revenir aussi vite que possible, tout le mouvement présent de restructuration bancaire approfondit un peu plus une tendance dont les nuisances sont avérées de longue date ; cela pour ne rien dire de la constitution de mastodontes bancaires – qu'on pense au nouveau JPMorgan Chase Bear Stearns Washington Mutual, le dernier fermera la porte –, véritables foyers de risque systémique ambulants, que leur taille gigantesque abonne dès maintenant au *too big to fail* et au sauvetage public garanti à la prochaine occasion.

Mieux valant tard que jamais, l'esprit finit tout de même par venir aux banquiers. Il faut dire que la consolidation bancaire d'urgence n'a pas tardé à révéler qu'elle avait été opérée en dépit du bon sens. Ceux qui s'étaient déjà construits comme « supermarchés de la finance », intégrant toutes les activités, des marchés au crédit commercial en passant par les fusions-acquisitions, ont compris qu'il était temps d'abandonner leur modèle et ont commencé à se couper bras et jambes pour en revenir à des configurations moins tentaculaires – et plus maîtrisables. De ce point de vue, les « réductions » les plus spectaculaires sont sans doute celles d'UBS et de Citigroup, il est vrai respectivement deuxième et premier au palmarès des pertes sur les subprimes. Quant à Bank of America, elle vient de découvrir, mais un peu tard, qu'avec Merrill Lynch elle avait surtout acheté… des pertes – 15 milliards de dollars au quatrième trimestre 2008, après, évidemment, que les dirigeants de Merrill eurent juré à leurs futurs acquéreurs que les comptes avaient été passés à la paille de fer. Le *Wall Street Journal* décerne à cette opération le titre bien mérité de la fusion la plus rapidement tournée en désastre ; mais que faire, maintenant qu'il ne semble plus y avoir à choisir qu'entre « mourir tout seul » et « mourir fusionné » ? Plus que jamais se tourner vers l'État, bien sûr... De ce côté-là, pourtant, on ne peut pas dire que la clarté des idées soit beaucoup plus grande. Le TARP (Troubled Assets Relief Program), qui est devenu le nom générique du sauvetage public de la finance aux États-Unis, n'aura pas connu moins de trois définitions successives en trois mois. Conçu à l'origine (fin septembre 2008) comme un vaste programme de rachat des actifs bancaires avariés, il ne lui aura fallu que quelques semaines pour subir une première révision d'ampleur, la stratégie du cantonnement ayant été jugée très inférieure à celle de la recapitalisation – les premières injections de capitaux publics commencent à la mi-octobre, soit dit en passant au mépris complet des usages des 700 milliards de dollars (!) explicitement votés par le Congrès... Hélas, la recapitalisation ne fonctionne pas davantage que le reste, et le crédit demeure bloqué en dépit des wagons d'argent public déversés dans les banques. C'est donc un nouveau virage sur l'aile qui s'amorce depuis début janvier, date à laquelle l'administration américaine, avant même la transition, recommence à envisager l'option d'une gigantesque structure de cantonnement, celle-là même qu'elle avait élaborée trois mois auparavant puis abandonnée pour cause d'« « évidente » inefficacité[1].

---

1. Après maintes hésitations et deux faux départs, le plan Geithner (du nom du secrétaire au Trésor de l'administration Obama) annoncé le 23 mars 2009 met surtout l'accent sur une structure de *defeasance* à financement mixte privé-public, mais conforme à la recette du pâté d'alouette, c'est-à-dire avec un cheval de fonds publics et une alouette de fonds privés, et l'intéressante propriété que les gains éventuels seront partagés avec les fonds privés mais les pertes entièrement reprises par l'État...

Finance : icebergs à bâbord ! Non, à tribord ! Euh, partout !

Il est très dommage que les gouvernements ne sachent pas trop où aller car, du côté de la finance, le moins qu'on puisse dire est qu'il ne faut pas attendre d'amélioration spontanée. La récession occupe le débat public à un point tel qu'elle a presque fini par faire penser que la crise financière à proprement parler était derrière nous – il ne resterait « plus qu'à » en digérer les dégâts. Or, loin qu'elle ait atteint les derniers degrés de la destruction qu'on pourrait croire et qu'il n'y ait plus qu'à observer les ruines fumantes, la débâcle financière a encore en réserve quelques sérieuses descentes. Avec la régularité d'un horaire des chemins de fer, les convois de mauvaises dettes défilent les uns après les autres... et, de manière non moins prévisible, viennent s'écraser sur le butoir. Celui des crédits immobiliers dits Alt-A[1] promet depuis un moment un très bel amas de ferraille – et voici que les premiers wagons entrent en gare. D'une moyenne historique de quelques pourcents, le taux de défaut sur les *Alt-A mortgages* a bondi autour de 10 %[2]. Pour dire les choses simplement, c'est très exactement l'histoire des subprimes qui recommence, avec

---

1. Pour une présentation succincte des *Alt-A mortgages*, voir « Le jour où Wall Street est devenu socialiste », *Le Monde diplomatique*, octobre 2008.
2. Il s'agit de défaut à payer de plus de 60 jours sur les *Alt-A-RMBS* (*Residential Mortgage-Backed Security*), c'est-à-dire les produits de la finance structurée obtenus par titrisation de crédits immobiliers Alt-A. L'indication est donnée par CreditSights, cité par *The Economist*, « Move over, subprime », 7 février 2009. Sur les mécanismes de la titrisation, voir Frédéric Lordon, *Jusqu'à quand ? Pour en finir avec les crises financières*, Raisons d'agir, 2008, chapitre 2, et également André Orléan, *De l'euphorie à la panique. Penser la crise financière*, Rue d'Ulm, collection du Cepremap, 2009.

la séquence « défaut des emprunteurs initiaux – transmission du choc aux produits structurés dérivés – annihilation garantie de leurs tranches les plus subordonnées (*equity* et mezzanine) – probables pertes très importantes sur les tranches seniors pourtant réputées les plus sûres et d'ailleurs jusqu'ici notées triple-A». Pour un encours total de 1 300 milliards de crédits Alt-A, Goldman Sachs envisage des pertes totales de 600 milliards de dollars... éventuellement « arrondies » à 1 trillion de dollars si l'on y inclut les options ARM[1]. La perspective d'un deuxième service alors que la finance gît encore la tête dans la cuvette des subprimes a tout du film d'horreur. C'est pourquoi il ne faut pas s'attendre à voir de sitôt les résultats des banques relever le nez. UBS, qui n'en finit plus de s'enfoncer, vient encore d'annoncer presque 7 milliards de dollars de pertes de plus au quatrième trimestre 2008 et indique déjà l'ambiance à venir : ce sera « descente aux enfers ».

Ce le sera d'autant plus qu'à tous les excès d'endettement bien identifiés – immobilier subprime ou Alt-A, immobilier commercial, crédits auto, LBO, cartes de crédit, etc. – vont venir s'ajouter très bientôt ceux que la crise économique elle-même se charge de produire, en l'espèce essentiellement des défauts d'entreprise. La titrisation, qui a fait feu de tout bois, s'est également « occupée » de cette sorte de dette, qu'elle a disséminée aux quatre coins de l'univers financier en produits particulièrement sophistiqués appelés « CDO synthétiques », qui ont la particularité d'être encore plus sensibles aux défauts que les CDO « ordinaires »

---

1. Les options ARM sont des prêts immobiliers pour lesquels l'emprunteur peut décider de ne payer sur les premières années qu'un taux d'intérêt très bas (qu'il fixe au niveau de son choix parmi plusieurs options possibles)... avec évidemment report sur les années futures de la charge des facilités de départ.

(où l'on avait « accommodé » les crédits subprime)[1]. Or des CDO synthétiques fabriqués à partir de dette *corporate*, il y en a pour 1,2 trillion de dollars dans les tuyaux sur lesquels les investisseurs, *dès la fin octobre 2008*, envisageaient jusqu'à 90 % de perte[2]... On laissera le lecteur imaginer de lui-même, et, si possible, dans un silence recueilli, ce qu'il en restera après quelques mois de récession sauvage – troisième service et pousse-café.

Obscénité sans limite

Ça pourrait être le nom d'une opération de l'US Army ; c'est juste l'état moral de la finance. De tous les ingrédients du désastre, il s'agit paradoxalement et du plus anecdotique, et du plus explosif. Que la goinfrerie de la finance ne connaisse aucun frein pendant la déconfiture et que les bonus continuent de valser à milliards tandis que l'aide publique coule à flots est un non-événement du point de vue macroéconomique. Mais du point de vue politique, pardon ! Le fait est que la finance commence 2009 en fanfare.

---

1. À l'usage des passionnés de mécanique, les CDO synthétiques sont des véhicules dont l'actif est alimenté par des primes de CDS émis sur les dettes initiales. Conformément au mécanisme standard de la finance structurée, c'est la masse de ces primes de CDS qui est ensuite reventilée entre les différentes tranches qui constituent le passif du véhicule. La vulnérabilité spéciale des CDO synthétiques vient du fait que, lorsque les défauts sont matérialisés, l'actif du véhicule prend un double impact, puisque non seulement les flux financiers entrants sont interrompus, mais au surplus les indemnisations assurantielles des CDS sont activées... Tous ceux à qui ce paragraphe fait l'effet du chinois trouveront quelques éléments d'explication relatifs à la finance structurée dans Frédéric Lordon, *Jusqu'à quand ?, op. cit.*, chapitre 2.
2. Neil Unmack, Abigail Moses et Shannon Harrington, « CDO cuts show $1 trillion corporate-debt toxic bets », Bloomberg, 22 octobre 2008.

Avant que ne soit formalisé le rachat par Bank of America, John Thain, président de Merrill Lynch, a décidé que lui-même et ses troupes avaient bien mérité un dernier petit bonus pour la route – entre 4 et 5 milliards de dollars, alors même que Merrill apporte en « dot » à son mariage 15 milliards de pertes qui ont conduit le Trésor étasunien à lui fournir 20 milliards de dollars supplémentaires d'argent public et une garantie de reprise de pertes de 118 milliards. Pendant ce temps, M. Thain a jugé important de refaire la décoration de son bureau : 1,2 million de dollars – après tout, puisque l'argent public ne manque pas... La direction de la banque Citi, pour sa part, n'a pas pu résister au gros caprice d'un nouveau jet à 50 millions de dollars (et aussi de quelques hélicoptères). Attention, l'engin en vaut la peine : « un confort sans concession », promet le dépliant – on veut bien le croire. Citi, qui a laissé plus de 50 milliards de dollars sur les subprimes, est l'objet de l'un des plus gros plans de sauvetage public particuliers : 300 milliards de dollars.

Même *The Economist*, qui passerait difficilement pour un ennemi de la finance, en a la nausée, dit des mots inouïs, parle de *« pillage »*, et aussi de *« racket »*[1] ! Il est vrai que, pour le défenseur acharné de la méritocratie financière lui-même, le fait que 2008 soit la sixième plus grosse année en matière de bonus – au cœur d'une crise séculaire – est un peu difficile à avaler. Et pour nous, donc... On laissera les partisans de l'autorégulation par la vertu apprécier l'efficacité de leurs préconisations. Pour tous les autres, il est maintenant assez clair que, l'élémentaire décence étant une notion strictement incompréhensible aux consciences de la finance, il ne reste plus que les voies de la force légale puis, à défaut, de la force physique pour leur faire entendre raison.

---

1. « Looting stars », *The Economist*, 31 janvier 2009.

Attention : crise de rage

C'est que, dans l'opinion publique, les seuils critiques sont en vue. Deux décennies de décervelage et de promotion ininterrompue des valeurs de l'argent sous la houlette de TF1 et de M6 n'auront pas suffi pour empêcher le corps social de voir rouge à pareil spectacle. Au soir de la manifestation du 29 janvier 2009, BFM donne la parole à un « *grand expert social*[1] », Bernard Brunhes. Comme M. Sarkozy, tous les sbires de l'UMP et la valetaille sondagière, M. Brunhes a « entendu » – mais quoi au juste ? Il a entendu « l'angoisse et les inquiétudes ». M. Brunhes et tous ses semblables doivent être un peu durs d'oreille. Car, bien plus encore qu'« angoissé », le corps social est en proie à une terrible colère – version socialiste, M. Fabius : des « *mécontentements*[2] ». Non, non, non, monsieur Fabius, les gens ne sont pas « mécontents » : ils sont fous de rage. La crise, à laquelle ils n'ont aucune part, est payée à leurs frais, les jette hors de leurs emplois ou lamine leurs revenus, pendant que la banque continue de rouler carrosse et persévère dans une inoxydable arrogance qui forcerait presque l'admiration – il y faudra tout de même un certain recul du temps. Même le peuple le plus doux du monde sortirait de ses gonds à moins – et il n'est pas dit que la France en soit l'exemple, quoique, à la réflexion, il y aurait plutôt matière à s'étonner que le corps social ait finalement été jusqu'ici si paisible lorsqu'on considère ce qu'il endure depuis deux décennies. Les durs d'oreille ne vont pas tarder à s'en rendre compte car cette fureur, qui n'a rien de récent ni de circonstanciel, est le terrible produit d'un long cumul de douleurs et de protestations, jamais entendues et toujours méprisées mais,

---

1. *Dixit* le journaliste-animateur de l'émission.
2. France Inter, 30 janvier 2009.

par l'« excès de trop », maintenant précipitées en une rage qui promet de faire mal.

Quelqu'un a une idée ?...

Les dégâts de ce flot seront fonction de l'existence, ou non, d'un canal alternatif où il pourra se déverser. Or, pour l'heure, aucun de ceux qui seraient en position d'en indiquer le tracé n'a la moindre idée à ce sujet. On ne parlera même pas du gouvernement actuel, dont la fine analyse a conclu qu'il était urgent d'approfondir la configuration néolibérale du capitalisme (concurrence générale, restriction salariale sous couleur de compétitivité, allongement de la durée du travail)... laquelle a précisément engendré la catastrophe des subprimes[1]. La chose nommée par habitude, ou plutôt par charité, « opposition » cherche en vain comment faire oublier le parfait à-propos historique qui l'a conduite à célébrer par déclaration de principes interposée le « marché » au moment où le capitalisme libéralisé partait en morceaux. Mais, sur la lancée de deux décennies de conviction profonde de la justesse du modèle présent, et s'étant par conséquent considérée comme dispensée depuis d'imaginer quoi que ce soit de nouveau, comment pourrait-elle avoir la moindre idée nouvelle ? Le cas des syndicats de « négociation » n'est hélas guère plus brillant, comme l'atteste l'inconsistant mot d'ordre attaché aux manifestations du 29 janvier, qui ne manque certes pas d'éléments intéressants mais n'offre aucune cohérence d'ensemble, et par suite ne dessine aucun projet politique.

C'est à ce moment précis que la catalyse explosive révèle tous ses périls, car une colère sans objectif explicite

---

1. À ce sujet, voir Frédéric Lordon, *Jusqu'à quand ?*, *op. cit.*, épilogue.

et sans débouchés anticipés est une force errante dont nul ne sait ce qu'elle peut produire – et celle-ci est gigantesque. Ici, pas de réforme à retirer, pas de ministre à démissionner, même pas une politique d'ensemble à remplacer – en tout cas au sens du « remplacement » socialiste. Et surtout : nulle part sur l'échiquier politique un homme ou un parti « en position » ayant perçu le rendez-vous de l'histoire. Seul le corps social, par la force extraordinaire de son rejet, signifie clairement que le monde doit changer, mais nul ne semble l'entendre – les éditorialistes horrifiés criant au « protectionnisme », sans le savoir, sont en train de prendre leur place dans les livres d'histoire –, et il lui manque la face constructive de son exaspération.

Il n'y a pas trente-six solutions pour sortir de cette redoutable impasse – en fait il n'y en a qu'une : mettre de la plus explicite des manières une « nouvelle donne » à l'agenda politique. Mais l'idée d'une « nouvelle donne » ne peut rencontrer que des entendements préparés à l'analyse de la crise présente – pas ceux du gouvernement ni du parti socialiste. Cette analyse est pourtant de plus en plus facile à faire, à condition évidemment d'être prêt aux mises en question que ces forces politiques se sont efforcées d'écarter avec autant de constance que de convergence. Mise en question de la libéralisation financière, opérée en France par le socialisme de gouvernement. Mise en question des formes de la concurrence, imposées via la construction européenne et défendues aux cris de « protectionnisme » et de « guerre », rendus synonymes puisque, selon une logique qui avait déjà servi avec le traité constitutionnel, c'est leur dernier argument : « le monde comme il est » ou bien « la guerre »… Or ce sont les deux contraintes, celle de la finance qui exige la rentabilité actionnariale et celle de la concurrence qui veut la compétitivité-prix, qui ont écrasé les salaires et fait exploser les inégalités. De celles-ci la droite se moque ouvertement ; la « gauche » socialiste, elle, les déplore à chaudes larmes mais sans rien vouloir changer aux causes qui les produisent.

Refondre les structures bancaires

À force d'invoquer la « finance », on ne sait plus trop de quoi on parle : marchés financiers ? institutions bancaires ? capitalisme actionnarial ? Les génériques ont du bon pour les slogans, un peu moins pour l'analyse. Or il y a sous la « finance » ces trois problèmes distincts qu'il faut prendre un par un. Au moins dans les mots, la transformation des structures des marchés financiers, et des contrôles de l'activité des banques dans ces marchés, semble acquise. Comme souvent, cependant, il y a loin de la coupe aux lèvres, et la gesticulation rhétorique sans aucune véritable intention de joindre le geste à la parole est un genre politique trop bien connu pour ne pas faire redouter que les grand-messes internationales façon G20 n'aient pour seul projet, et pour seul résultat, d'assurer le spectacle sans la moindre décision tant soit peu mordante. Il fallait cette sorte d'empressement dans la servilité médiatique qu'on ne voit qu'en France pour conduire un Claude Askolovitch à faire de Nicolas Sarkozy un *« maître du monde*[1] *»* à l'issue du G20 de Washington, dont la simple lecture du communiqué révélait l'indigence des intentions. De même, la préparation d'artillerie qui a précédé le sommet du 2 avril à Londres sur la question des paradis fiscaux, chronique annoncée d'un accord politique « historique », était bien faite pour signaler à l'avance l'une de ces fausses convergences sur des problèmes subalternes, idéales pour laisser dans la

---

1. Claude Askolovitch, « Sarkozy en maître du monde », *Le Journal du dimanche*, 16 novembre 2008.

pénombre de l'oubli des enjeux autrement stratégiques à propos desquels on se garde bien de fâcher la finance. Car, il faut sans doute prendre le temps de le dire, la question des paradis fiscaux et des places financières offshore, quoique d'une parfaite dignité en soi, demeure périphérique à la crise financière – on devrait d'ailleurs intuitivement en voir un indice à la facilité avec laquelle les gouvernements sont en voie de s'accorder à leur sujet. Que ces trous noirs de la finance internationale soient d'insupportables scandales fiscaux, qui pourrait le contester ? Qu'ils aient offert un aimable hébergement aux *hedge funds*, mais aussi à toutes les structures de portage des actifs dérivés par titrisation des crédits hypothécaires et autres (comme les SPV, Special Purpose Vehicles), cela est bien connu également. Mais il n'y aurait sans doute pire erreur que de s'imaginer la crise impossible ces zones financières eussent-elles été fermées. Ou plutôt si, il y aurait une erreur pire, mais c'est en fait la même : s'imaginer prémuni contre une future crise financière dès lors qu'elles seraient fermées pour de bon.

La nocivité *intrinsèque* de la finance libéralisée se joue ailleurs, au grand jour, dans des marchés connus de tous, organisés ou de gré à gré, dans les banques ayant pignon sur rue, chez les investisseurs institutionnels les plus réputés, dans les salles de marché où l'on laissait complaisamment entrer les équipes de télévision il y a peu encore. Contre cette finance de marché qui n'a pas besoin de l'ombre, mais qui répand sa pourriture en pleine lumière, des propositions existent[1], des propositions sévères qui ne peuvent avoir d'autre objectif que de la ramener à l'ordre normal de la profitabilité, très belle descente en perspective, car il n'y a pas de miracle : hormis les illusions d'un

---

1. Voir par exemple Frédéric Lordon, *Jusqu'à quand ?*, *op. cit.*, chapitre 5.

« nouveau paradigme », rentabilités et risques demeurent corrélés, et l'on n'a pas les premières sans souffrir les seconds[1]. Que ces propositions existent, à défaut du moindre espoir de les voir appliquées, ne dispense pas d'aller plus loin – beaucoup plus loin, même. Car, depuis cet automne, la crise a commencé de révéler ses proportions véritables – gigantesques – et appelle des réponses de dimensions semblables. Et puisque le secteur bancaire a eu la bonne idée de se signaler en faisant au monde entier la démonstration de son impéritie sans borne, l'occasion est donnée de se pencher sur lui comme on avait oublié de le faire depuis bien longtemps.

Il se trouve que l'effondrement général a fait ressortir, tel un diable de sa boîte, le mot tabou entre tous, celui dont deux décennies de matraquage idéologique pensaient être venues à bout : nationalisation. Une succulente ironie veut que soient aux commandes ceux qui se voulaient les plus farouches défenseurs des grandeurs du capitalisme privé – Gordon Brown au Royaume-Uni, Nicolas Sarkozy en France – et que la situation leur torde le bras pour leur faire faire ce que jamais ils n'auraient imaginé faire. Médusés de découvrir combien tout ce qu'ils ont toujours défendu était faux, les experts attitrés s'agitent pour colmater les voies d'eau idéologiques et certifier que, si nationalisations il doit y avoir, elles seront « bien évidemment » partielles et temporaires. Pour leur malheur, il y a d'assez bons arguments pour les rendre intégrales et permanentes. Encore faut-il pour s'en convaincre poser à nouveau au système bancaire des questions que l'on ne pensait plus à lui poser mais que la crise a fait revenir avec une force irrésistible – la question de la sécurité des encaisses monétaires du public, par

---

1. Pour une analyse un peu moins cursive à ce propos, voir *ibid.*, chapitres 1 et 2.

exemple, et puis certaines autres aussi, beaucoup plus inédites. Disons cependant dès maintenant que si cette nationalisation bancaire doit être permanente, ça n'est pas nécessairement sous la forme spontanément envisagée d'un pôle *étatique* unifié du crédit. Seule une restriction de pensée, dont on voit bien de quelle histoire elle tire ses origines, peut faire croire que la propriété d'État épuiserait les significations du mot « nationalisation ». En fait il n'en est rien, et c'est pourquoi, dans la refonte radicale des structures bancaires qui sera proposée ici (chapitre 3), il sera beaucoup plus question d'un contrôle du crédit, échappant certes au secteur actionnarial-privé – dont il devrait maintenant être clair, à près de 4 000 milliards de pertes bancaires (estimation FMI) et quelque 50 000 milliards de dollars de moins-values boursières diverses[1], qu'il a fait la démonstration de sa profonde ineptie – mais tout autant à la commande étatique en direct, pour cheminer vers des *formes socialisées du crédit*. En tout état de cause, un changement de « monde bancaire ».

Desserrer l'étau salarial

Il arrive paradoxalement que plus de précision naisse d'un mot en moins. Ne plus faire suivre « crise » de l'épithète « financière » qu'on lui accole d'habitude est une manière précisément de signifier... que la crise n'est pas simplement financière. On comprend bien tout l'intérêt pour certains de la cantonner à ce registre, qui permet de montrer du doigt traders et banquiers, de promettre leur mise au pas avec des paroles martiales, de renvoyer les détails à des commissions spécialisées, de n'en rien faire finalement, et surtout, surtout, de ne poser aucune autre

---

1. « Plunging assets cost $ 50,000 bn », *Financial Times*, 8 mars 2009.

question. Il se pourrait pourtant que ces « autres questions » émergent, et notamment celle de la forme de capitalisme où nous vivons. Car tous les efforts de diversion et de restriction peinent maintenant à cacher que cette crise n'a rien d'une « crise de finance autonome », qu'elle est née fondamentalement dans l'économie réelle, pour y retourner avec la force d'un choc récessionniste appelé à faire date. Cette origine réelle, c'est l'insuffisance du salaire. Les ménages se seraient-ils endettés pour le plaisir ? Ou plutôt parce que l'évolution de leur revenu ne leur laissait pas d'autre choix ? Ainsi, pendant tout ce temps où les répétiteurs libéraux ne cessaient de sonner le tocsin à propos de la dette des États, c'est une formidable crise de l'endettement privé qui était en train de couver. Il doit être bien clair que toutes les (nécessaires) transformations des marchés financiers et des structures bancaires ne changeront pas cette situation d'un iota. À supposer, donc, réglés les problèmes de la banque-finance, l'alternative de la croissance par la reprise de la dette privée, ou de la dette privée sous contrôle mais avec croissance molle, serait rétablie telle qu'avant la crise. C'est pourquoi il entre dans l'idée d'une « nouvelle donne », et même à titre principal, de s'en prendre aussi radicalement que nécessaire aux structures constitutives de ce qu'on a proposé ailleurs de nommer simplement le « capitalisme de basse pression salariale[1] ». Ces structures sont faciles à identifier : la contrainte actionnariale et la contrainte concurrentielle. Chacune d'elles, et plus encore en interaction avec l'autre, a pour effet de pousser le salaire dans la position de la variable d'ajustement (chapitre 4). Il n'est pas de sortie possible de l'alternative vicieuse de la croissance molle ou du surendettement des ménages sans s'en prendre aux deux contraintes simultanément.

---

1. Frédéric Lordon, *Jusqu'à quand ?*, *op. cit.*, épilogue.

Évidemment, le parti socialiste en appelle à la relance des salaires, mais sans rien vouloir de ses conditions de possibilité. Il est vrai qu'il lui faudrait mettre en question tout ce que, le sachant ou non, il a si bien œuvré à installer, le plus souvent par construction européenne interposée, notamment les structures de la domination actionnariale... et celles de la concurrence. Dans un monde dominé par la contrainte d'extraction de la rentabilité pour l'actionnaire et où l'on a pris soin de faire concourir de plain-pied des systèmes socioproductifs aux standards sociaux et environnementaux parfaitement inégaux, il est exact en effet que la relance salariale telle quelle a beaucoup contre elle. Il faudra bien qu'un jour les faux culs de la justice sociale connectent ce qui doit l'être et, s'ils veulent être pris au sérieux dans leur déploration des inégalités, mettent au centre de leur projet la transformation des structures qui les réengendrent continûment : d'une part la présence écrasante du capital actionnarial et l'entière liberté de mouvement qui lui permet d'asseoir son emprise sur les entreprises cotées, de l'autre la concurrence parfaite avec la terre entière, autorisations de délocalisation comprises – bref, l'Europe dans sa forme actuelle, prolongée en OMC et AGCS.

Aucune de ces deux servitudes n'est indépassable. À la première il est possible d'opposer la contre-force de la loi fiscale, et de plafonner la rémunération actionnariale totale. La finance en général, et actionnariale en particulier, aime qu'on s'adresse à elle en anglais ; elle entendra donc parler du SLAM – Shareholder Limited Authorized Margin, soit marge actionnariale limite autorisée (chapitre 5). La seconde appelle le renversement des interdits « concurrentialistes » et la réouverture d'un débat sur la nature du régime souhaitable des échanges internationaux, débat dont le degré de verrouillage, eût-il été observé n'importe où ailleurs, aurait suscité sans coup férir l'évocation à voix tremblante des infâmes dictatures d'outre-Mur (« heureusement tombées »). On l'a compris, il s'agit là de la question du « protectionnisme », question si mal construite, mot si parfaitement inepte qu'on lui laissera des guillemets de commisération, avant de l'oublier complètement (chapitre 6).

Réduction de la finance de marché, instauration d'un système socialisé du crédit, desserrement de la contrainte actionnariale (SLAM), cessation des formes de concurrence les plus violentes par la réorganisation du commerce international selon un principe d'*ouverture modulée*, justice sociale-fiscale redistributive immédiate : ce sont les premiers éléments d'une nouvelle cohérence qui a vocation à s'affirmer comme telle, c'est-à-dire comme réponse à une situation d'ensemble, une forme d'organisation économique et on pourrait même dire un modèle de société devenus odieux. À la vérité, c'est bien là le programme minimal, en deçà duquel gouvernants et aspirants risquent bientôt de ne pas comprendre ce qui leur arrive. Car, pour tous ses renseignements généraux, sa flicaille omniprésente et son terrorisme « antiterroriste », ce gouvernement n'a visiblement pas la moindre idée du nombre des gens ordinairement très paisibles et sans aucune inclination à la violence mais qui ont passé les bornes de l'indignation privative, c'est-à-dire silencieuse, et ont maintenant au cœur l'« envie de tout casser ».

CHAPITRE 1

Responsabilités

De l'inconséquence qui lui fait brûler dans l'instant ce qu'elle a adoré pendant des années ou de la pure insuffisance qui la voue aux formes les moins réfléchies de la réflexion, on ne sait plus trop quel est le principal caractère de la pensée journalistique. En tout cas, c'est la pulsion de s'instituer tribunal de l'opinion éclairée qui ressort comme sa particularité la plus saillante, jusque dans cette propension caractéristique de la plupart des tribunaux à se situer invariablement du côté du manche – bonheur ouaté du confort d'accompagner les courants dominants... mais légère panique quand ceux-ci brutalement changent de sens : vite, identifier le nouveau manche et le rejoindre dans les meilleurs délais ! Or le secret des reconversions à grande vitesse réussies est toujours le même : l'index accusateur. Car le doigt dénonciateur a l'excellente et inusable propriété d'opérer un partage simple du monde – il y a les pointeurs et il y a les pointés. Montrer du doigt, c'est la certitude d'être du bon côté du doigt. Aussi, dans leur inconstance, les reconvertis ont-ils pour seule constance de s'efforcer de se maintenir du même côté de l'index. Prendre de vitesse tout le monde dans la désignation des coupables est davantage qu'une manie compulsive, c'est une police d'assurance. Et la désignation-dénonciation est la lessiveuse qui permet de blanchir les errements du passé. Il va sans dire que la contrainte de rapidité qui s'impose à la manœuvre n'est pas sans effet sur la qualité de son exécution : s'il faut désigner très vite, le premier désignable qui passera par là fera l'affaire, et peu importe la pertinence de sa désignation. En cette matière, les crises financières ont au moins l'indéniable avantage d'offrir des bataillons de désignables évidents : les financiers eux-mêmes, bien sûr. À la vérité, il faut avoir un sang-froid hors du commun, ou bien être financier soi-même, pour ne pas éprouver l'envie de leur faire passer le goût du pain. Et le fait est que la classe financière démultiplie les motifs bien fondés de la vindicte sociale : rémunérations extravagantes, arrogance sans limite, persistance dans les comportements de parvenus les plus obscènes alors même que les institutions financières sont sous perfusion de fonds publics – le vrai motif d'étonnement est que les banques aient jusqu'ici échappé à l'émeute et au saccage ! À ce compte accablant, pourtant, on n'ajoutera pas la responsabilité. Il n'est pas difficile d'imaginer l'étonnement que peut susciter pareille réserve : les dégâts de la finance n'ont-ils pas été accomplis par les financiers et ceux-ci, par suite, ne doivent-ils pas en être logiquement tenus pour les *responsables* ?

Responsables apparents, responsables réels

Le double drame de la « responsabilité » tient au fait, d'une part, qu'elle est le plus sûr moyen de ne rien comprendre à un phénomène social et, d'autre part, que des colères très légitimes n'imaginent pas pouvoir se donner d'autre justification pour se rendre légitimes – alors même qu'elles le sont parfaitement *indépendamment*. Mais le schème de la responsabilité est si profondément ancré qu'il est l'un des attracteurs les plus puissants de la pensée, et il faut longuement argumenter pour convaincre que s'en défaire n'a nullement pour effet de soustraire ceux qui jouissent de cette suspension *analytique* à tout retour de manivelle *politique*, le cas échéant appuyé... Pour délicat que ce soit en une période où les colères sont à fleur de peau, il faut pourtant dire que l'entrée de la responsabilité a beau être la plus impérieuse, la plus compréhensible et la plus légitime, elle n'en est pas moins la plus mauvaise. À tous ceux qui s'inquiètent d'une possible exfiltration de vilains, retirés de la sellette en même temps que la question de la responsabilité est ôtée, on peut donc dire au moins trois choses :

1. Il n'est aucun besoin d'en appeler à la « responsabilité » pour châtier banquiers et traders. On peut très bien décider de fermer des salles de marché, de supprimer des bonus, de limiter les salaires patronaux, de nationaliser les banques et de virer les banquiers sans le moindre argument de responsabilité, tout simplement parce qu'il y a là des nuisances économiques et sociales et que les identifier comme telles est une raison suffisante pour y mettre un terme.

2. Il n'est d'ailleurs pas question d'éliminer la question de la responsabilité. Malgré tous les vices de sa construction comme concept, nos sociétés ne savent pas vivre sans. Aussi la question de la responsabilité ne peut-elle être que différée, puisqu'elle est tôt ou tard vouée à faire retour, le mieux étant le plus tard possible d'ailleurs, quand l'analyse aura eu suffisamment de temps pour se déployer sans être polluée par des considérations accusatrices prématurées et intempestives. C'est pourquoi la question de la responsabilité n'est jamais que *suspendue*, le temps de *comprendre*, et pour mieux y *revenir* par après. Mieux y revenir, c'est-à-dire en de tout autres termes, et d'ailleurs avec de nouveaux « désignés », dont on verra qu'ils étaient cachés derrière les désignés « évidents ». Car, quitte à devoir finalement en revenir au registre judiciaire de la responsabilité, tels sont

bien les bénéfices propres d'un préalable analytique suffisamment étendu pour donner accès aux « choses derrière les choses », et pour éviter de se laisser prendre aux apparences – en l'espèce à la tentation de s'attaquer tout de suite aux responsables immédiats quand ils dissimulent des responsables réels.

3. Suspendre dans un premier temps la question de la responsabilité est donc le seul moyen de ne pas fourvoyer l'analyse dans ces erreurs d'apparence, puisque cette suspension a la vertu de l'aider à moins regarder des individus pour mieux regarder des *forces à l'œuvre*. Écarter la « responsabilité » est bien le préalable à cette opération car, par construction, la responsabilité cherchant des responsables, elle ne connaît, et ne veut connaître, que des *individus*. Aussi cette enquête, fût-elle critique « de gauche », est-elle toujours menacée de s'abandonner sans le savoir aux schèmes intellectuels les plus caractéristiques de la pensée libérale – dont elle est en fait l'une des plus typiques émanations –, qui glorifient des individus libres, souverains, autonomes... et par conséquent responsables ! Croyant en la seule réalité d'individus parfaitement autodéterminés, la pensée libérale-individualiste méconnaît systématiquement le travail des forces sociales qui s'abattent sur eux et les font agir bien plus qu'ils n'agissent eux-mêmes, ou plutôt qu'ils n'agissent *d'*eux-mêmes. Ces forces sont inscrites dans des structures : des institutions, des règles et des règlements, des lois – entre autres[1]. Lorsque les structures sont installées, il ne faut pas s'étonner que les agents qui y sont plongés se comportent comme ces structures les déterminent ou les autorisent à se comporter. Ayant, par exemple, effectué la transformation de structure qui a consisté à déréglementer les marchés de

---

1. Car le spectre et la variété de ce qu'on peut regrouper sous l'étiquette de « forces sociales » sont en fait infiniment plus larges.

capitaux sur une base quasi mondiale, à laisser libre cours à l'innovation financière comme aux comportements des investisseurs, bancaires et non bancaires, donc à instituer les structures de la spéculation, et ayant par là créé un univers d'opportunités de profit hors norme, il ne faut pas s'étonner que des opérateurs capitalistes, dont la vocation même est la maximisation du profit, s'y ruent, s'y enrichissent dans des proportions inconnues du reste de l'économie, y prennent tous les risques, alimentent collectivement la formation d'une bulle, qui finira par crever, etc. Banquiers et traders, lancés dans un univers ainsi constitué, font ce que n'importe quel agent ferait à leur place, et, pour cette raison même qu'un tel univers leur a été proposé, *nul ne saurait leur en faire le reproche moral.* Demander à un trader de refuser un coup profitable pour des réserves vertueuses ou des scrupules de conscience, c'est lui demander de saborder sa propre carrière alors même qu'il joue le jeu déclaré licite qu'il est payé pour jouer. Escompter d'un banquier qu'au nom de semblables raisons il ne pousse pas toute la banque, salle de marché en tête, pour dégager la rentabilité maximale et soutenir aux yeux de ses actionnaires la comparaison avec ses concurrents, c'est lui demander d'œuvrer à sa propre destitution. Or on ne peut pas demander à des agents d'attenter à leurs propres intérêts tels qu'ils ont été construits et légitimés par l'état des structures instituées. Il faut impérativement détourner le regard des individus, réputés seuls auteurs de leurs actes et de leurs désirs, pour apercevoir que ce sont les structures qui configurent, on pourrait même dire définissent, les intérêts des agents et fixent la marge de manœuvre qui leur est accordée pour les poursuivre. Si d'aventure il venait à l'idée d'un gouvernement de décider cette transformation de structure qui consisterait en la relégalisation du travail des enfants, il ne faudrait pas être surpris que les employeurs utilisent cette possibilité dès lors que leurs intérêts viennent d'être autorisés à s'étendre jusqu'à cette nouvelle frontière, et il ne faudrait pas non plus venir pleurnicher que, dans certains milieux sociaux, les petits ne vont plus à l'école, ni se mettre en devoir de morigéner les parents pour cela. Il s'ensuit deux conclusions importantes. La première voit qu'une intention politique de modifier, ou de faire disparaître, certains comportements ne saurait davantage se condamner à l'inefficacité, et surtout au ridicule, qu'en en appelant au sursaut éthique des individus – on imagine par exemple la probabilité d'une sortie de l'esclavage par appel à la vertu des planteurs... ; non, dans cette affaire il a fallu toute la force de l'État légal, et même, en l'occurrence, la guerre, en quoi on se fera peut-être une idée plus précise de l'intensité des forces qu'il s'agissait de désarmer. Transformer ou supprimer des comportements, spécialement dans le champ économique, ne peut véritablement passer que par la modification des structures qui déterminaient les agents à se comporter comme on ne veut plus qu'ils le fassent – c'est-à-dire par un mouvement de reconfiguration de leurs intérêts. La seconde conclusion clôt le détour et fait enfin revenir la question de la responsabilité, mais différemment posée. Car, si incriminer la responsabilité des agents tels qu'ils sont plongés dans les structures est parfaitement vain, autrement pertinente en revanche est la question de la responsabilité de ceux *qui ont installé les structures*, et de ceux *qui ont œuvré à leur pérennité*. À question formellement identique – la « responsabilité » –, voilà que le regard se tourne dans une tout autre direction : non plus la responsabilité des « usagers » de la structure, mais la responsabilité de ses *architectes*, et celle de ses *gardiens*.

La responsabilité des architectes

Il n'est sans doute pas de meilleure illustration des paradoxes de la responsabilité, de ses idées reçues et de ses fourvoiements, qu'une figure individuelle de premier plan, par là offerte à toutes les imputations spontanées, erronées, de responsabilité, et avec tous les effets d'occultation que produisent ces erreurs qui font voir de la responsabilité là où il n'y en a pas et n'en pas voir là où il y en a. On ne saurait imaginer, sous ce rapport, figure plus éminente que celle d'Alan Greenspan, quasi-père spirituel de la *golden finance*... mais brutalement disqualifié/requalifié comme fauteur de tous les troubles depuis la crise, la soudaineté de ce retournement n'ayant d'égale que l'incohérence des « retourneurs », en fait eux-mêmes retournés, qui se sont précipités pour mettre Greenspan plus bas que terre après l'avoir porté au pinacle.

Alan Greenspan, rouage de la structure...

Si Alan Greenspan est ainsi une figure du plus haut intérêt, c'est parce que, en tant qu'homme réputé de pouvoir, détenant discrétionnairement les leviers de la politique monétaire, il était aussitôt crédité de souveraineté, et par là d'emblée placé dans la catégorie des « grands responsables », des responsables par excellence – sur le mode éclairé-admiré d'abord, critiqué-condamné ensuite. Mais de quoi Alan Greenspan a-t-il effectivement été responsable, au sens plein du mot, c'est-à-dire en quoi son souverain libre arbitre – pertinemment exercé ou non, c'est une autre question – s'est-il véritablement exprimé ? Pour incongrue que paraisse la question à propos d'un homme dont la « puissance » semble *ipso facto* valoir responsabilité, l'analyse macroéconomique livre une tout autre image des choses.

Car la vérité, c'est qu'Alan Greenspan n'avait aucun choix, aucune marge de manœuvre ou presque. À lui se sont imposées, de tout leur poids, les structures du capitalisme de basse pression salariale : coincée entre la contrainte actionnariale exigeant le dégagement d'une rentabilité des capitaux propres sans cesse croissante et la contrainte de concurrence qui met une pression constante sur les coûts salariaux, la rémunération du travail a enregistré des reculs macroéconomiques considérables ou, dans le meilleur des cas, des stagnations à des niveaux très bas. Or le capital a besoin de débouchés intérieurs et, dans les grandes économies industrialisées où elle fait facilement 70 % de la demande finale, on ne fait pas comme ça l'impasse sur la consommation. Telle est bien l'impasse dont les géniaux techniciens libéraux ont cru trouver la sortie avec l'endettement des ménages – et telle était bien la fonction de la titrisation que d'accroître considérablement, bien au-delà des seules banques dont c'était jusqu'ici l'exclusivité, le nombre des agents financiers susceptibles de porter des risques de crédit... Augmenter le nombre des porteurs de risques de crédit, pour en augmenter le volume total, pour fournir aux ménages la capacité de dépense que leur simple revenu ne leur donnait plus, pour écouler la marchandise du capital... et soutenir une croissance qui autrement se serait effondrée. Voilà donc que se déchire le voile d'illusions autour de la croissance étasunienne, voile de mythes savamment entretenus et de fabrications légendaires, à base de Silicon Valley, de risque entrepreneurial et d'« énergies libérées », de flexibilité et d'État absent. Les choses étaient plus prosaïques que ça... Peu suspect d'antiaméricanisme primaire, Jacques Mistral a au moins le mérite de faire preuve de lucidité, de voir les choses telles qu'elles sont, ou plutôt telles qu'elles ont été[1] :

---

1. Jacques Mistral, *La Troisième Révolution américaine*, Perrin, 2008.

la croissance des années 2000 doit tout au colossal déficit budgétaire de l'administration Bush – 2,5 points de PNB de baisses d'impôts de 2001 à 2004 et 500 milliards de dollars de dépenses publiques supplémentaires – et surtout à la montée des flots de crédits immobiliers – qui passent de 450 milliards de dollars en 2000 à 1 300 milliards en 2006... Ces béquilles ôtées, notamment la seconde, celle du crédit, à laquelle il faudrait ajouter toutes les autres sortes d'emprunts contractés par les ménages – leur taux d'endettement[1] finira à 120 % en 2007 –, la croissance étasunienne n'est plus qu'un mirage.

On crie haro sur le baudet Greenspan, on le traite de tous les noms et notamment d'« irresponsable », c'est-à-dire de responsable, mais quelle était l'étendue de ses choix dans ces conditions ? Soit ne pas nourrir la bête, droguée au crédit, et la voir s'effondrer – avec un taux de croissance souseuropéen. Soit lui donner sa dose et la voir finir dans sa déchéance présente. Un choix qui n'en est même pas un puisque, s'il est une puissante idée directrice de la politique économique étasunienne, c'est que tout doit être fait pour maximiser la croissance et surtout l'emploi. Un peu comme les individus, les sociétés ont leurs traumas et leurs scènes primitives. Les politiques économiques en portent la trace, qui se forment parfois selon des « styles » nationaux marqués au coin d'une histoire. Bien sûr l'extension analogique au collectif du thème de la psyché individuelle est à manier avec un luxe de précautions, et ce serait par ailleurs beaucoup – trop – accorder aux « idées » déconnectées de leurs environnements politiques de rapports de force que d'en faire ainsi, en elles-mêmes, les déterminants exclusifs des politiques économiques. N'est-il pas cependant visible que l'obsession de l'Allemagne pour la stabilité nominale, telle

---

1. Le taux d'endettement est ici défini comme le rapport de la dette des ménages à leur revenu disponible.

qu'elle l'a imposée à la construction monétaire européenne, allant même jusqu'à forcer l'adoption de son propre modèle de banque centrale, plonge directement dans les scènes de l'hyperinflation des années 20 ? Pareillement, comment ne pas voir l'empreinte du trauma exactement inverse, celui du chômage et de la Grande Dépression, dans les préférences de la politique économique étasunienne, qui, toutes forces politiques confondues, prend (presque) toujours le parti de la croissance et de l'emploi[1] ?

Que peut donc Alan Greenspan, confronté à une simple alternative « restriction monétaire et croissance annulée vs. crédit étendu et croissance continuée », dont l'un des termes au surplus lui est interdit par un consensus politique implicite hérité de l'histoire ? Très logiquement, Alan Greenspan a fait ce que toutes les forces politiques et historiques l'ont implacablement déterminé à faire... C'est pourquoi à la pure et simple incohérence, doublée d'un opportunisme dans le retournement passablement écœurant, s'ajoute, de la part de ceux qui ont cru bon de passer sans transition ni explication de la plus servile célébration d'Alan Greenspan à son dénigrement à peu près aussi complet, l'incompréhension profonde des forces à l'œuvre dans cette situation, telles qu'elles réduisent à presque rien l'espace des choix d'un banquier central rien moins que souverain.

... et architecte de la structure

Dans cette affaire, donc, Alan Greenspan n'est qu'un rouage de la structure – de la structure d'ensemble du régime d'accumulation étasunien. Il lui est fonctionnelle-

---

1. Le cas de la politique monétaire conduite en 1979 par Paul Volcker pour briser l'inflation faisant notoirement contre-exemple.

ment asservi, et la seule chose qu'on pourra dire de lui, c'est qu'il aura rempli son office, que le rouage aura convenablement tourné, c'est-à-dire conformément à l'ensemble des contraintes et des demandes qui le voulaient tournant. Une fois de plus, cependant, dire cela n'est en rien « exonérer Greenspan de responsabilité ». Tout au contraire s'agit-il d'écarter les responsabilités subalternes, et en fait quasi inexistantes, pour mieux en revenir aux responsabilités réelles, celles qui demeurent autrement cachées par les précédentes, selon l'habituelle logique de l'accessoire destiné à masquer l'essentiel. Car, pourvu qu'on sache voir où elle est et où elle n'est pas, la responsabilité d'Alan Greenspan est considérable en effet : non pas comme le rouage de la structure, mais comme son architecte. Le Alan Greenspan conducteur au quotidien de la politique monétaire ne saurait faire oublier le grand contributeur qu'il a été à l'environnement de déréglementation financière approfondie dans lequel se sont armés les mécanismes de l'effondrement des marchés.

Car c'est avec une constance granitique qu'Alan Greenspan a pendant une décennie soutenu idéologiquement et pratiquement la formidable expansion des produits dérivés, notamment des dérivés de crédit, et sans relâche plaidé pour tenir les superviseurs publics aussi loin que possible des banques et des fonds, remis à ces derniers l'entière prérogative de leur propre contrôle, avec pour intention directrice de créer l'environnement réglementaire le plus léger possible. Il suffit pour s'en convaincre de reprendre tous ses discours, année après année, où l'on retrouve, invariante, la même structure rhétorique, dans laquelle l'analyse technique fine des risques posés par les produits dérivés est encadrée d'introductions et de conclusions destinées à souligner que, certes, les dérivés peuvent poser problème, mais que l'« analyse coûts-bénéfices » plaide indiscutablement pour leur développement, puis à rappeler combien les agents eux-mêmes sont toujours leurs propres meilleurs surveillants et quel grand soin les autorités publiques devraient avoir de leur éviter d'inutiles régulations. *« Les grandes banques semblent considérer que la régulation des marchés organisés de dérivés comporte plus de fardeaux que d'avantages. Comme je l'ai noté antérieurement, le fait que les marchés de gré à gré fonctionnent efficacement en dehors du cadre du Commodity Exchange Act fournit un argument fort pour le développement d'un régime moins pesant de régulation des marchés organisés*[1]*. »* Traduction : 1) les transactions sur produits dérivés peuvent être de deux sortes : sur des marchés dits « organisés », c'est-à-dire dotés d'une chambre de compensation imposant d'échanger des produits standardisés et de respecter certaines règles valables pour tous ; ou bien sur des marchés dits de gré à gré (OTC, Over the Counter), ainsi nommés car les transactions y sont purement bilatérales et conclues aux conditions agréées par les parties seules ; 2) par construction, les marchés de gré à gré sont des lieux échappant à toute régulation ou presque, et notamment à celles des marchés organisés, dont certains sont régis par le Commodity Exchange Act (les premiers marchés de dérivés à s'être fortement développés, et à avoir pris la forme de « marchés organisés » sous un dispositif réglementaire, ont été les marchés de matières premières) ; 3) que les marchés de gré à gré attirent spontanément les agents désireux de n'être encombrés d'aucune régulation, on le comprend assez facilement[2].

---

1. « Financial derivatives », Remarks by Chairman Alan Greenspan, Futures Industry Association, Boca Raton, 19 mars 1999.
2. La question subsidiaire étant : pourquoi dans ces conditions les marchés OTC n'ont-ils pas capté l'intégralité des transactions sur dérivés ? La réponse est que même les agents privés se sont aperçus que l'organisation des *exchanges* (les places de marché organisées) et leur réglementation offraient des avantages en termes de stabilité et de risque de contrepartie.

Alan Greenspan voit dans leur aptitude à fonctionner hors des cadres réglementaires du Commodity Exchange Act une vérité tout à fait générale quant à la supériorité des marchés hors réglementation ; il en conclut qu'il faut tirer toutes les conséquences de cette vérité et alléger autant que possible toutes les inutiles pesanteurs réglementaires là où il en reste... c'est-à-dire dans les marchés organisés !

Le combat pour la déréglementation ne se mène pas qu'en paroles. Les actes suivent de près, quoique moins en vue. Comme souvent, la « vraie » politique ne se fait pas dans les sommets à grand spectacle ou dans les grand-messes médiatisées. Elle a davantage le goût de la pénombre, des petits comités et des réunions obscures. Il a fallu quatre années de délai, par exemple, pour que remonte à la surface une décision cruciale prise à la SEC (Securities and Exchange Commission) lors d'une réunion qui n'avait besoin de rien de secret pour passer inaperçue tant elle portait sur de byzantins détails techniques supposés n'intéresser que quelques spécialistes et ne mériter qu'une salle de sous-sol[1]. Il s'agissait de modifier la *net capital rule*, également connue sous le nom de « réglementation Pickard »... pas exactement de celles qui font les gros titres de la presse. La *net capital rule* établit un coefficient de leviérisation[2] maximale autorisée aux banques d'investissement – sous la réglementation Pickard, établie en 1975, ce plafond

---

1. Réunion tenue le 28 avril 2004. La décision a été enregistrée au *Federal Register*, vol. 69, n° 118, p. 34428-34471.

2. La leviérisation consiste dans le rapport entre les actifs totaux d'un opérateur et ses capitaux propres – la différence des deux ayant été, par construction, financée par de l'endettement. Elle désigne donc ce recours à l'endettement tel qu'il permet à l'agent considéré de prendre des positions excédant ses ressources propres. On peut alors poser la question de savoir de combien cet endettement « multiplie » les capitaux propres pour financer le total des positions prises. Le coefficient de leviérisation est ce multiplicateur.

était fixé à 12. Sous la pression des grandes firmes de Wall Street, menées à l'époque par... Henry Paulson, alors président de Goldman Sachs, la SEC autorisera le doublement de ce coefficient – et en fait tolérera même beaucoup plus puisque certaines de ces firmes termineront avec des multiplicateurs supérieurs à 30... c'est-à-dire dans une situation de surleviérisation qui causera leur perte à toutes et jouera un rôle central dans l'effondrement du système financier étasunien. Ainsi les grands fracas de la finance sont-ils armés en des conclaves à bas bruit, parfaitement inconscients des catastrophes qu'ils préparent, et guidés seulement par la combinaison du jeu ordinaire des groupes de pression et de l'incrustation des croyances idéologiques.

Tel est bien le mode propre de cette autre réunion, tenue en avril 1998 et rapportée... dix ans plus tard par le *Washington Post*[1], réunion dont on trouverait sans doute des dizaines d'équivalents, qui en tant que telle, donc, n'a rien de stratégiquement décisif, mais qui illustre à la perfection ces petits événements gouvernementaux dont la répétition ancre un régime économique, en l'occurrence un régime financier, le polit, le parfait, le pousse jusqu'à sa dernière logique en finissant par écarter toute force de rappel, tout compromis entre principes antagonistes, bref en se rendant à la forme pure. Lors de cette réunion du President's Working Group on Financial Markets qui se tient à la Maison-Blanche, Brooksley Born, présidente de la Commodity Futures Trading Commission (le régulateur des marchés de produits dérivés de matières premières), fait part de ses préoccupations à propos du formidable essor d'une catégorie « nouvelle » de dérivés, visiblement très peu encadrés : les dérivés de crédit. Or, en face de Born, il y a un bloc : Robert Rubin,

---

1. Anthony Faiola, Ellen Nakashima, Jill Drew, « What went wrong », *Washington Post*, 15 octobre 2008.

secrétaire au Trésor de Clinton, qui passera ensuite à Citi-group, numéro un des pertes sur les subprimes, Arthur Levitt, président de la SEC... et Alan Greenspan. Ce n'est pas un bloc, c'est un mur ! Tous les avertissements de Born, tous ses appels à encadrer ces nouveaux produits sont systémati-quement contrés. Born qui, pour être totalement isolée, n'en démord pas, publiera quelques jours plus tard un communi-qué dans lequel elle se dira désireuse d'ouvrir un débat public sur les dérivés et leurs risques. Fait exceptionnel, Rubin, Levitt et Greenspan répliqueront aussitôt par un contre-communiqué commun exprimant les *« graves préoc-cupations »* que leur inspire cette initiative intempestive, rejoints plus tard par Lawrence Summers, alors sous-secré-taire au Trésor de Clinton et... actuel conseiller économique d'Obama[1], qui, devant le Congrès, critiquera la proposition de Born comme *« jetant une ombre d'incertitude réglemen-taire sur un marché autrement prospère »*[2]. L'« incertitude réglementaire »... Voilà le cauchemar des libéraux, libéraux de droite ou de « gauche », enfin de cette gauche clinto-nienne-blairiste pour qui l'incertitude des marchés, ou des produits financiers bizarres, n'est rien, mais l'incertitude du Béhémoth étatique tout. Greenspan mène ces combats-là en y jetant tout son poids institutionnel... et toute sa croyance aussi, celle qui lui dicte que les agents eux-mêmes, les princi-paux intéressés à leur prospérité et à leur survie, sont toujours les mieux placés pour se surveiller et pour se réguler, que les risques sont *leur* affaire avant tout, qu'on peut les laisser en prendre puisqu'ils savent mieux que personne ce qui est bon pour eux, bref que la régulation externe par les autori-tés publiques est toujours au mieux un inutile encombrement,

---

1. Plus exactement, il est le chef du National Economic Council, placé auprès du président.
2. Anthony Faiola, Ellen Nakashima, Jill Drew, « What went wrong », art. cité.

au pis un désastre, et que, par construction, l'autorégulation doit lui être préférée en toute circonstance.

Comme on sait, c'est cette vision de l'économie que la crise laisse en ruine et qui, fait remarquable, aura conduit Greenspan à un aveu public, on pourrait même dire une abjuration, tel qu'on n'aurait jamais pu l'imaginer : *« Ceux d'entre nous qui avaient vu en l'intérêt propre des institutions de crédit le moyen de protéger leurs actionnaires (tout spécialement moi-même) sont dans un état d'incrédulité choquée*[1]. *»* L'écroulement ébahi d'une vision du monde doit alors être mis en rapport avec l'intransigeance avec laquelle elle aura été préalablement défendue, et pas seulement en mots mais en actes politiques dont les conséquences, pourtant prévisibles mais systématiquement déniées, sont maintenant visibles de tous. C'est pourquoi tous les reconvertis en quête de « responsables » à désigner au plus vite sont parfaitement fourvoyés quand ils tombent sur la *politique monétaire* de Greenspan. Au moins celle-ci, au milieu des contraintes structurelles qui étaient les siennes, a-t-elle porté à bout de bras la croissance étasunienne et donné pendant tant d'années aux anciens admirateurs du président de la Réserve fédérale, qui n'ont même pas la reconnaissance du ventre, des (mauvaises) raisons d'encenser également le modèle d'outre-Atlantique... Et c'est ainsi que le débat éditorialiste, qui va toujours au plus superficiel, bien aidé en cela par l'escouade des « experts » attitrés, qui ne pensent pas beaucoup plus profond, n'a jamais su voir Greenspan l'architecte, ne regardant que Greenspan l'ouvrier, et que, à se donner le beau rôle des donneurs de leçons rétrospectifs sur une politique monétaire qu'ils n'ont pas manqué de célébrer tout le temps de sa splendeur, pas un instant il ne

---

1. Témoignage d'Alan Greenspan, Chambre des représentants, Committee on Oversight and Government Reform, 23 octobre 2008.

leur serait venu à l'idée d'aller mettre en cause une tout autre responsabilité, autrement écrasante pour le coup, celle de l'intransigeance dans la déréglementation, c'est-à-dire celle de la préparation des structures du désastre.

Les ingénieurs (socialistes) de la déréglementation française

Les structures, voilà précisément ce dont tous les vrais responsables veulent qu'on parle le moins. Car en parler, bien sûr, ce serait forcément évoquer leurs décisives contributions, leur accablante implication. Il est donc temps de rappeler que les structures – celles de la libéralisation internationale des marchés de capitaux comme celles, plus généralement, de ce qu'on nomme par raccourci la « mondialisation » – ne sont pas tombées du ciel ni n'ont surgi par génération spontanée. *Ces* structures, ces structures-*là*, n'étaient pas là. Puis un beau jour elles y sont. Si l'argument n'avait pas cette simplicité souvent prise pour un manque de sérieux, on pourrait se permettre de dire : c'est donc qu'on les y a mises. Or c'est vrai ! Qui ne voit l'abyssal écart séparant les structures de la finance des années 45-75 et celles que nous connaissons depuis le milieu des années 80 ? Et qui échappe à la question des origines de cette grande transformation ? La réponse paradoxale – mais qui n'est telle qu'au regard des énoncés les plus grossiers de la *doxa* libérale – est que ce sont, une fois encore, les États qui ont été les instituteurs des marchés, et que la mondialisation, qui a si dramatiquement restreint la marge de manœuvre des politiques publiques, a été le fait d'autres politiques publiques – on pourrait dire de « métapolitiques publiques » puisqu'elles déterminent les conditions d'exercice des politiques publiques ordinaires. Sans doute ne négligera-t-on pas le dynamisme purement privé de l'«innovation» financière, cette nuisance enveloppée dans les mots du progrès, ainsi que sa fatale ingéniosité à créer des produits dont la dangerosité est maintenant avérée[1]. Mais il n'était pas dans le pouvoir des acteurs privés de créer le terrain de jeux lui-même – cela, seuls les États pouvaient le faire pour eux. Il aura donc fallu une crise d'une magnitude exceptionnelle pour que deux décennies de dénégations répétées, notamment dans le commentariat de la gauche de droite (*Libération*, *Le Monde*, etc.), connaissent leurs premiers craquèlements, et pour qu'apparaisse en cette matière l'écrasante responsabilité du socialisme de gouvernement, relayé au niveau européen, c'est-à-dire de tout ce que le débat public, par la voix de ses animateurs autorisés, s'est efforcé pendant si longtemps de sanctuariser, de tenir à l'écart des souillures questionnantes, au nom de la sagesse et de la raison gouvernante, au nom des évidences de l'efficacité, au nom de l'histoire et de la paix, au nom des intérêts supérieurs de... de qui, au fait ? Une dramatique ironie de l'histoire politique aura donc voulu qu'en France les « socialistes » aient été les grands architectes – c'est-à-dire les grands responsables.

Cette tragique chronique de la déréglementation financière sous pilotage « socialiste » est maintenant suffisamment connue pour qu'il ne soit plus nécessaire de s'y appesantir, mais, à l'usage des toujours incrédules – et il y en a, surtout au parti socialiste, bien sûr ! –, il est utile d'en rappeler les étapes les plus marquantes – il faudrait dire en fait les « stations » puisque c'est bien une sorte de calvaire. Comme souvent, l'acte le plus significatif est accompli en premier : il s'agit ici de la loi de déréglementation des marchés financiers de 1986, présentée par Pierre Bérégovoy – l'oxymore apparent « loi de déréglementation » rappelant

---

1. Voir André Orléan, *De l'euphorie à la panique*, *op. cit.*

qu'il faut l'intervention de l'État pour abolir le contrôle de l'État[1], et qu'assez souvent le « marché » ne naît que de l'opération de son supposé contraire. Par un télescopage qui est en soi tout un symbole, cette histoire mise en marche dans le cadre national va trouver son premier relais à l'échelon européen. Car la déréglementation a pour projet d'être opérée sur la base internationale la plus étendue possible, et l'Europe, « relancée » au milieu des années 80 par le sommet de Fontainebleau (1984) puis par l'Acte unique (1986), se saisit de la question financière comme de l'un des domaines où l'idée du « grand marché » peut s'accomplir le plus rapidement et le plus intensément. La directive Delors-Lamy[2] prise en 1988 se donne l'horizon de l'été 1990 pour la réalisation de la pleine mobilité des capitaux, non seulement intraeuropéenne *mais également entre les États membres et les États extérieurs à l'Union* – c'est l'actuel article 63 du traité de Lisbonne.

Il faut s'attarder sur cette clause extraeuropéenne pour voir apparaître d'un coup l'énormité du mensonge de « l'Europe bouclier contre la mondialisation », Europe dont les textes mêmes *organisent* la parfaite porosité aux mouvements de capitaux de toute la planète et font du marché financier européen une sorte de terrain vague de la finance ouvert à tous les vents. On ne sait trop alors, des atteintes de la mémoire ou de l'obstination dans le déni, laquelle des deux hypothèses il faut retenir lorsqu'on entend Jacques Delors, interrogé par Philippe Riès avec une bienveillance qui a largement passé les bornes de la faute professionnelle, soutenir que « *la construction européenne n'est pour rien ni dans le déclenchement de cette crise financière, ni dans*

---

1. Plus exactement : pour faire *reculer* le contrôle de l'État, car celui-ci ne disparaît jamais complètement.
2. Directive 88/361/EEC. Jacques Delors est alors président de la Commission et Pascal Lamy son directeur de cabinet.

son aggravation », et son questionneur si peu questionneux ajouter pour son propre compte : *« Cela va sans dire, mais mieux encore en le disant à l'intention de ceux qui céderaient à la facilité de désigner l'Europe comme bouc émissaire »*[1]. Jacques Delors se souvient-il de sa propre directive ? A-t-il entendu parler d'un article 56 du traité de Nice, renuméroté 63 dans le traité de Lisbonne, mais surtout issu de la réinterprétation de l'article 67 du traité de Rome, qui dispose que *« toutes les restrictions aux mouvements de capitaux entre les États membres et entre les États membres et les pays tiers sont interdites »* ? A-t-il encore en mémoire cet acharnement dans la radicalité libéralisatrice qui a conduit, bien au-delà des arguments de « grand marché européen », à étendre sans la moindre précaution le principe de la libéralisation financière aux relations de l'Europe avec la planète financière, y compris ses recoins les plus glauques ? Car si, au sens le plus étroit du terme, la crise n'a pas pris naissance en Europe mais aux États-Unis – et ce pour ne pas vouloir voir que la même situation était armée au Royaume-Uni, en Espagne et dans bien d'autres pays de l'Union –, il faudra tout de même que Jacques Delors et Philippe Riès s'interrogent sur les mystérieux mécanismes qui ont soutenu une contagion aussi foudroyante, et qu'ils se demandent si ces mystères n'auraient pas à voir, précisément, avec l'interdiction de « toute restriction aux mouvements de capitaux avec des pays tiers », comme les États-Unis, au hasard, dont les actifs avariés ont pu voyager en toute liberté pour infester les bilans des banques européennes. Il faudra également qu'ils se demandent si un peu de restriction n'aurait pas tout de même été souhaitable, ou alors qu'ils indiquent comment, en son état actuel, l'espace

---

1. Jacques Delors, « Comment l'Europe doit affronter la crise », entretien avec Philippe Riès, Mediapart, 12 octobre 2008.

européen aurait pu se prémunir contre l'entrée en masse des produits de la finance structurée, logés dans ces structures qu'on appelle des SPV (Special Purpose Vehicles), la plupart du temps domiciliés dans des places offshore – là même d'ailleurs d'où officie cette autre catégorie d'agents financiers si désirables, les *hedge funds* –, places avec lesquelles bien sûr aucune restriction ne saurait être considérée. Ainsi, dans un très beau mouvement de maximalisme doctrinal, l'Union européenne, traité après traité, a-t-elle installé les structures de la propagation de la vérole, et les Grands Européens viennent-ils s'étonner d'avoir la chtouille après avoir interdit le port du préservatif – mais de cela, non, ils n'ont aucun souvenir.

Pour tous les dénégateurs, les adeptes de la cécité volontaire et les mémoires à occultation sélective, il faudrait prendre le temps de cette chronique accablante, depuis l'effondrement de la fiscalité sur les revenus du capital (Bérégovoy, 1990) jusqu'au projet de la candidate socialiste (2007) de développer un fonds de pension collectif – « *c'est la manière dont j'envisage le financement des retraites aujourd'hui*[1] » –, en passant par le régime fiscal douillet pour stock-options (Strauss-Kahn, 1998), la promotion de l'épargne salariale avec de lourdes intentions d'en faire le tremplin vers les fonds de pension (PPESV[2] de Laurent Fabius, 2001), le courageux combat des députés socialistes européens, alors emmenés par Pervenche Bérès, pour faire adopter à Strasbourg le projet de directive Bolkestein abolissant toute

---

1. Ségolène Royal, « Et pourquoi pas la création d'un fonds de pension collectif ? », *Le Journal des finances*, 24 mars 2007.
2. PPESV : Plan partenarial d'épargne salariale volontaire. Tous les intéressés – salariés, entreprises, gestionnaires de fonds – y avaient vu, pour certains même salué, l'amorce d'un équivalent français des fonds de pension étasuniens de type 401(k)... seul le ministre Fabius, à l'époque, ne voyant pas le rapport.

défense possible contre les OPA (2001), la création du Fonds de réserve pour les retraites (FRR) par Lionel Jospin (1999), l'amorce du fonds de pension collectif avec lequel le projet de la candidate Royal bouclera la boucle. On hésite entre la métaphore du calvaire – qui monte – et celle des enfers – où l'on descend. Car il y a là plus qu'un faisceau d'indices : un projet d'ensemble parfaitement cohérent de financiarisation poussée de l'économie française, notamment – et c'est sans doute là le plus coupable – par l'implication financière du salariat, au travers des diverses formules, avouées ou inavouées, de fonds d'épargne retraite ou autre.

Dénier, renier, faire oublier

On peut bien sûr avoir l'envie – et qui ne l'aurait pas ? – de tomber sur les banquiers ou de goudronner le premier trader venu. Mais, pour tout le soulagement qu'apporterait cette rétorsion immédiate, dirigée contre des agents qui n'ont jamais fait que jouer le jeu qu'on leur avait aménagé, les vrais responsables seront toujours dans la nature. Il ne faut pas s'y tromper : ils savent bien en leur for intérieur de quoi ils sont vraiment comptables ; aussi, sentant monter la tornade, n'ont-ils rien de plus pressé que de se remettre dans le sens du vent et de commencer, par une sorte de dédoublement imaginaire que seul rend possible le passage du temps, à dénoncer leurs propres actions passées, comme si elles ne leur appartenaient plus, avec la même vigueur qu'ils employaient naguère pour imposer leurs vues, les vues de la mondialisation libérale, unique horizon de l'humanité.

Or le retournement de veste est un art empirique et tout d'exécution, la manière y est pour beaucoup. Autant le dire d'emblée, souvent elle est manquante. À leur décharge, les « retourneurs » ont de sacrés paletots à retourner – c'est que depuis longtemps on n'avait vu vestes aussi pesantes.

Michel Rocard, aux commandes pendant les années décisives de l'achèvement de la déréglementation financière, de l'alignement par le bas de la fiscalité sur les revenus du capital et de la directive Delors-Lamy, défenseur intransigeant de la politique de désinflation compétitive, au point d'avoir laissé entendre au début des années 90 qu'en faire la critique publique, à la face des marchés financiers, était un mauvais coup porté au franc (fort), donc à la France, une sorte de trahison, le même qui plus tard fera la leçon pour « antieuropéisme » à tous ceux qui s'inquiètent des propensions à la déréglementation extrême de la construction européenne, ce Michel Rocard, donc, attaque son virage en mars 2008 en fustigeant l'« immoralité » du capitalisme, puis en s'élevant contre le capitalisme actionnarial – *« il a partout pressuré les revenus du travail pour assurer de meilleurs dividendes »* –, visiblement sans garder le moindre souvenir de la contribution décisive des socialistes à son installation – car sans déréglementation financière, sans défiscalisation des produits d'actions, sans privatisations de masse, de capitalisme actionnarial il n'y aurait point eu ! –, et le tout en appelant à se ranger *« tous derrière Laurence Parisot »*[1] (contre l'UIMM), c'est-à-dire derrière l'aile du patronat la plus décidée à promouvoir la financiarisation du capitalisme, et la cause de tout ce que Michel Rocard dénonce ou presque... maintenant.

Fustiger, il va falloir, pour rattraper tout ça. Alors le socialisme passé au néolibéralisme décide de ne pas être économe en fustigations. Jacques Delors, Jacques Santer, Lionel Jospin, Michel Rocard, Poul Rasmussen et quelques autres s'y mettent à quatorze pour intimer que *« la finance folle ne doit pas nous gouverner »*. Cela est très bien dit,

---

1. Michel Rocard, « Tous derrière Laurence Parisot », *Le Monde*, 5 mars 2008.

mais peut-être aurait-il fallu préalablement prendre le soin de ne pas tout lui accorder, de ne pas lui ôter toutes « restrictions », notamment celles que tous ces messieurs ont contribué à graver dans le marbre des traités européens (voir *supra*). *« Cette crise financière n'est pas le fruit du hasard »*[1], prophétisent rétrospectivement les auteurs de la déréglementation européenne – pour le coup, ils savent de quoi ils parlent.

De tous, Michel Rocard est visiblement celui qui semble le plus en proie au tourment du remords, si l'on en juge du moins par le niveau des violences verbales qu'il offre en dédommagement : *« Planquer des créances pourries parmi d'autres grâce à la titrisation, c'est du vol.»* Ce n'est pas de ce secteur de la vie politique française qu'on avait l'habitude d'entendre qualifier les banquiers de voleurs... Mais ça n'est qu'un échauffement, la suite est plus corsée : *« Des professeurs de maths enseignent à leurs étudiants comment faire des coups boursiers. Ce qu'ils font relève, sans qu'ils le sachent, du crime contre l'humanité. »* Pause. Question suivante. Les journalistes (Françoise Fressoz et Laëtitia Van Eeckhout) enchaînent tout en fluidité et sans ciller un instant : *« L'hypersophistication de la finance n'a-t-elle pas, bla-bla-bla... »*[2]. Que se passe-t-il dans ces têtes à ce moment-là, que se passe-t-il pour qu'elles parviennent à occulter « ça » – car on ne voit pas trop comment dire pour en parler –, « ça » dont on imagine l'effet, le propos eût-il été tenu par quiconque étant identifié, si peu que ce soit, comme « critique de la mondialisation » ? Sans doute

---

1. Jacques Delors, Jacques Santer, Helmut Schmidt, Massimo d'Alema, Lionel Jospin, Paavo Lipponen, Göran Persson, Poul Rasmussen, Michel Rocard, Daniel Daianu, Hans Eichel, Pär Nuder, Ruairi Quinn, Otto Graf Lambsdorff, « La finance folle ne doit pas nous gouverner », *Le Monde*, 22 mai 2008.

2. Michel Rocard, « La crise sonne le glas de l'ultralibéralisme », *Le Monde*, 1ᵉʳ novembre 2008.

faire oublier sa contribution – on n'ose pas dire sa collaboration... – à la déréglementation financière demande-t-il à Michel Rocard d'en faire beaucoup, mais peut-être pas jusqu'au rapprochement de l'« enseignement des mathématiques financières », des « coups boursiers » et du « crime contre l'humanité »... Comme si la violence verbale d'aujourd'hui pouvait faire oublier la violence – contradictoire – des décisions d'hier, il ne reste que la fuite en avant à tous ceux que l'histoire vient de prendre à revers et qui, supposés de gauche, ont fait la politique de la droite, la conscience à peu près en paix tant que les faits n'avaient pas atteint le seuil de leur perturbation – car pour les inégalités il restait toujours la possibilité d'évoquer la fatalité, accompagnée de quelques « sincères » déplorations.

Il est vrai qu'elle est longue, et chargée, cette histoire de la déréglementation social-démocrate, et que la faire disparaître ne laisse le choix qu'entre des solutions extrêmes. La plus comique étant peut-être celle d'Henri Weber, le sénateur socialiste fabiusien, qui choisit de la réécrire entièrement en s'inventant un martyre rétrospectif et une sortie triomphante des catacombes : si « *les néolibéraux ont prêché pendant trente ans le retrait de l'État,* [...] *la privatisation des services publics et l'extension des rapports marchands* », les socialistes, eux, « *n'ont jamais partagé ce credo* [...]. *Cela leur a valu une solide réputation d'archaïques et de statolâtres* »[1], dont Weber est ravi maintenant de se faire un héroïque blason. Mais « statolâtre » est le mot même qu'employait Laurent Fabius en 1999, et pas comme revendication identitaire, mais pour avertir que si « *la gauche ne court pas beaucoup le risque d'être battue par la droite,* [...] *elle peut l'être par les impôts et les*

---

1. Henri Weber, « Tsunami financier : la réplique idéologique », *Le Monde*, 1er octobre 2008.

charges[1] ». Comme on sait par ailleurs, la défense socia-
liste-française des services publics passera par la privatisation de France Télécom – solennellement exclue pendant la
campagne législative de 1997 – et finira en 2002 à Barcelone avec leur déréglementation générale. Quant à l'extension des rapports marchands, le fait est qu'elle se trouve
plutôt bien réalisée par le Plan partenarial d'épargne salariale volontaire (PPESV), germe de fonds de pension
401(k) dont la logique même est de substituer l'épargne
financiarisée individuelle propulsée sur les marchés à la
redistribution hors marché de la répartition, formidable
invention sociale dont rien n'est alors plus nécessaire que
de la faire contourner par tous les moyens. Aussi faut-il
soumettre systématiquement la presque totalité des discours
socialistes depuis l'ouverture de la crise présente à une lecture symptomale d'où émergent, si l'on met à part le pur
delirium du « crime contre l'humanité », les figures dominantes de la dénégation, du refoulement et du *lapsus calami*
– le talent inconscient avec lequel Henri Weber, pensant
énumérer ses titres de gloire, dévide méthodiquement la
chronique des abjurations socialistes étant à cet égard
appelé à devenir un cas d'école.

L'impossible métamorphose de la gauche de droite

Tombent sans doute également sous ce registre les renou-
veaux d'une rhétorique martiale qui, dans la bouche de ceux
qui s'y essaient, rendent une consistance pareille à celle du
projet de métamorphose d'un nain de jardin en bête du Gévau-
dan. *« La bataille idéologique va maintenant s'engager[2] »*,

---

1. Entretien, *Le Monde*, 23 août 1999.
2. Olivier Ferrand, Michel Rocard, Éric Maurin, « La bataille idéologique va maintenant s'engager », *Le Monde*, 7 octobre 2008.

annoncent sans rire, et telle une bande-annonce en Dolby THX, Olivier Ferrand, Michel Rocard et Éric Maurin. « Bataille idéologique »… La dernière fois qu'un socialiste a dit une chose pareille, ce devait être dans les années 70. La « bataille » et tous ses dérivés, voilà ce que la gauche social-démocrate a toujours abhorré, refusé de dire et absolument banni de ses discours, elle qui a toujours chanté la paix du capital et du travail, œuvré à la dénégation de leur conflit et censuré le moindre mot guerrier, de peur que de « bataille » on ne passe à « lutte », puis de « lutte » à « lutte de classes », l'horreur suprême, le cauchemar par excellence, non cette chose *n'existe pas*. Et voici nos nouveaux lanciers équipés de neuf, le casque choisi un peu trop grand leur tombe sur le nez et l'armure est un peu trop rutilante pour être honnête. Savent-ils surtout que leurs armes ont le tranchant d'un salsifis ? Car on ne se remet pas comme ça sur le sentier de la guerre après avoir clamé pendant tant d'années, de décennies même, que la lutte des classes, ou disons, pour ne pas trop les heurter, les luttes sociales, les rapports de force et toutes ces choses d'une désolante négativité, n'étaient que les reliques d'époques barbares. Mais qui sont donc nos Terminator en puissance, ou plutôt en rêve ? Olivier Ferrand était le conseiller de Lionel Jospin aux affaires européennes. Le sommet de Barcelone de 2002 (voir *supra*) doit bien lui rappeler une ou deux choses. Également le renoncement « flash » aux trois conditions dont le candidat Jospin avait fait des *sine qua non* de la signature du traité d'Amsterdam en 1997[1]. Olivier Ferrand a fait une campagne toute d'émerveillement pour le Traité constitutionnel en 2005, et toute de contrariété qu'il y en ait pour refuser pareille « avancée ». Entouré de ses deux autres « terreurs », et toute ferraille aussitôt mise à terre, Ferrand, retrouvant ses marques

---

1. Donner la priorité à l'emploi, renégocier le pacte de stabilité, instaurer un gouvernement économique de l'euro.

social-démocrates-libérales, diagnostique : *« La crise a une origine simple : les instruments de l'État-providence du XXᵉ siècle s'avèrent inadaptés dans le monde du XXIᵉ siècle »* – quel bonheur de revenir à ce qu'on a toujours dit comme on a toujours aimé le dire –, *« la redistribution handicape la compétitivité et affaiblit la croissance*[1]*»*. Mais, au fait, qui a tout ouvert et créé les conditions de la parfaite déstabilisation des économies à forte protection sociale ? N'y aurait-il pas un peu de concurrence libre et non distordue dans une Europe élargie, allongée d'OMC, là derrière ? Qu'en dit l'ex-conseiller aux affaires européennes ? Qu'en disait-il alors ? S'agit-il de la même personne ? C'est là d'ailleurs la grande, l'énigmatique question : ces personnes qui parlent aujourd'hui ont-elles un rapport autre que de fortuite homonymie avec toutes celles de même nom qui disaient des choses si différentes il y a peu encore ? On a du mal à y croire, et tout autant on a du mal à croire à l'inverse, c'est-à-dire que des mêmes têtes puisse sortir le parfait contraire de ce qui en sortait jadis. Car de tous ces gens qui ont fustigé la bêtise populacière – *« les citoyens votent n'importe quoi*[2]*»*, s'indigne Michel Rocard –, appelé à la « raison », ou à « l'histoire », invoqué la « paix » et la « guerre » pour mieux faire avaler l'article 56 du TCE qui interdit « toute restriction aux mouvements de capitaux », l'article 87 qui interdit les aides d'État aux entreprises en difficulté, l'article 130 qui organise le souverain isolement de la Banque centrale européenne, pour faire avaler la philosophie générale d'un traité constitutionnel qui consignait la liberté des mouvements de capitaux dans sa Charte des droits fondamentaux (!), de tous ces gens, donc, jamais on n'a entendu le moindre mot de réserve, la moindre expression de doute, le

---

1. Olivier Ferrand, Michel Rocard, Éric Maurin, « La bataille idéologique va maintenant s'engager », art. cité.
2. Michel Rocard, « La crise sonne le glas de l'ultralibéralisme », art. cité.

moindre commencement de critique, probablement au nom de l'unité du camp du sens de l'histoire, mais tout de même...

À tous ceux qui s'indigneraient que ces rappels et ces critiques soient réservés à la « gauche », le moment est sûrement venu de dire une ou deux choses, et d'abord qu'il y a beau temps que le parti socialiste n'est plus de gauche. Et puis aussi qu'on aura objectivement du mal à soutenir que ce que cette fausse gauche a accompli lorsqu'elle était au pouvoir est moins pire – « moins pire », ou la mesure de l'abaissement consenti des anticipations – que ce qu'a fait la droite. Que la droite se soit réjouie du « boulot » fait par les pouvoirs socialistes, non parfois sans en prendre un soupçon d'ombrage – car après tout ça n'était pas facile à avaler que Balladur ait moins privatisé que Jospin ! –, que la droite se soit réjouie, donc, c'est la moindre des choses. Il reste que c'est la gauche qui a fait la déréglementation financière, française et européenne... Il reste aussi qu'on ne saurait reprocher à la droite... d'être de droite. Mais qu'il n'y a rien que de très légitime de reprocher à la gauche de l'être devenue, et de la poursuivre sans la moindre pitié à ce seul compte, si possible jusqu'à ce qu'elle ait disparu.

Que ce soient ceux de cette « gauche »-là, en tout cas, qui viennent maintenant, et sans la moindre vergogne, dénoncer tout ce qu'ils ont encouragé, nier tout ce qu'ils ont porté à l'existence, jeter par-dessus bord veste, par-dessus et sans doute froc avec, se prévaloir comme Henri Weber des mérites d'une obscure résistance quand ils étaient installés sur le char de l'État, le char du pouvoir, national et européen, qu'ils ont conduit là où l'on sait, c'est trop, c'est vraiment trop. C'est trop au point qu'on se demande même comment ils osent, au point qu'on reste avec en travers de la gorge cette simple question : « Mais comment peuvent-ils ? » La tragique réponse est qu'ils « peuvent » très bien ! Ils « peuvent », abrités par le délicieux confort de n'être pas banquiers ou traders, ou quand ils sont banquiers – car souvent ils le sont[1] ! – en le faisant oublier pour se présenter comme « conseillers », c'est-à-dire, en tout cas, en évitant d'être assimilés aux désignés immédiats de la grande colère. Ils « peuvent » parce que l'irresponsabilité des responsables n'a pas de bornes. Ils peuvent parce que c'est eux, qu'ils s'estiment l'élite et qu'ils se donnent le droit. Mais leur responsabilité est écrasante, et eux qui, pour faire la leçon au bas peuple, ont l'« histoire » plein la bouche devraient prendre garde au jugement qu'elle leur réservera. Ils « peuvent » surtout parce que nulle part de l'espace public « officiel », celui des médias, ne sont émis la moindre remarque, le moindre soupçon de contradiction, le moindre rappel aux choses dites et aux exigences élémentaires de la cohérence.

La responsabilité des gardiens

Et ce n'est pas de cet espace que viendra la première lueur de morale démocratique. Car cet espace-là est tout autant failli, les questionneurs aussi mouillés que les questionnés, puisque les premiers n'ont rien fait d'autre depuis vingt ans que d'épouser au plus près la pensée des seconds – comprendre : des sélectionnés à qui l'accès à la parole

---

1. Formidable raccourci ironique, la fondation Terra Nova, ultime avatar de feu la fondation Saint-Simon et de l'actuelle République des idées, et cornac intellectuel avoué du parti socialiste de gouvernement (PSG), n'a pas trouvé mieux pour « réfléchir » à la crise financière et à sa « résolution » que de constituer un groupe de travail farci de banquiers ! On y trouve en particulier Matthieu Pigasse, associé-gérant de Lazard Frères, Gilles de Margerie, directeur de la banque privée (gestion des grandes fortunes) et du capital investissement (LBO et *private equity*) du Crédit Agricole, Christophe Bejach, membre du directoire de la Compagnie financière Saint-Honoré, William Kadouch-Chassaing, banquier conseil à Société Générale Corporate & Investment Banking, etc.

publique a été réservé. En ces hauts lieux médiatiques comme dans les hauts lieux du pouvoir ou de l'ex-pouvoir socialiste, le vent souffle en rafales, et les vestes là aussi menacent guenille. En ces lieux, l'histoire de la crise est l'histoire d'une abjuration, l'histoire d'un gigantesque retournement, mais d'un retournement jamais admis, jamais reconnu, et dont tout est fait pour le couler dans les formes apparentes de la parfaite continuité intellectuelle – continuité incarnée d'ailleurs, puisque à tous les micros, devant toutes les caméras, à la signature de toutes les chroniques, ce sont toujours *les mêmes*.

Or la crise, dans ses repositionnements mêmes, met à nu que les faiseurs d'opinion sont faits par l'opinion. À la vérité, il faudrait corriger immédiatement cette proposition car les faiseurs d'opinion... n'ont jamais fait l'opinion. Dans le meilleur des cas ils ne font collectivement que leur opinion de prétendus faiseurs d'opinion ! Ainsi avons-nous vécu pendant presque deux décennies dans un régime d'écart chronique entre les « faiseurs d'opinion » et l'opinion, les premiers tentant – en vain – d'imposer leur « doit-penser » à la seconde, réfractaire à ce devoir, comme l'a montré l'épisode paroxystique de cet écart – la campagne du TCE 2005, bien sûr. C'est pourquoi il faut modifier la proposition initiale – « les faiseurs d'opinion sont faits par l'opinion » – et lui donner la reformulation suivante, moins lapidaire mais plus exacte : « La position des faiseurs d'opinion devient intenable lorsque cet écart chronique qui les sépare de l'opinion dépasse un seuil critique. » Quelque part donc se trouve un point de bifurcation dont le franchissement provoque l'effondrement total de ce qui leur reste de légitimité – et puis rapidement, plus grave, de chiffre d'affaires. Vient alors le temps des grandes révisions, et aussi celui de ce déchirant constat : les faiseurs d'opinion ne sont pas, n'ont jamais été les leaders qu'ils croient être. Se penser « faiseur d'opinion » ne peut être que le produit d'une totale illusion, sans doute encouragée par les trafics narcissiques, intenses en ces milieux et propres à l'entretien de tous les mensonges à soi-même, mais une illusion qui, paradoxalement, et sans doute sur le mode d'une conscience dissociée, n'échappe pas complètement au sens pratique des intéressés. Tous ne guettent-ils pas avec la plus extrême vigilance les changements de direction des grands courants qui traversent et travaillent l'opinion – celle que, ne pouvant pas « faire », ils sont bien obligés de suivre ? Ainsi, il leur faut constamment guetter pour anticiper, c'est-à-dire, faute de pouvoir mener, épouser au plus près, et même si possible rattraper jusqu'à légèrement devancer, et, donc, réviser les positions dans un *timing*... qui leur permette de continuer de croire qu'ils sont leaders et non pas suiveurs. Las, en matière d'effondrement néolibéral, tout concourrait à faire tourner les discrets ajustements à l'épouvantable ruée. C'est que l'installation depuis si longtemps dans un régime de croyance ossifié a de longue date anesthésié toute vigilance et, dans le moelleux confort du parfait consensus, les incitations à la vigilance étaient au plus bas. Aussi la crise a-t-elle paru à tout ce petit monde d'une sauvage brutalité – car évidemment pour qui a refusé si longtemps de voir, le dessillement est toujours douloureux –, et le processus de révision ordonnée a tout eu de la bousculade aux canots de sauvetage, quoique sur le mode du *Titanic* hybridé d'*Hellzapoppin*.

Éditorialistes en état de choc

On comprend pourquoi les médias français demeurent à ce point hermétiques à la culture de l'archive : c'est que, si ressortaient les discours du passé, on y lirait leurs propres errements à longueur de colonnes. Or point n'est besoin d'en appeler à la compétence de l'historien ou à l'art de la sonde archéologique pour les mettre au jour, elles sont là toutes fraîches et sûres d'elles-mêmes, ces proliférantes âneries dont les auteurs nous gratifiaient il y a quelques mois à peine, comme ils l'avaient toujours fait, inconscients encore que le ciel allait leur tomber sur la tête. Comme l'attestent les quelques couples de citations qui vont suivre, la violence des tête-à-queue à si peu de distance est à couper le souffle – mais pas le leur ; il est vrai, comme le dit si bien l'expression, qu'ils n'en manquent pas.

Ainsi, à Laurent Joffrin qui, le 16 mai 2008, fêtant la nouvelle « déclaration de principes » du parti socialiste, plus explicitement libérale que jamais, félicitait Manuel Valls de « *prend[re] à rebrousse-poil tout ce que la gauche française compte d'orthodoxe* » et plus encore de défendre, en tant que « *blairiste revendiqué,* [...] *à la fois le pragmatisme, les valeurs de marché, etc.* »[1], répond Joffrin Laurent, le 30 septembre de la même année, se moquant du « *spectacle baroque* [...] *des conformistes de la science économique répétant leur catéchisme devant des salles vides ou bien brûlant avec ferveur l'idole du marché qu'ils ont adorée toute une vie*[2] » – et l'on peut difficilement s'empêcher de voir dans ce tout dernier propos une forme d'autoanalyse, quoique sur le mode très particulier de la parfaite dénégation. Depuis l'impérissable *Vive la crise !*, émission conçue pour désintoxiquer la société française de ses archaïsmes sociaux et, mieux, la propulser dans la modernité libérale, la trajectoire entière de Laurent Joffrin était jusqu'il y a peu, et il faut le lui reconnaître, d'une parfaite cohérence, dont témoignent ces divers aveux consentis avec la facilité des grandes certitudes, comme celui-ci qui lâche sans hésiter : « *Le service économique* [de *Libération*, où

---

1. Laurent Joffrin, « Le réformisme n'interdit pas le rêve », *Libération*, 16 mai 2008.
2. Laurent Joffrin, « Payer », *Libération*, 30 septembre 2008.

était Joffrin en 1984] *était stratégique car on injectait du libéralisme [...]. On trouvait que Serge July n'allait pas assez vite, mais c'était utile pour lui d'avoir une droite[1]»*, ou cet autre qui, à peine moins relâché, se félicite qu'au service économique *« on [ait] été les instruments de la victoire du capitalisme à gauche[2]»*. Rien d'étonnant donc à ce qu'en 2007 encore Laurent Joffrin fustige la *« gauche bécassine »*, celle qui n'est pas assez à droite et qui – référence en toc pour exposés de Sciences Po – « n'a pas fait son Bad Godesberg ». Rien d'étonnant non plus, quoique la routine sans s'en rendre compte entre maintenant dans la zone de danger, à ce qu'il aide Bertrand Delanoë à pousser son cri d'amour pour le libéralisme managérial[3]... au moment tout de même où l'on a déjà neuf mois de crise financière à grand spectacle dans les gencives. C'est bien là le problème du déni de longue période : il rend aveugle à tout ou presque, même aux évidences les plus massives. Car au mois de mars 2008 il n'est plus nécessaire d'être une pythonisse ou de faire dans l'extralucide pour savoir que la tempête va être de force 10, en revanche il faut être bouché à l'émeri pour continuer de touiller benoîtement sa petite tambouille libérale sans voir que la marmite va verser sous très peu. Laurent Joffrin constate, un peu tard, que le ragoût est par terre et se précipite sur la serpillière : *« Depuis plus d'une décennie, les talibans du divin marché financier ont rejeté tous les avertissements, méprisé tous les contradicteurs et récusé toute tentative de régulation. Résul-*

---

1. Cité *in* Pierre Rimbert, *Libération. De Sartre à Rothschild*, Raisons d'agir, 2005, p. 113.
2. *Ibid.*, p. 114.
3. Rappelons que, dans cet ouvrage de haute tenue intellectuelle, Bertrand Delanoë revendique explicitement d'être un « manager politique ». Bertrand Delanoë, Laurent Joffrin, *De l'audace !*, Robert Laffont, 2008.

tat : le divin marché a accouché d'un monstre comparable à la créature de Frankenstein. » C'est dans *Libération*, le 24 septembre 2008, soit quatre mois après la célébration éditoriale de la « déclaration de principes » socialiste.

Prosélytes devenus procureurs

Un archiviste du futur aura-t-il la patience, comme il nous la faudrait dès maintenant, d'entreprendre la tâche laborieuse et ingrate de constituer cette anthologie de la bêtise et de l'incohérence éditoriales ? Car, comme s'il y avait à l'œuvre un seul auteur, un seul entendement identiquement configuré, ce sont partout les mêmes leçons de libéralisme, étirées sur des années, soudainement répudiées au spectacle de la catastrophe, qui se font écho d'un bout à l'autre de l'espace médiatique. Dans *Le Monde*, Pierre-Antoine Delhommais, incapable de saisir ce qui se passe le 20 août 2007, alors que des événements exceptionnels ont déjà eu lieu, continue sur la lancée d'automatismes parfaitement fiables jusqu'ici à célébrer *« une mondialisation heureuse mais heurtée »*. « Heurtée », c'est déjà une restriction de taille, le signe d'un esprit critique parfaitement affûté. Un an plus tard, le « cahot » de la mondialisation tourne au gouffre et la mondialisation ne peut plus être heureuse – car il y a des limites au ridicule. Si la mondialisation n'est pas heureuse, c'est donc qu'elle était monstrueuse : *« Il faut se réjouir de l'action de l'État. […] L'intervention de l'administration Bush […] a été saluée de façon unanime, à l'exception bien sûr de quelques talibans du free market[1] »* – et, sujet aux mêmes visions que Joffrin, Pierre-Antoine

---

1. Pierre-Antoine Delhommais, « Un "Guantanamo" des subprimes », *Le Monde*, 27 septembre 2008.

Delhommais ne voit plus dans le libéralisme que des enturbannés. Mais comme le patron de *Libération*, et comme Michel Rocard dans son genre, Delhommais ne se sent pas d'autre choix pour faire oublier sa constance libérale, devenue d'un coup intenable, que de tenter de compenser en un coup l'accumulation de deux décennies d'errements. C'est là le genre d'arithmétique qui ne porte pas à la finesse. Mais peu importe, le risque est palpable d'être entraîné par le désastre du système qu'on a si longtemps soutenu, et il faut se sauver soi-même. Alors on en fera autant que nécessaire, c'est-à-dire des tonnes. Michel Rocard dénonçait le crime contre l'humanité, Pierre-Antoine Delhommais prend la même ouverture : « *Et pourquoi ne pas créer un tribunal international pour juger les criminels des marchés ? Un Guantanamo des subprimes ? Il faudra prévoir grand*[1]. » Il est vrai Pierre-Antoine, il est vrai. On pourrait même élargir le box pour y faire une place à la cohorte des serviteurs du régime.

« *Ça ose tout, c'est même à ça qu'on les reconnaît !* »

À côté des chantres tardifs de la « mondialisation-heureuse-mais-heurtée » ou de la « *dure et juste loi des marchés financiers*[2] » – car, amusante bizarrerie, il se pourrait que le promoteur de l'idée du tribunal des subprimes fasse partie des tout premiers prévenus –, on en trouve d'autres, plus épais encore, retenus par on ne sait quel reliquat de régulation de la décence d'en appeler à l'holocauste pour mieux négocier leur retournement, mais cependant pas

---

1. *Ibid.*
2. Pierre-Antoine Delhommais, « La dure et juste loi des marchés financiers », *Le Monde*, 17 septembre 1998.

moins pondéreux dans la logique de « la compensation pour l'oubli au plus vite ». Jacques Julliard, par exemple, en est encore en août 2007 à écrire ceci : « *Je pose la question : les socialistes croient-ils encore à leurs mythes tels que la lutte des classes, le prolétariat, la nationalisation des moyens de production*[1] » – et l'on sent bien qu'il serait urgent qu'ils cessent bien vite d'y croire. Or, le 11 octobre 2008, un certain Julliard, probablement un usurpateur d'identité, écrit ceci : « *Comme à chaque nouvelle crise, le capitalisme financier appliquera la même recette : prendre l'argent là où il est, c'est-à-dire chez les pauvres. Quant aux banquiers, j'en vois beaucoup de ruinés mais aucun de pauvre. Et pas un seul en prison, alors qu'ils viennent de faire perdre au monde entier 20 % à 30 % de sa valeur. Alors qu'on ne nous amuse pas trop longtemps avec ces histoires de parachutes dorés. Bien sûr qu'il faut les supprimer, et vite ! Et même, dans la foulée, faire rendre gorge aux Zacharias, Bernard, Forgeard and Co*[2]. » On sent qu'à la relecture l'appel aux armes et à l'insurrection a sauté de justesse. Ah ! c'est sûr, il est méconnaissable, notre Julliard, le sympathique alter ego de Luc Ferry dont le duo si bien coiffé réjouit et rassure les spectateurs de LCI, dont le dissensus ne dépasse pas le deuxième chiffre derrière la virgule, seuil limite de polémique au-delà duquel le risque d'embraser des populations immatures devient trop grand, et le voilà quoi ? mordu par un renard ? culbuté par une bête à cornes ? Un fâcheux lui aurait allongé la tisane à l'alcool à brûler ? On se perd en conjectures, on envisage des choses improbables, des événements extrêmes, mais l'esprit bute car c'est au-delà du réel – l'ouverture d'une

---

1. Jacques Julliard, « Socialistes, croyez-vous encore à vos mythes ? », *Le Nouvel Observateur*, 2 août 2007.

2. Jacques Julliard, « Les pauvres et les gosses paieront », *Le Nouvel Observateur*, 11 octobre 2008.

quatrième dimension peut-être, ou une déchirure inconnue dans le continuum spatio-temporel, troué comme un vieux maillot de corps, et hop ! Julliard est passé à travers. Rien ne laissait présager pourtant des métamorphoses de cette magnitude, impensées par Kafka lui-même – Julliard serait-il devenu tout soudain une grosse mouche, ça paraîtrait moins invraisemblable. C'était bien lui pourtant, l'œil vif comme d'habitude, égal à lui-même dans la lucidité, qui en août 2007 analysait si posément « *l'altermondialisme* [...] *incapable de comprendre que l'ancien tiers monde se rue dans le capitalisme et voit dans la mondialisation sa chance historique*[1] ». Et le voilà un an plus tard, le velours colonisé par des tarentules, il n'y a pas d'autre explication possible, avertir, l'haleine douteuse, que « *les brigands se sont multipliés parce que, depuis quelque temps, l'entreprise-monde avait été convertie en entreprise de brigandage. Depuis quand ? Depuis que, le socialisme étant disqualifié, les riches n'ont plus eu peur et se sont cru tout permis. On ne dira jamais assez le rôle de la police des mœurs capitalistes qu'a joué historiquement la menace du socialisme. Réinjecter de la morale dans le système ? Assurément, mais la seule qu'il comprenne vraiment : la riposte sociale*[2] ». Blanqui est un demi-sel, et Jean-Marc Rouillan, qui se proposait lui aussi de faire peur aux patrons, est doublé sur sa gauche par *Le Nouvel Observateur*, il y a comme ça des époques... Et puis aussi des adresses. Car Julliard n'a pas hésité pour le titre : « *Les pauvres et les gosses paieront* ». Il fallait oser. Mais ça ose tout.

---

1. Jacques Julliard, « Socialistes, croyez-vous encore à vos mythes ? », art. cité.
2. Jacques Julliard, « Les pauvres et les gosses paieront », art. cité.

« *Experts* » *en perdition*

Immense à proportion du grotesque de leur abjuration, la responsabilité des gardiens de la structure n'est pas moindre que celle de ses architectes, responsabilité du travail sans relâche, pour les uns de construction, pour les autres de célébration ; mais ne sait-on pas depuis longtemps qu'un ordre social ne survit pas qu'en règles et en lois, mais aussi en mots, et que, s'il lui faut ses ingénieurs, il lui faut aussi ses aèdes ? Encore les aèdes avaient-ils parfois du talent ; la domesticité de verbe du capitalisme financier n'en a aucun. On aurait tort cependant d'en limiter la circonscription aux plus en vue des barons de l'éditorialisme, les plus « représentants » et les moins représentatifs du champ journalistique. Car, pour le coup assimilée, parfois jusqu'à la confusion pure et simple, à cette frange supérieure et supérieurement plastronnante des « faiseurs d'opinion », la cohorte des « experts » aura pris plus que sa part à ce travail de légitimation intellectuelle et politique. Eux ne sont pas moins en état de choc de voir aussi spectaculairement ruinées les prophéties de félicité prochaine – car il fallait toujours attendre « encore un peu » – mais certaine dont la « modernité » était nécessairement porteuse. S'étonnera-t-on que n'aient été médiatiquement consacrés, et gratifiés du droit à la parole publique, que les « experts » choisis par les éditorialistes pour tenir le même propos qu'eux, avec pour effet de le rehausser agréablement et de donner le sentiment d'une totale unité de vues de la classe « pensante » ? – le genre de consensus bien fait pour disqualifier d'emblée toute velléité de contestation populaire, ou plutôt populiste, bien sûr[1]. Mais alors, quelle chaleur de l'entre-soi ! Quelle délicieuse ubiquité ! Quelle

---

1. À qui s'indignerait qu'on puisse ainsi jeter le soupçon sur le parfait pluralisme démocratique des médias, on suggérera d'aller consulter le chiffrage des interventions d'économistes aux *Matins* de

ronde conviviale ! Si c'était une attraction de la fête à Neu-Neu, pour y faire venir des intellectuels on l'appellerait le Trombinoscope giratoire – et pour les plus petits le Manège aux cornichons. À la télévision, à la radio, dans la presse écrite, qui pour commenter l'effondrement du capitalisme financier ? Les mêmes, bien sûr ! Tous, experts, éditorialistes, politiques, qui nous ont bassinés pendant deux décennies à chanter les louanges du système qui est en train de s'écrouler et menace de nous faire périr avec lui : ils sont là, fidèles au poste, accrochés à leurs micros comme des moules à leur rocher, et leur joyeuse farandole ne donne aucun signe d'essoufflement. Tout juste se partagent-ils entre ceux-ci qui, sans le moindre scrupule, ont retourné leur veste et ceux-là qui, un peu assommés par le choc, tentent néanmoins de poursuivre comme ils le peuvent leur route à défendre l'indéfendable au milieu des ruines.

Parmi eux, Nicolas Baverez est visiblement sonné et cherche son chemin parmi les gravats. L'effet de souffle a dû être violent car le propos est un peu à l'état de compote : *« La mondialisation conserve des aspects positifs »*, maintient-il contre vents et marées, non sans faire penser au regretté Georges Marchais. Pourtant, ajoute-t-il dans un souffle, c'est bien le *« capitalisme mondialisé qui est entré en crise »*[1], et *« l'autorégulation des marchés est un mythe »*. Il n'empêche : *« Le libéralisme est le remède à la crise »*[2]. Or qu'est-ce que le libéralisme sinon la forme d'organisation économique déduite du postulat de l'autorégulation des marchés ? Peut-être, mais Baverez décide qu'il ne reculera plus d'un pouce là-dessus et qu'il faudra faire

---

France Culture réalisé par Acrimed : Mathias Raymond, « Les voix enchanteresses de l'économie sur France Culture », Acrimed, 30 mars 2009, www.acrimed.org/articles3110.html.
1. *Marianne*, 4-10 octobre 2008.
2. *Le Monde*, 14 octobre 2008.

avec les complexités de sa pensée : « *le libéralisme n'est donc pas la cause de la crise* », quoique par autorégulation interposée il soit le problème... dont il est cependant la « *solution* »[1] – comprenne qui pourra. S'il arrive ordinairement que, dans une ultime bouffée confuse, les grands choqués lâchent encore quelques paroles avant de s'enfermer dans le mutisme, il est à craindre que Nicolas Baverez ne nous fasse pas la grâce de ce silence et que, entre le rechapage de ses erreurs passées et la préservation de ce qu'il lui reste à défendre, nous ayons encore beaucoup à l'entendre.

À leur décharge, donc, les pauvres éditorialistes ne faisaient qu'ânonner ce que leur avaient seriné pendant tant d'années leurs répétiteurs experts. Or de ce côté l'hécatombe est impressionnante également, quoique là encore tout intellectuelle et sans aucun effet de surface, puisque les mêmes, frais et roses, demeurent les invités permanents des médias : comme ils nous ont accablés avec le parfait marché, l'abominable État et la nécessaire réforme, ils sont identiquement disponibles pour raconter la crise et les moyens d'en sortir. Sans doute bien involontairement, les programmations télévisuelles réservent quelques succulentes surprises, comme ce *Grand Journal* de Canal+ du 3 octobre 2008 qui offre un plateau de choix, alignant Jean-Marc Sylvestre, Élie Cohen et Jacques Marseille – les trois Grâces. C'est beau comme du Botticelli, mais en beaucoup plus drôle ! La charité commande de passer rapidement sur les cas de Jean-Marc Sylvestre, sans doute irrécupérable, et de Jacques Marseille, fonctionnaire universitaire spécialisé dans la vitupération des fonctionnaires non universitaires (et des chômeurs), connaisseur de la finance comme un trader du droit canon, mais de toute façon qualifié pour venir redire que le libéralisme n'est ni ce qu'on en croit ni ce qu'on en voit. Élie Cohen, qui a

---

1. *Ibid.*

beaucoup donné de sa personne pour avertir de l'effrayante aberration en quoi consiste l'intervention publique, et a soutenu la privatisation de tout ce qu'il y avait à privatiser, est maintenant d'avis qu'il faut nationaliser – on imagine sa tête si on lui en avait soumis l'idée il y a un an. Coordinateur en 2006 d'un « Programme commun de la France » – subtil humour : PCF... –, Élie Cohen concluait la somme par un éloge de la « réforme », qui commence par une apologie de toutes les expériences modernes un peu « viriles » – Grande-Bretagne, Canada, Nouvelle-Zélande – pour finir par une exhortation au changement adressée, non au modèle français, ce serait encore lui accorder trop de contemporanéité, mais au *« modèle gaulois »*, celui de l'intervention de l'État, dont les défenseurs portent nécessairement hardes et casque à cornes.

Aussi Élie Cohen enjoint-il sans relâche aux socialistes de rompre avec le *« discours d'ultra-gauche fondé sur le déni de la réalité »* et regrette-t-il beaucoup qu'ils soient *« devenus altermondialistes par peur d'une mondialisation qu'ils ne comprenaient pas et dans laquelle ils ne voyaient que les manifestations de multinationales assoiffées de profits, les dérives d'une finance débridée et les inéquités d'une régulation au service des puissants »*[1]. Il n'est pas un mot de cette adresse qui n'impressionne par sa lucidité puisque, comme chacun sait, non seulement le parti socialiste est un repaire d'altermondialistes, mais il faut en effet ne rien comprendre à la mondialisation pour en donner pareil portrait, que la réalité – celle dont le déni est un crime contre l'intelligence – infirme chaque jour davantage. De la qualité du fond ou de son à-propos, on ne sait d'ailleurs trop lequel est le plus admirable : nous sommes en septembre 2007 et nous avons déjà trois bons mois de crise financière dans la musette. Il est vrai qu'Élie Cohen a

---

1. *Tribune socialiste*, septembre 2007.

accueilli la crise avec le sang-froid des grands clairvoyants : *« Dans quelques semaines, le marché se reformera et les affaires reprendront comme auparavant[1] »*, écrit-il le 17 août 2007, avant de livrer sa philosophie (presque) définitive des crises financières : *« Il faut s'habituer à l'idée qu'elles ne constituent pas des cataclysmes mais des méthodes de régulation d'une économie mondiale qu'on n'arrive pas vraiment à encadrer par des lois ou des politiques[2]. »*

Des gens malintentionnés iront sans doute suggérer qu'Élie Cohen n'est pas le type même de l'économiste académique et qu'avec le temps qu'il passe sur les plateaux on se demande s'il a jamais pu faire faire le moindre progrès à une science autre que celle de sa propre notoriété. Sans même trancher sur le fond cette épineuse question, disons tout de suite qu'il y a quelque chose de très injuste dans cette insinuation : les économistes les mieux certifiés font tout aussi bonne figure que lui sous le rapport qui nous intéresse. David Thesmar et Augustin Landier étaient eux aussi formels dès l'été 2007 : sous le titre prophétique *« Le mégakrach n'aura pas lieu »*, le meilleur jeune économiste de France (prix 2007 du Cercle des économistes, qui sait reconnaître les siens) et son acolyte sont catégoriques : *« Disons-le tout net : [la correction] sera limitée et surtout sans effet sur l'économie réelle. »* Le fait est que c'est dit assez net, et d'ailleurs conclu de même : *« Le danger d'une explosion financière, et donc le besoin de régulation, n'est peut-être pas si grand qu'on le pense »[3]*. Nos deux lanciers ont publié en janvier 2007 un ouvrage[4] qui a fait se pâmer

---

1. *Le Monde*, 17 août 2007.
2. NouvelObs permanent, 13 août 2007.
3. Augustin Landier et David Thesmar, « Le mégakrach n'aura pas lieu », *Les Échos*, 27 juillet 2007.
4. *Le Grand Méchant Marché. Décryptage d'un fantasme français*, Flammarion, 2007.

tout ce que Paris compte de journalistes, et l'on comprend sans peine pourquoi : le livre est tout entier bâti autour de la prémisse, d'une épaisseur toute sondagière, et par là idéalement faite pour l'entendement journalistique, que « les Français n'aiment pas le marché », proposition sans doute honorablement qualifiante pour un article dans *Le Point* mais normalement pas davantage. Dix-huit mois plus tard et en pleine déroute financière, à une journaliste du *Monde* qui lui demande si « *le marché n'est pas quand même un peu méchant* », David Thesmar répond imperturbablement : « *Le marché n'est pas méchant. Il est imparfait.* » Nous sommes le 10 octobre 2008, et même Jean-Claude Trichet, jugeant qu'il valait mieux abandonner le registre de l'euphémisme technique de peur que les gens ne s'échauffent qu'on les prenne ouvertement pour des imbéciles, a renoncé à parler de « correction ». Quant à l'« imperfection du marché », on tarde à en avoir le tarif définitif car la note monte tous les jours : aux dernières nouvelles, le FMI chiffrerait à 4 000 milliards de dollars le volume total des pertes bancaires potentielles...

Qu'on n'aille cependant pas voir d'artificiels clivages générationnels là où les aînés sont à l'unisson de leurs jeunes espoirs. Neuf économistes tout ce qu'il y a de plus académiquement insoupçonnable[1] lancent un appel « *aux dirigeants européens à s'unir contre la crise* », sur lequel se précipitent naturellement *Le Monde* et *Libération*. Mais l'on composerait aisément à partir de leurs travaux passés une anthologie de l'autorégulation des marchés, des tares congénitales de toute politique économique discrétionnaire et de l'ardente obligation pour l'État de s'abstenir de tout. Parmi eux, Charles Wyplosz livrait dès l'été 2007 les pronostics d'une

---

1. Alberto Alesina, Richard Baldwin, Tito Boeri, Willem Buiter, Francesco Giavazzi, Daniel Gros, Stefano Micossi, Guido Tabellini et Charles Wyplosz.

science irréfutable : « *Quelques établissements spécialisés dans les prêts hypothécaires ont fait faillite, d'autres suivront. C'est normal et ce n'est pas vraiment grave*[1] », et l'on reconnaît, toutes générations confondues, cet admirable quiétisme qui sied à la véritable intelligence des amis du marché. Pendant que le vulgaire, ignorant de l'idée même d'autorégulation, s'affole inutilement, eux *savent*.

Le rapport Attali : valse avec la finance

Il y a pourtant mieux que les clairvoyants, il y a les prophètes. Dans cette catégorie-là, « disons-le tout net », Jacques Attali est insurpassable. Même *Marianne*, qui s'efforce pourtant de ne pas perdre la mémoire ni absoudre en douce les errements passés des « experts », s'y laisse prendre. À sa décharge (?), au moment où l'hebdomadaire offre opportunément un numéro « spécial crise » consacré aux « *menteurs [qui] ont imposé l'idéologie unique*[2] » – formulation dont la finesse laisse sans doute à désirer mais dont les objectifs ne sont pas contestables –, c'est Renaud Dély qu'il envoie recueillir la parole de Jacques Attali, recyclé en oracle par la grâce d'un journaliste peu regardant. Transfuge du *Libération* « grande époque », celui de Serge July, où l'on pouvait croquer du « noniste » à tous les articles, traiter de rétrogrades tous ceux qui trouvaient à redire à l'Europe de la concurrence et de la finance et exhorter la gauche à enfin devenir moderne, c'est-à-dire de droite, Renaud Dély a un peu de mal à se faire à la situation nouvelle, et aussi à son nouvel employeur, qui lui commande de fracasser tout ce qu'il a toujours adoré. Il est vrai également

---

1. Rue89, 10 août 2007.
2. « La Grande Crise. Les menteurs, les profiteurs, les victimes », *Marianne*, numéro spécial, 4-10 octobre 2008.

que Jacques Attali fait partie de ces produits médiatiques sans date de péremption connue, et toutes les apparences – celles de son omniprésence tous médias confondus – laissent à penser qu'il négocie au mieux la grande fracture. Aussi Renaud Dély accueille-t-il avec un compréhensible soulagement cette occasion de retrouver un peu ses marques et d'échapper au dilemme moral d'avoir à se retourner sur ordre contre une de ses idoles. Avec Attali, on peut faire « comme avant » – plus qu'un moment de répit : enfin un ancrage sûr dans le glissement de terrain général.

Comme avant, donc : « *Dans son rapport commandé par l'Élysée, l'économiste prévenait déjà des dangers de la spéculation financière.* » C'est sur cet hommage aux capacités extralucides de Jacques Attali et de son fameux rapport que s'ouvre la double page signée Renaud Dély et offerte (par mégarde ?) par *Marianne* à l'auteur du plus célèbre rapport de France. Mais justement, le rapport que Renaud Dély encense, en a-t-il seulement lu une ligne ? La question se pose car, faut-il le dire, non seulement ce texte admirable ne compte pas la moindre remarque sérieuse quant aux dangers de la déréglementation financière, mais il n'est qu'une longue ode aux prodiges des marchés de capitaux – et une exhortation à s'y rallier plus complètement encore ; on se demande d'ailleurs bien comment cela pourrait être possible, puisque tout ou presque leur a déjà été accordé.

Dès la page 7, le modèle qui réussit est indiqué à l'imitation de la France : c'est le Royaume-Uni, qui « *s'est engagé durablement dans la valorisation de son industrie financière* » – n'est-ce pas là une idée que son excellence range évidemment dans la catégorie du prophétique ? La France n'a qu'à en faire autant, puisqu'« *une croissance économique forte peut revenir pour tous* », moyennant « *une concurrence efficace [et] un système financier capable d'attirer du capital* » (p. 10) – entre « concurrence efficace », « système financier capable d'attirer du capital » et « croissance forte

pour tous », on s'amusera à chercher l'intrus... Il y a ainsi
« *des révolutions à ne pas manquer* » – c'est le titre du chapitre 3 : « *Le renforcement de la croissance viendra de la
capacité du pays à investir dans les secteurs porteurs* »
(p. 54) ; parmi eux, « *la finance* » (*ibid.*). C'est pourquoi
« *faire de Paris une place financière majeure* » est l'« *objectif* » qui préside à la dégelée des propositions 96 à 104.
« *L'industrie financière croît depuis 2001 en Europe trois
fois plus vite que le PIB* » (p. 93) : n'est-ce pas admirable –
et une vraie raison d'espérer ? « *Pourtant*, pleurniche le rapport, *l'industrie financière française ne représente que 10 %
du secteur financier européen* » et « *l'attractivité de la place
financière de Paris pâtit de plus en plus d'un environnement fiscal dissuasif* » (*ibid.*), intolérable erreur qui conduira
fatalement au décrochage. Heureusement, le rapport a tout ce
qu'il faut pour « raccrocher ». Décision 97 : « *Harmoniser
les réglementations financières et boursières avec celles
applicables au Royaume-Uni pour ne pas handicaper les
acteurs français par rapport à leurs concurrents internationaux européens* » (p. 94). Décision 101 : « *Multiplier les ini-
tiatives communes entre les enseignements supérieurs et les
institutions financières dans le financement de chaires
dédiées aux recherches sur la modélisation financière* »
(*ibid.*), car si l'université doit être laissée à l'attrition des
budgets publics, rien n'est trop beau pour les formations des
futures élites de la classe parasitaire. Pour la fin, la meilleure,
la décision 103 : « *Modifier la composition des commissions
et des collèges de régulateurs pour que les champions de la
finance puissent s'exprimer et influencer la position du Haut
Comité de place* » (p. 95).

À ce stade, on rêve d'interviewer l'intervieweur : « Au
10 octobre 2008, quel effet vous font l'expression "champions de la finance" et plus encore l'idée de leur confier la
régulation des marchés ? Croyez-vous que ce genre de propositions, pourtant formulées après plus de six mois de

crise financière ouverte[1], fait entrer leurs auteurs plutôt dans la catégorie des prophètes ou dans celle des irréparables ? Pensez-vous persister dans le journalisme ou envisagez-vous une reconversion dans le microcrédit ? » Il faudra sans doute laisser à Renaud Dély un peu de temps pour mûrir sa réponse et aussi pour déguster la fin du rapport, qui n'est pas moins goûteuse que le commencement puisque la décision 305 lâche enfin le morceau en suggérant de « *réorienter massivement le régime fiscal de l'assurance-vie et du plan d'épargne en actions vers l'épargne longue investie en actions (à coupler avec les fonds de pension)* » (p. 213). Nous y voilà. On ne sait trop si Jacques Attali a tout prévu de la crise autrement que sur le mode de l'hallucination rétrospective, mais en janvier 2008 en tout cas il est d'avis de propulser toute l'épargne des Français vers les marchés financiers – se peut-il que ce soient les mêmes marchés à propos desquels il dit si bien « tsunami » à la télévision ? Avec cet enthousiasme touchant qui est la marque des convertis de la dernière heure, le rapport Attali plaide donc ouvertement pour le passage à la capitalisation – « *la montée en puissance de l'épargne retraite individuelle ou collective est donc nécessaire* » (*ibid.*) – au moment précis où les ménages américains, du fait de la crise, voient leurs pensions partir en fumée, quand l'extrême détresse où ils se trouvent ne les a pas déjà forcés à puiser dans leurs comptes retraite de quoi survivre au jour le jour. Formidable à-propos historique des ralliés sarkozystes, qui poussent comme des forcenés à la capitalisation en une période où l'on ne tardera pas à voir apparaître les premiers vieux miséreux sur les trottoirs des villes américaines.

---

1. La crise est patente dès le mois d'avril 2007, et le rapport Attali est publié en janvier 2008.

Et puisque le message de ce rapport est de soumettre toute la société française à la logique de la finance qui démontre si spectaculairement ses vertus, on n'oubliera pas de mentionner la délicieuse décision 22 (p. 36), qui vise à faire monter en puissance le rôle des fondations privées dans le financement des universités, avec, on s'en doute, retrait équivalent des financements publics. Mais comment fonctionnent au juste ces fondations ? Elles placent leurs capitaux sur les marchés et vivent à l'année avec les « petits » – les fondations de Harvard et de Yale, par exemple, sont gérées avec l'agressivité d'un *hedge fund*. Dans les conditions présentes d'effondrement de tous les secteurs de la finance, il se pourrait donc que les universités américaines se préparent quelques années au pain sec et à l'eau – début décembre 2008, Harvard avait déjà enregistré 22 % de dévalorisation du capital de sa fondation et se préparait gaillardement à un – 30 % pour l'année fiscale. N'est-ce pas le modèle qu'il nous faut absolument imiter ?

La solidarité des faillis

Mais de tout cela, finalement, qui se soucie ? Les girouettes tournent folles mais empêchées par rien. Le débat public est pareil à un vaste champ d'éoliennes ; jamais on n'a vu entreprise de blanchiment intellectuel à si grande échelle, et nul ne s'en offusque. Comme si le flot de leurs discours présents pouvait faire oublier le stock de leurs errements accumulés, tous se ruent pour faire connaître que, si les temps ont changé, eux sont très près également d'en faire autant. *« Cette bulle idéologique, la religion du marché tout-puissant, a de grandes ressemblances avec ce que fut l'idéologie du communisme. […] Le rouleau compresseur idéologique libéral a tout balayé sur son passage. Un grand nombre de chefs d'entreprise, d'universitaires, d'éditorialistes, de responsables politiques ne juraient plus – et avec quelle arrogance ! – que par le souverain marché.* » Celui qui, telle la Belle au bois dormant, se serait endormi avant l'été 2008 pour se réveiller et lire ces lignes deux mois plus tard croirait sans doute avoir affaire une fois de plus à ces habituels fâcheux d'Attac ou bien de *L'Humanité*. C'est pourtant Favilla, l'éditorialiste masqué des *Échos*, qui libère enfin toute cette colère contenue depuis tant d'années. Car, on ne le sait pas assez, *Les Échos* sont en lutte : trop d'injustices, trop de censure, trop d'impostures intellectuelles. N'a-t-on pas étouffé la « vérité » même : *« Toute voix dissonante, fût-elle timidement social-démocrate, en rappelant les vertus d'un minimum de régulation publique, passait pour rescapée de Jurassic Park. Et voici que tout à coup la vérité apparaît. L'autorégulation du marché est un mythe idéologique »*[1]. Et il est vrai : à de rarissimes exceptions près, tous les gens que liste Favilla dans cette fulgurance bizarrement éclairée, *« chefs d'entreprise », « universitaires », « éditorialistes », « responsables politiques »*, ont organisé leurs débats entre eux et sans que la moindre contradiction sérieuse s'y immisce.

C'est pourquoi, le principe d'inertie aidant, il n'y a pas lieu d'être surpris que, pour tous ces habitués du micro et de la chronique, les « abonnements » médiatiques aient été reconduits rubis sur l'ongle au travers pourtant de la crise faramineuse d'un monde dont ils ont si longtemps chanté l'harmonie intrinsèque. Il n'y a pas lieu d'en être surpris, et pour au moins deux raisons. La première étant que tous ces « abonnés » sont devenus à force de présence les incarnations accomplies de ce que les médias recherchent plus que tout sous le nom de « bons clients » : disponibles *ad nutum*,

---

1. *Les Échos*, 7 octobre 2008.

pas ennuyeux, et surtout aptes à épouser les pires formats de la parole médiatique, à savoir du « simple » et du « court ». Ce dont il y a lieu de s'étonner, c'est plutôt que des universitaires aient consenti à un tel degré d'abaissement intellectuel, comme celui qui fait intervenir dans un journal télévisé du soir moyennant un temps de parole de dix secondes, « dix secondes » n'ayant pas ici le sens d'une métaphore mais bien d'un résultat chronométrique, signant leur propre condamnation soit au slogan idéologique pur et simple, soit à la trivialité que le journaliste aurait parfaitement pu dire lui-même mais qu'on estime rehaussée du seul fait qu'elle est dite par un réputé « expert ». Or, par un terrible syllogisme pratique, l'expression de quelque chose qui pourrait ressembler à une analyse, voire à un son de cloche différent, ayant pour condition stratégique le *temps*, et les formats médiatiques demeurant inamovibles, il s'ensuit que les médias créent eux-mêmes les conditions qui les condamnent à recourir toujours aux mêmes, cela par une sorte d'effet darwinien voulant que ces « mêmes » soient en fait devenus les mieux adaptés – *the fittest*.

Il est cependant une autre raison, moins apparente mais sans doute plus forte, de cette extraordinaire continuité dans l'erreur et dans les « erronés », une continuité qui tient au fait que les médias et leurs « bons clients », les « abonneurs » et leurs « abonnés », sont liés par une silencieuse complicité. Complicité dans le déni, ou plus exactement dans le retournement de veste dénié ; or le partage de vagues hontes qu'on voudrait tues est parfois un lien plus fort que tout. Cette sorte de solidarité inconsciente ou tacite, qui n'a aucun besoin d'être explicitée pour être éprouvée, crée un alignement objectif d'intérêts dont la solidité permet de défier les pires remises en cause – un temps... Qui ne voit que soumettre à la critique leurs propres choix d'intervenants serait pour les médias consentir à une autocritique implicite dont les termes seraient transparents : « Nous nous sommes trompés puisque nous n'avons cessé d'inviter ceux qui se sont trompés. » Mais tout plutôt que ça ! C'est pourquoi le système choisit de faire bloc. Il faudrait bien de la naïveté, dans ces conditions, pour s'étonner qu'il n'y ait nulle part en son sein la moindre force de rappel, pas même un commencement de régulation de la décence, la plus petite possibilité de sanction pour de si formidables contradictions, ni de ridicule pour de si gigantesques bouffonneries, dès lors que tous en sont convaincus et choisissent logiquement de s'en absoudre collectivement – en tout cas *a minima* et par un silence gêné qui ne demande aucun compte à personne. Et contradictoirement, pourtant, ayant dit cela que la lucidité impose de toute manière, il faut bien de la tempérance pour ne pas s'ahurir de l'état de cette chose si dégradée qu'ils persistent, par une ironie sans doute involontaire, à appeler « démocratie », pour ne pas se scandaliser de ce degré de corruption de la vie intellectuelle, et pour résister à la violente impulsion de leur demander ce que la dignité leur commanderait s'ils en avaient deux sous : prendre des vacances. Et peut-être même disparaître.

PREMIÈRE PARTIE

Arraisonner les banques, arraisonner les banquiers

Faire la peau aux banques et aux banquiers... Il faut être de métal, ou bien banquier, pour ne pas en avoir l'envie. En règle générale, on attend d'un propos qui commence sur ce ton qu'il donne aussitôt dans l'onctueux balancement dialectique qui a pour doux nom « antithèse » : « vous en avez très envie, pourtant la raison commande que », etc. – en général elle « commande » autre chose. Ici, pas du tout. De l'idée de faire la peau aux banques et aux banquiers, il faut dire et redire combien elle est bonne, et qu'il ne faut surtout pas se retenir. La suite est question de modalités. Évidemment, on pense d'abord goudron, plumes et rail. C'est une option dont il ne faut pas méconnaître les charmes. Mais il n'est pas interdit d'avoir des idées pour le plus long terme. Leur faire la peau, en l'espèce, a le sens de mettre un terme à leurs formes d'existence – hommes et institutions.

S'agissant des premiers, la solution est assez simple, en fait c'est toujours la même : taper au portefeuille. Soyons justes : les banquiers ici ne sont pas les seuls spécimens de l'enrichissement indécent. Il se trouve cependant que leurs exploits ont d'un coup produit un chatoyant spectacle qui a beaucoup attiré l'attention, et que le quadruple fait 1) d'avoir été des années durant astronomiquement payés pour préparer ces exploits, 2) de les avoir commis en occasionnant des destructions de valeurs comme le capitalisme n'en avait probablement jamais connu, 3) de les faire réparer par la collectivité tout entière, 4) de soutirer au passage à cette dernière de quoi maintenir les bonus, en lui faisant savoir droit dans les yeux qu'en cette matière « on ne lâchera rien », a fait naître un peu partout dans le corps social des envies inédites, en fait longtemps refoulées, et dont la force du scandale aide à révéler la généralité : une poignée d'individus, banquiers mais pas seulement, assez souvent malfaisants, s'est enrichie dans des proportions relatives qu'on n'avait pas vues depuis les années 20. Il est peu de sociétés qui peuvent résister au violent contraste que créent ces enrichissements sans borne avec la résurgence de situations de misère elles aussi ignorées depuis longtemps, et pas seulement de situations de misère : d'un envahissement de la vie salariale par la souffrance. Par chance la société française n'est pas dotée de l'idéologie inégalitariste qui fait tout supporter ou presque aux États-Unis. Tout supporter, c'est d'ailleurs vite dit. Paul Krugman, dans un ouvrage récent[1], rappelle le formidable mouvement de réduction des inégalités qui a suivi le désastre de 1929, si semblable par bien des côtés (pas tous) à celui d'aujourd'hui... dont on voudrait tant qu'il naisse des réponses politiques identiques.

Autant il n'y aura pas de réponse politique à la hauteur de la crise qui ne consiste en la proposition d'une cohérence d'ensemble alternative, une « nouvelle donne » et non quelques ravaudages locaux, autant aucune « nouvelle donne » de cette sorte n'est concevable qui ne mette en son centre l'existence de la justice sociale, celle dont l'ignorance est en dernière analyse le principe de toutes les colères. Or il est une expression sans doute grossière, certainement très incomplète, mais finalement robuste et très efficace de la justice

---

1. Paul Krugman, *L'Amérique que nous voulons*, Flammarion, 2008.

sociale : l'éventail des rémunérations. Deux décennies d'idéologie pure se sont escrimées à faire entrer dans les têtes les messages du « mérite » et des « incitations » destinées aux « meilleurs » pour mieux justifier l'extravagant creusement des inégalités de revenus. Si l'alternative est de continuer de contempler ce creusement ou bien de renverser la doctrine, le choix est vite fait. Il l'est d'autant plus que, sous les dehors du parfait bon sens – le bon sens individualiste-libéral –, tout ou presque est faux dans cet argument, et plus encore dans le codicille qui lui sert invariablement de complément, consistant à agiter la menace que « les meilleurs s'en aillent ». De même que les propositions visant à remettre d'équerre les activités des marchés de capitaux libéralisés doivent nécessairement avoir pour objectif de ramener ces activités à l'ordre normal de la profitabilité[1], de même l'exigence de justice sociale d'une « nouvelle donne » demande l'arasement des rémunérations les plus obscènes, telles qu'on les trouve majoritairement dans l'univers bancaire. Ceux, donc, qu'on nommera par extension les banquiers, traders inclus, doivent s'attendre au grand ratiboisement. « Arraisonner les banquiers », c'est cela.

Mais « arraisonner les banques » ? Restreindre radicalement les activités de marché est assurément faire une partie du chemin dans cette direction. Mais pas tout. Car cette crise d'une ampleur gigantesque n'a pas produit que le spectacle de la formidable dévalorisation des actifs financiers les plus variés, elle a aussi, ce faisant, remis dans les esprits quelques idées fondamentales quant au rôle des banques en matière de conservation des avoirs monétaires du public... et quant à ce qu'il peut résulter d'un manquement, par impéritie, à ce devoir. Car telle est bien la situation à deux doigts de laquelle

---

1. Voir à ce propos Frédéric Lordon, *Jusqu'à quand ?*, *op. cit.*, chapitres 1 et 5.

est passé le système bancaire à l'automne 2008 : le total collapsus bancaire et l'évaporation de tout ou partie des dépôts et des épargnes, une sorte d'Argentine à la puissance dix. On avait donc fini par perdre de vue que le système bancaire *privé* est gestionnaire de fait d'un bien *public*, à savoir la monnaie et la sécurité des encaisses. C'est pourquoi il ne faut pas se préoccuper seulement de ce que les agissements des banques sur les marchés effondrent les patrimoines de valeurs mobilières et, là où il y en a, fassent partir en fumée les pensions capitalisées, il faut également s'inquiéter de ce que les déséquilibres où ce système se plonge de lui-même atteignent des seuils de gravité qui finissent par menacer de destruction complète ce qu'on pourrait appeler les circuits de l'argent ordinaire, ceux du commun des agents, qui n'ont aucune part aux frénésies spéculatives et néanmoins peuvent se trouver littéralement balayés par le souffle lorsque la catastrophe flirte avec les seuils de déstabilisation du bien public monétaire. L'arraisonnement des banques pose en premier lieu la possibilité de ce risque ultime. Il y ajoute ensuite l'inévitable perspective de la nationalisation bancaire, unique moyen de sauver certains établissements irrécupérables, mais aussi, pourvu qu'on conçoive cette nationalisation non au cas par cas mais à l'échelle du secteur *tout entier*, de recoordonner la restauration du crédit, seule à même de faire sortir de la récession. L'arraisonnement termine en envisageant un au-delà de la nationalisation d'urgence, au travers de structures bancaires refaites à neuf, où le pouvoir sur cette puissance sociale extraordinaire qu'est la création monétaire ne serait pas entièrement capté par une prétendue « élite bancaire », dont on a maintenant assez vu de quels résultats d'élite elle était capable, mais collectivisé selon des principes d'association des parties prenantes. Au-delà de l'antinomie des banques privées et d'un pôle étatique unifié du crédit, naîtrait alors quelque chose qui serait de l'ordre d'un système socialisé du crédit.

CHAPITRE 2

Bonus et primes :
le (résistible) chantage des « compétents »

De la crise que connut la Grèce antique issue de la décomposition de la royauté mycénienne en la première agora, Jean-Pierre Vernant, citant Theognis, indique très clairement le germe : « *Ceux qui aujourd'hui ont le plus convoitent le double. La richesse,* ta chrémata, *devient chez l'homme folie,* aphrosunè.*»* Et Vernant, décrivant l'état des mœurs de cette Grèce du VIᵉ siècle en crise, d'ajouter pour sa part : « *Qui possède veut plus encore. La richesse finit par n'avoir plus d'autre objet qu'elle-même* [...], *elle devient sa propre fin, elle se pose comme besoin universel, insatiable, illimité, que rien ne pourra jamais assouvir. À la racine de la richesse, on découvre donc une nature viciée, une volonté déviée et mauvaise, une* pleonexia : *désir d'avoir plus que les autres, plus que sa part, toute la part.* Koros, hubris[1], pleonexia *sont les formes de déraison que revêt, à l'âge de Fer, la morgue aristocratique, cet esprit d'*Eris[2] *qui, au lieu d'une noble*

---

1. *Koros*, le dédain orgueilleux ; *hubris*, le délire des grandeurs et l'ambition illimitée.
2. *Eris* : dans sa version positive l'émulation, dans sa version négative la discorde.

émulation, ne peut plus enfanter qu'injustice, oppression, dusnomia[1] »[2].

Il n'y a sans doute pas pire erreur historiographique que l'anachronisme, c'est-à-dire, quand leur écart est trop important, la lecture d'une époque par rabattement d'une autre – or, de la Grèce antique à notre société, tout ou presque diffère, jusqu'aux catégories les plus fondamentales de l'esprit humain. Mais le droit à l'analogie reste intact dès lors qu'il est capable de contrôle réflexif et se sait lui-même, et il faudrait être atteint d'autisme méthodologique pour n'être pas sensible à cette évocation hellénique ni en tirer quelques parallèles. Peu importe qu'Athènes ne soit pas Wall Street ; ces textes nous parlent et disent une vérité qui fait terriblement sens aux deux époques : le déchaîne-ment sans frein de la pulsion d'accumulation ravage les sociétés. On peut d'autant moins échapper à ce rapproche-ment de périodes, fussent-elles par ailleurs si dissemblables, que les termes mêmes dans lesquels la société grecque se représente son propre état de crise font immédiatement écho à notre situation contemporaine, et que le registre d'une étiologie de la décomposition morale est bien celui qui convient dans les deux cas.

La grande résurgence des inégalités

Vernant ne donne pas de détails quant aux schèmes et aux croyances, s'il y en eut, qui purent servir, un temps, d'assise légitimatrice à l'enrichissement sans frein de quelques-uns. C'est peut-être là une différence avec notre époque qui, elle, n'aura pas manqué d'être intarissable sur

---

1. *Dusnomia* : la perturbation de l'ordre social.
2. Jean-Pierre Vernant, *Les Origines de la pensée grecque*, PUF, 1962, rééd. 2004, p. 81.

la question. C'est qu'il en fallait, du travail de rationalisation, pour rendre socialement tolérables des polarisations de revenus et de fortunes incompréhensibles, comme sorties des congélateurs de l'histoire, puisque la répartition secondaire[1] dans les années 2000 a retrouvé presque à l'identique sa structure... des années 20, sorte de « retour vers le futur » qui en dit long sur la prétention générale du capitalisme au *progrès* social. Une certaine propension au ravissement était donc nécessaire pour s'extasier, comme certains, à propos de la « stabilisation des inégalités » en France, constat parfaitement myope et seulement explicable par la combinaison du désir de croire et de l'insuffisant pouvoir de résolution des instruments d'optique. Certes, le rapport entre le revenu moyen du décile supérieur et celui du décile inférieur ne s'est pas sensiblement dégradé[2]. Mais cet indicateur grossier loupe tout ou presque de l'évolution des inégalités, et notamment des grands mouvements qui ont rebattu les cartes à l'intérieur même du décile supérieur.

Il est utile pour commencer d'indiquer qu'on entre dans ce décile le plus aisé avec un revenu annuel de 33 190 euros en 2006[3]... donnée de nature à relativiser la notion de « richesse » que suggère spontanément l'idée des « 10 % les plus riches ». C'est bien parce que ce décile a perdu toute homogénéité, et que les moins riches des plus

---

1. Par opposition à la répartition primaire, qui indique les parts respectives des salaires et des profits dans la valeur ajoutée, la répartition secondaire indique la façon dont le revenu global des ménages est distribué entre les différents groupes sociaux.

2. Le rapport du revenu moyen du décile supérieur et du revenu moyen du décile inférieur est respectivement de 5,62 %, 5,63 % et 5,69 % pour les années 2003, 2004 et 2005, mais il passe tout de même de 6,62 % à 6,75 % de 2005 à 2006 (une nouvelle construction de l'indicateur statistique explique la discontinuité de 2005). Voir *France, portrait social*, INSEE, 2008, p. 119.

3. *INSEE Première*, n° 1203, juillet 2008.

riches ne sont pas si riches, que le ratio décile supérieur/ décile inférieur en termes de revenu *moyen* n'a pas explosé. Mais, à l'intérieur du décile supérieur, la variance est devenue extrême. Entre ceux du bas – à 33 000 euros l'an – et ceux du haut, il n'y a plus aucune commune mesure. Il faut en fait regarder le décile supérieur du décile supérieur (soit le centile supérieur, les 1 % les plus riches) pour commencer à apercevoir quelque chose de significatif, et encore. Pourvu qu'on dispose d'une optique de précision, il est préférable de scruter les 0,1 %, voire les 0,01 % les plus riches pour voir vraiment ce qui se passe et comprendre ce qu'inégalité veut dire. Pour qui douterait que des évolutions s'y produisent à grande vitesse et que l'intérieur même du décile soit en train de s'étirer prodigieusement, Camille Landais rappelle que, quand le revenu fiscal déclaré de 90 % de la population française a augmenté de 4,6 % entre 1998 et 2006, celui du 1 % supérieur a augmenté de 19,4 %, celui du 0,1 % de 32 %... et celui du 0,01 % de 42,6 %[1] !

Comment les hauts salariés de la finance, cet univers de profitabilité hors norme, ne figureraient-ils pas aux places d'honneur de ce palmarès de l'enrichissement ? Mais ils n'y sont pas seuls : patrons et quasi-patrons (fonctions de direction générale) les y rejoignent et, pour leur part, non pas tant, comme on le croit souvent, par la financiarisation de leur rémunération (les stock-options) que par l'explosion du salaire direct et de tous ses éléments annexes (primes, parachutes dorés, retraites « chapeaux », etc.). Rien d'étonnant en tout cas à ce que la pensée libérale leur ait consacré le plus clair de son attention – l'effort de fabrication légitimatrice se devait d'être à la hauteur de l'énormité de ce qui

---

1. Camille Landais, « Les hauts revenus en France (1998-2006) : une explosion des inégalités ? », École d'économie de Paris, juin 2007.

demandait à être légitimé... Comme on sait, à la fin des fins, ces flots de discours ne sont jamais que l'infinie déclinaison d'une seule « idée » : le *mérite*. Il fallait déjà un travail idéologique intense pour faire accepter que le rapport entre le salaire ouvrier moyen et le salaire patronal fût passé de 1 pour 30 à 1 pour 300, variation qui, dans les équations morales-libérales du mérite, ne peut avoir d'autre signification que la soudaine multiplication par dix du mérite relatif patronal. On notera au passage la nécessité d'en appeler à de subtils arguments qualitatifs, car en termes purement extensifs de temps travaillé et en faisant l'hypothèse maximale que les patrons ne dorment plus du tout, ils ne pourraient jamais travailler que trois fois plus qu'un ouvrier faisant ses huit heures quotidiennes, du moins tant que la journée astronomique refuse la rupture sarkozyste et demeure stupidement bloquée à vingt-quatre heures. C'est donc que le temps patronal est devenu d'une essence supérieure, ou que leur productivité s'est soudainement accrue dans des proportions sans commune mesure avec le reste de la population active.

Pendant la débâcle, l'enrichissement continue

Les périodes fastes rendaient déjà malcommode de faire avaler ces rémunérations hors norme avec pour seul motif l'argument du « mérite », mais que dire de leur persistance quand tout n'est plus que déconfiture ? Car c'est peut-être l'une des caractéristiques sociales les plus frappantes de la crise, et en même temps les plus symptomatiques de la *dusnomia* contemporaine, qu'elle porte d'ailleurs à une extrémité inouïe : les fortunés ne veulent plus rien céder. Père Ubu déjà : *« Encore une fois, je veux m'enrichir, je ne lâcherai pas un sou »* (*Ubu roi*, acte II, scène 6). Devenus en ce sens ubuesques sans qu'on s'en aperçoive et pour cette seule raison que leur mise est moins ridicule (pas de gidouille, pas de crochet à merdre, parfois des gros ventres mais pas de serpentin dessus), les très riches du capital – industriel et surtout financier – ont eu deux décennies pour liquider les complexes de l'enrichissement hérités de la période fordienne, où des écarts maximaux de 1 à 30 faisaient norme, limitant *de facto* les ostentations de richesse socialement tolérables, et pour installer progressivement une nouvelle norme, on pourrait même dire une norme d'un nouveau type : la norme du *maximum sans fin*, c'est-à-dire de l'illimité. La nouvelle norme, c'est qu'il n'y a plus de norme, et donc plus rien qui retienne ni les mouvements de captation ni ceux de démonstration. Il ne s'agit pas ici d'entrer dans le détail des transformations de structure qui ont rendu possible pareille évolution, notamment en matière de rémunérations patronales[1], mais de refaire le constat, maintenant de sens commun, des effets moraux de trois décennies qui ont vu d'abord les riches relever la tête, puis se déboutonner franchement, et enfin ne plus connaître aucune retenue – on ne sait plus où piocher parmi les innombrables anecdotes racontant chacune à leur manière les affranchissements de l'indécence, depuis le mariage de l'héritière Arnault jusqu'à la conversion proclamée aux valeurs de l'argent du premier personnage de l'État, en passant par la dérive sans fin de la goinfrerie patronale, attestée par les statistiques annuelles des rémunérations du CAC40.

La période ouverte par la crise ajoute cependant une touche inattendue – et en même temps tellement prévisible par simple extrapolation – avec le refus caparaçonné de « bon

---

1. Voir Robert Boyer, « How to control and reward managers ? The paradox of the 90's. From optimal contract theory to a political economy approach », document de travail de l'association Recherche & Régulation, n° 2005-1.

droit » de lâcher quoi que ce soit, stock-options, bonus ou parachutes dorés, au moment de la grande débâcle. L'erreur consisterait à voir une forme de défi social, ou de provocation ouverte, là où il n'y a pas autre chose que le sentiment d'un « acquis légitime », finalement pareil en son genre à celui que les engraissés reprochent aux plus modestes de défendre, eux sous le nom d'« acquis sociaux » – et l'on voit sans peine l'abîme qui sépare ces deux sortes d'acquis. Que les classes intéressées puissent nourrir un sentiment de « légitimité » à propos de la richesse et penser sa croissance « naturelle », ou au moins son irréversibilité, comme un « droit », c'est le genre d'indice qui, en raccourci, en dit plus long sur une époque que n'importe quelle analyse et livre tout d'un certain état de décomposition morale dont le lieu exclusif est en haut.

Il ne faut pas se méprendre sur le sens du mot « moral » tel qu'il est employé ici. « Moral » parle de l'état des mœurs et dit positivement[1] où en sont les plus fortunés dans leur rapport à eux-mêmes et au reste de la société. C'est pourquoi rien ne serait plus faux, en dressant un tableau où l'état moral a sa part, que d'imaginer l'analyse enfermée de ce fait dans le registre conséquent des solutions « par la vertu ». Indiquer l'état moral d'une société, ou plutôt d'une classe, n'implique en rien que sa réforme soit à la portée d'une reprise morale de la classe par elle-même, comme par un sursaut de vertu ou, dans les termes du sabir contemporain, un geste d'« éthique » – cela débouche même la plupart du temps sur la conclusion exactement inverse.

---

1. Pour le public qui n'est pas familier des concepts de la science sociale, il faut rappeler que « positif » ne signifie pas, comme dans le langage courant, « approuvé » ou « valorisé positivement » et, en ce sens, ne s'oppose pas à « négatif », mais à « normatif » : « positif » qualifie *ce qui est* tel que c'est, par opposition à « normatif » qui parle de « ce qui devrait être ».

C'est qu'il est temps de prendre acte du naufrage définitif de la régulation du capitalisme par la vertu, qui, pour ramener les enrichis à la raison, n'a jamais eu d'autre ressource que leur bonne conscience et leur bon vouloir, avec les brillants résultats que l'on sait – et que l'on pouvait imaginer dès le début[1]. Car voilà beau temps que la corporation des privilégiés – les vrais – sent monter le flot de la critique et jure qu'elle va « d'elle-même » y apporter une réponse. De la même manière que la finance a juré, après toutes ses crises, que rien n'était pire que la réglementation, serment qui était le plus sûr moyen de les faire revenir éternellement, comme en témoigne la crise des subprimes quelques années après les solennelles promesses du krach Internet, le patronat en matière de rémunérations exorbitantes s'engage sur tous les tons à l'automodération et, pareil aux hallebardiers de l'opéra, chante « Marchons ! Marchons ! » en piétinant sur place – avec l'intention manifeste de ne pas faire un pas.

Totalement désinhibés

À défaut d'un tableau d'ensemble, il n'est pas inutile de donner quelques échantillons d'éthique et d'autorégulation pour l'édification tardive des amis de la vertu. L'assureur étasunien AIG, qui a dû recevoir trois tranches d'aides publiques, chacune se révélant insuffisante, pour un montant total de 160 milliards de dollars, n'a rien trouvé de mieux que d'utiliser les fonds pour verser 165 millions de bonus, partie d'une enveloppe globale de 450 millions destinés aux génies de sa division AIG Financial Products,

---

1. À ce sujet, voir Frédéric Lordon, *Et la vertu sauvera le monde...* *Après la crise financière, le salut par l'« éthique » ?*, Raisons d'agir, 2003.

ceux-là mêmes dont les activités[1] ont causé l'effondrement du premier assureur du monde. Pour leur part, les unités de Lehman Brothers reprises par Nomura Securities, par exemple, pour la zone Asie, ou les traders de Bear Stearns récupérés par JPMorgan ont vu leur régime « bonus » préservé, voire étendu – car il était évidemment impensable de se passer de si brillants sujets. Comme souvent cependant les sommets de l'esthétique sont atteints avec quelques cas singuliers, particulièrement hauts en couleur, sortes de performances en soi – on pourrait presque le dire au sens que l'art contemporain donne au mot – dans le registre de la joyeuse indécence et du bras d'honneur fait à la société entière. Ainsi sir Fred Goodwin, président de la banque britannique RBS, stratège d'une politique d'acquisition ruineuse qui s'est terminée avec l'achat d'ABN Amro au plus haut, a-t-il avec maestria envoyé sa banque par le fond et coûté au contribuable quelques milliards de livres en sauvetage public, mais n'en estime pas moins avoir parfaitement droit à la pension de 980 000 dollars par an que lui a votée son conseil d'administration, pour une retraite bien méritée

---

1. Comme beaucoup d'assureurs, peut-être lassé par le train-train de ses activités ordinaires, mais surtout attiré par les rendements stellaires des marchés financiers, AIG s'est diversifié, par l'intermédiaire d'une filiale *ad hoc* (AIG Financial Products), dans les dérivés de crédits, notamment les CDS (Credit Default Swaps), produits fournissant une assurance contre les pertes de valeurs que pourraient subir des titres financiers de type obligataire. La titrisation des crédits, notamment des crédits immobiliers des ménages, a engendré des volumes considérables d'actifs obligataires (ABS, CDO) pour lesquels ont été émises des couvertures de type CDS. Comme n'importe quel contrat d'assurance, les CDS sont générateurs de primes pour ceux qui les émettent. Aussi AIG a-t-il fait de somptueux profits au fur et à mesure que la titrisation produisait des quantités plus importantes d'actifs à assurer... jusqu'à ce que lesdits actifs voient leur valeur s'effondrer dans les conditions qu'on sait, déclenchant alors l'activation des indemnisations assurantielles ! Et les pertes colossales.

qu'il entend prendre par exemple tout de suite, pourquoi pas ?, à l'âge de cinquante ans, quand l'existence offre encore tant de possibilités. Même *The Economist* en a les yeux qui dégringolent des orbites et doit beaucoup prendre sur lui pour dire sa désapprobation en des termes conformes au registre usuel de son maintien *so british* : *« Les appels au sens de l'honneur de sir Fred ont rapporté à peu près autant qu'une action RBS[1]. » Indeed...* Pendant ce temps, en janvier 2009, le président Sarkozy se gargarise d'avoir fait renoncer trois présidents de banques françaises à leurs bonus. Et vient de se souvenir de ceux de la cohorte des traders qu'on s'était bien gardé d'évoquer jusqu'ici, et auxquels on s'apprête à réserver les terribles rigueurs d'un « code d'éthique » de plus... Mais renoncer, quand il s'agit d'euros, est la chose que les patrons savent le moins bien faire. Les dirigeants de la Société Générale, qui avaient d'abord fait partie des renonçants, se sont finalement ravisés. Certes, à la lettre du commandement présidentiel, ils font ostentation de sacrifice salarial... mais pour se rattraper aussitôt sur les stock-options – il faudra les pressions politiques les plus intenses, elles-mêmes sous la pression de l'opinion publique, pour finir par leur faire lâcher le morceau. Le charme cependant des « packages » patronaux, c'est que, des morceaux, ils en offrent à profusion, et de toutes les sortes – un vrai étal de boucherie. Aussi en lâcher un ne coûte-t-il pas grand-chose puisqu'il est toujours possible de se refaire sur un autre. L'injuste abandon en série

---

1. « Scapegoat millionaire », *The Economist*, 7 mars 2009. Le plus étonnant est que l'indignation de la revue au spectacle de ce genre d'excès ne parvienne jamais à désarmer complètement les articles les plus fondamentaux de sa foi ; ainsi peut-on lire quelques lignes plus bas : *« Éviter de nouveaux désastres suppose d'allouer correctement les reproches ; et la plupart vont aux mauvaises politiques, non aux banquiers cupides »...*

des bonus puis des stock-options n'a nullement empêché Daniel Bouton de se rabattre sur une grassouillette et paisible retraite – un million d'euros annuels –, sans doute contractuellement établie de longue date mais qui n'en offre pas moins l'illustration de la logique de la rémunération patronale, selon laquelle quand il n'y en a plus, il y en a encore. Au demeurant, Daniel Bouton n'y trouve rien à redire et ne doute probablement pas un seul instant d'avoir bien « mérité » tout ce à quoi il « a droit ». C'est d'ailleurs ce qui frappe le plus, cette parfaite candeur et cet étonnement un peu stupide en découvrant l'ampleur du tumulte qui suit la révélation de ces choses « si normales ». Il faut dire que la série du mois de mars 2009 ne laisse pas d'impressionner, et c'est comme une déclinaison chatoyante de tous les procédés de l'enrichissement patronal qui défile sous les yeux ébahis du public : stock-options à la Générale et à GDF-Suez, parachute doré à Valéo, bonus pour les traders de Cheuvreux-Crédit Agricole, toutes gracieusetés dont chacune séparément a déjà le tact d'une grosse mouche bleue au milieu d'une tasse de lait, mais dont la parade bien synchronisée produit un effet de mise à feu comme aucun groupe insurrectionnel, si imaginatif fût-il, ne saurait en avoir.

Il faut au moins accorder à ces milieux, et tout particulièrement à ceux de la finance, un estomac hors du commun, et il y a comme ça des performances dans le cynisme qui forceraient presque l'admiration. C'est qu'en effet il faut avoir atteint les derniers degrés de la désinhibition collective pour, ayant d'abord accumulé dans des proportions défiant le sens commun pendant la bulle, puis fait éclater un séisme financier dont les conséquences frappent un corps social n'ayant eu aucune part ni aux profits antérieurs ni à la responsabilité du désastre, venir sans la moindre vergogne tendre la sébile au guichet de l'État... et prendre l'argent public avec pour seule intention de maintenir le train de vie et de prolonger l'âge d'or. Car, ainsi que les gouvernements déconfits commencent à s'en apercevoir, les plans d'aide servent à tout sauf à relancer le crédit. Bien sûr il n'y va pas que du mauvais vouloir bancaire dans cette brutale contraction du crédit, et des problèmes de coordination macroéconomiques y ont toute leur part[1]. Mais il est permis de parler d'effondrement moral au moment où les agents les plus argentés – et il faut ici tenir ensemble aussi bien les institutions que les individus, les banques et les banquiers –, invraisemblables récipiendaires de la solidarité nationale (!), et dans des proportions auxquelles aucun autre groupe social, si nombreux et si défavorisé fût-il, ne pourrait prétendre, n'ont pas même l'élémentaire réflexe de décence qui consisterait à porter moins beau et à en rabattre un peu, bref à consentir une sorte de contre-don sous la forme de quelques renoncements symboliques. Mais non ! Comme Ubu, ils ne lâcheront rien. On n'a que l'embarras du choix pour puiser dans le stock des anecdotes significatives, du séminaire-relaxation de luxe pour les hauts cadres d'AIG, encore eux, le jour même (ou presque) de l'annonce de sa faillite et du plus vaste plan de sauvetage public jamais lancé aux États-Unis, jusqu'au banquet monégasque à 150 000 euros pour 50 méritants de Fortis, là aussi la semaine où la banque est faillie et rattrapée par 11,2 milliards d'euros de recapitalisation aux frais du contribuable[2], en passant par les tapis à 90 000 dollars du bureau de M. Thain, président de Merrill Lynch ; et pour tous les arc-boutés qui s'efforcent encore de justifier l'injustifiable et qui renverront ce genre de faits soit à l'ordre du détail insignifiant soit au registre de la dénonciation « populiste », il faut rappeler que le pointillisme est aussi une manière de

---

1. Voir *infra*, chapitre 3 de ce livre.
2. En fait *des* contribuables : belges, luxembourgeois et néerlandais.

composer des tableaux, et que ces « anecdotes », qu'on pourrait multiplier sur simple demande, sont les manifestations de ce que même la presse financière qualifie de « culture », au sens d'un ensemble d'habitudes incrustées, constituées en système, devenu une norme autorisant des comportements auxquels les intéressés ne trouvent plus rien de répréhensible. On pouvait penser le « Prends l'oseille et tire-toi » réservé au registre comique de Woody Allen, ou bien à celui du grand banditisme. Il apparaît partagé par une partie moins attendue de la population, pas exactement la plus à plaindre, jusqu'ici connue pour sa dénonciation écœurée de mépris de l'impéritie de l'État, mais pas gênée le moins du monde d'émarger à ses guichets, et pas davantage décidée à émettre le moindre remords.

« Sans bonus, les traders s'en iront » – et pourquoi pas ?...

Il est vrai que les « mécanismes du marché » sont mobilisables *ad libitum* pour fournir les « raisons » que les normes de la simple décence se refusent à donner. Aussi la défense s'organise-t-elle promptement autour des fatalités de la concurrence. Car on ne pourrait cesser d'engraisser les traders à moins de « les voir partir pour la concurrence » : « *Les bonus, c'est un phénomène concurrentiel*, explique le porte-parole d'un grand établissement interrogé par *Le Monde, si on dit aux traders qu'ils n'auront plus de bonus, on n'aura plus de traders*[1] *!* » Quoique se soustrayant d'emblée au registre moral et invoquant les pures lois de l'économie, il y a d'abord dans ce propos la manifestation

---

1. « Les banques préservent les bonus de leurs traders », *Le Monde*, 30 janvier 2009.

en mots de l'abolition de toute régulation interne et d'une provocation de fait, sinon d'intention, lancée à la face de la société. Mais il y a surtout – sans doute à son corps défendant ! – l'ouverture d'une perspective qui ne manque pas d'intérêt : plus de bonus = plus de traders... Et après tout, pourquoi pas ?...

C'est en ce point précis que la rationalisation des bonus, croyant s'exonérer de reproches pour en appeler aux mécanismes impersonnels du « marché » – le « marché des traders » –, s'enfonce en fait un peu plus dans l'ignoble et élève au carré le dégoût qu'elle croyait dissiper, ajoutant à la persistance dans l'indéfendable une forme de chantage particulièrement caractéristique du capitalisme mondialisé, le chantage des compétents : « Retenez-nous (avec beaucoup de sous), sinon nous partons. » Tous ces gens n'ont visiblement pas saisi que leurs exploits, maintenant consignés par l'histoire sous le nom générique de « subprimes », ne donnent d'autre envie que de leur désigner la porte et de les prier de ne la passer que dans un sens. Qu'on n'aille surtout pas croire qu'il s'agirait là d'une réaction d'humeur. Bien au contraire, il s'agit d'une réponse des plus rationnelles. En premier lieu parce que le rapport de force n'est pas de leur côté : qu'ils partent, c'est très bien, mais pour aller où ?... L'industrie financière licencie par charrettes entières et, si quelques-uns parmi eux retrouvaient un poste ailleurs, il est très clair que le gros de la troupe resterait sur le carreau. Vous désirez partir parce qu'il n'y a plus assez d'euros ? Chiche !

En deuxième lieu parce que la fuite des « compétents » – on rit tout de même de se voir employer pareil terme à propos des producteurs d'un désastre d'échelle historique – n'aurait finalement que des avantages du point de vue de la souhaitable transformation d'ensemble des structures de la finance. Si, en effet, cette transformation doit être opérée, entre autres, dans le sens d'une réduction des nuisances de ladite « innovation financière » et d'une « désophistication » générale de produits dont la complexité a cessé depuis longtemps d'être convenablement maîtrisée par les opérateurs pour nourrir des risques hors de tout contrôle[1], alors il n'y a aucun regret à voir partir les plus « brillants » de ces supposés cerveaux vers d'autres cieux et à ne garder que les plus rustiques, à qui l'on ne confiera que les produits les plus simples... donc les plus maîtrisables et les moins risqués – exactement ce qu'il nous faut ! La finance, qui a eu la mauvaise idée de lier « compétence », complexité et risque de catastrophe, ne s'est donc pas aperçue qu'elle fournissait elle-même les armes pour se faire battre et pour dissuader absolument les prises d'otages de ses « compétents » ; et l'on se demande en effet comment une crise de pareille ampleur, où les ressorts mêmes de l'innovation financière sont directement en cause, pourrait ne pas conduire à rapprocher la célébration des « compétents » et l'énormité du désastre dont ils ont été les fauteurs, pour en tirer la conclusion qui s'impose avec la force de l'évidence : pas de bonus ou la porte !

Fuite des patrons, hémorragie de compétence ?

L'argument ne vaut pas que pour la sphère des marchés financiers, car c'est la même invocation de la compétence qui prétend ordinairement justifier les extravagantes rémunérations patronales. Pour reprendre une objection formellement semblable à celle qui a déjà été avancée précédemment, il faudrait l'hypothèse d'une brutale et miraculeuse élévation de la compétence patronale en une décennie pour justifier dans les mêmes proportions le bond

---

1. Pour un argument plus substantiel sur ce point, voir Frédéric Lordon, « Réguler ou refondre ? Les insuffisances des stratégies prudentielles », *Revue de la régulation*, n° 5, mai 2009, http://regulation.revues.org/.

de leurs émoluments. Ainsi, il faudrait tout donner aux patrons, sorte d'équivalents des « Trésors nationaux vivants » japonais (quoique ceux-ci ne réclament pas d'argent), et souscrire à toutes leurs demandes – auxquelles, dans ces conditions, on ne voit pas ce qui viendrait mettre une borne –, sous peine d'encourir la pire des déconvenues : les voir partir. Et l'argument fait tache d'huile, s'étendant non plus seulement aux compétents mais aussi aux fortunés, que nous ne saurons jamais assez remercier d'investir ici leur précieux capital, sans lequel, etc.

On n'a que l'embarras du choix pour ramasser des échantillons de cette increvable rhétorique de la compétence, ultime redoute de la défense-et-illustration des gros salaires en temps de crise, à ceci près que la déroute des compétents a atteint un degré si manifeste qu'elle en ferait presque fourcher les langues les plus boisées. À la suite de la décision du président Obama de limiter réglementairement la rémunération des présidents d'entreprises récipiendaires d'aides de l'État, *La Tribune* interroge Laurence Parisot, présidente du Medef.

LA TRIBUNE : *Barack Obama a décidé de fixer à 500 000 dollars la rémunération annuelle maximale des dirigeants bénéficiant d'aides publiques. Est-ce une bonne chose ?*

LAURENCE PARISOT : *C'est un grand risque. C'est le risque que partent des hommes ou des femmes qui sont peut-être pour partie responsables du drame économique actuel. Mais qui sont aussi les plus compétents pour mettre en place des solutions*[1].

Laurence Parisot est sans doute connue de longue date pour son agilité intellectuelle, mais il faut bien reconnaître qu'en cette occasion elle se surpasse absolument. Tant de

---

1. Entretien avec Laurence Parisot, *La Tribune*, 5 février 2009.

choses en si peu de mots... – l'esprit patronal a un pouvoir de concentration dont les limites n'ont toujours pas été entrevues. Qui sont les dirigeants des entreprises naufragées ? *« Des hommes et des femmes »* dans leur pure, simple et commune humanité – qu'on méconnaît trop souvent : ils, elles sont comme vous et moi. Certes, ils, elles sont *« peut-être responsables »* du désastre, mais *« peut-être »* seulement – car on en parle, on en parle, or on n'est sûr de rien. À supposer qu'une enquête approfondie conclue à la possibilité de leur imputer quoi que ce soit, on gardera en tête que cette responsabilité ne saurait être que partielle – *« pour partie »*. Très logiquement, cependant, l'ampleur de la catastrophe – *« le drame économique actuel »*, tout de même... – ne peut en aucun cas conduire à mettre en doute la compétence des intéressés, sans doute pour la bonne raison que leur responsabilité n'est que partielle et éventuelle, mais aussi, on le sent bien, pour une raison plus profonde et plus générique, quoique son caractère de parfaite évidence rende en même temps difficile de la définir plus précisément. Il s'ensuit en tout cas avec la force d'un syllogisme aristotélicien que ces gens-là sont les plus qualifiés pour réparer ce qu'ils ont magistralement détruit. Si cette conséquence ne peut être repoussée par aucun esprit correctement constitué, il s'en déduit l'ultime conclusion que leur rémunération ne peut souffrir d'être limitée – on sent même que Laurence Parisot, dans un climat adverse d'hostilité populacière, reste, par sagesse, un peu « en dedans » et qu'elle est empêchée d'aller jusqu'où elle voudrait, puisque sa pensée pleinement dépliée plaiderait sans doute pour quelques légitimes augmentations, considérant, par un argument d'asymétrie, que reconstruire est souvent beaucoup plus difficile – et partant méritoire – que détruire.

En tout cas nous voilà – une fois de plus – avertis : ce serait un « grand risque ». Le risque de « les voir partir ». Tout autre que Laurence Parisot conclurait que ce serait plutôt un risque de les voir *rester*, et qu'en ce sens, à défaut d'un congédiement immédiat – la seule solution véritablement raisonnable –, une incitation en forme de réduction monétaire carabinée s'impose. Aussi, révélant par incidence les derniers degrés de l'enfermement idéologique où la patronne du Medef s'enfonce, à moins que ce ne soit l'insulte joyeuse et délibérée à l'élémentaire intelligence de ceux à qui elle s'adresse, la crise fait-elle voler en éclats les impostures de la compétence, mais pour simplement leur donner le relief hors du commun que n'a pas la chronique à bas bruit des ratages patronaux en temps ordinaire.

Compétents et incompétents, maîtres et élèves

Mais, dans cette interview donnée par Laurence Parisot, et sans doute appelée à entrer dans les archives de la crise, il n'y a pas la moindre trace de malignité, à moins de supposer une vocation profondément dada qui se manifesterait ici pour la première fois. Car, en effet, c'est une sorte d'exploit que de porter la logomachie de la compétence à ses dernières extrémités, et sans la moindre vacillation de ridicule, en n'hésitant pas à déclarer : « *J'ai été frappée de voir que même les grands habitués de Davos, ceux qui connaissent toutes les clés de l'économie et de la finance, ont du mal à y voir clair et à penser l'après*[1]. » Même les organisateurs du « sommet » de Davos y voient moins trouble... En octobre 2008, dans un accès de lucidité tardive, Kevin Steinberg, directeur opérationnel du WEF (World Economic Forum), fait un mea-culpa étonnamment rapporté par Bloomberg, agence d'informations financières jusqu'ici peu portée à la critique des financiers : « *Les*

---

1. Entretien avec Laurence Parisot, *La Tribune*, art. cité.

énormes sommes d'argent déversées en notes somptuaires à Davos par les célébrités de Wall Street ont contribué à la complaisance des organisateurs du forum et les ont conduits à flatter publiquement leurs points de vue, leurs desiderata et leur statut d'invités superstars[1]*.* » Klaus Schwab, le président du WEF, y ajoute une touche d'hypocrisie rétrospective en déplorant que la finance n'ait rien voulu entendre – on n'a pas non plus souvenir d'avoir beaucoup entendu ses propres avertissements... : « *Ils savaient qu'un regard tant soit peu sérieux aux fondamentaux économiques montrait que la situation était instable. C'était du déni, un déni psychologique total*[2] » ; et, à propos de l'ambiance davossienne tournant progressivement à la *party* de luxe (« *The partying crept in...* »), Schwab promet solennellement : « *Ceci n'arrivera plus...* » – un invité de longue date de la *party* corrige plus lucidement : « *Un exercice de modération est quelque chose que le secteur privé ne fait pas très bien*[3]*...* »

Il n'y a que dans les yeux d'enfant de Mme Parisot que toutes les lumières de Davos scintillent encore. Que les grands concierges de la mondialisation – ceux « *qui ont toutes les clés* » – n'y voient goutte, c'est pour elle à la fois un mystère incompréhensible et néanmoins un motif d'admiration continuée, en tout cas certainement pas une raison de remettre en cause la « grandeur » des luminaires davossiens, même s'ils éclairent à peine une bordure de trottoir. Dans une logique si particulière, mais si cohérente dans le délire, on ne s'étonnera pas qu'elle conclue *a contrario* à l'inquiétant creusement du fossé entre les

---

1. Craig Copetas, « "Out of control" Wall Street chiefs spurned warnings at Davos », Bloomberg, 24 octobre 2008.
2. Cité *ibid.*
3. William Browder, fondateur de Hermitage Capital Management Ltd, cité *ibid.*

« compétents » et les « incompétents » : « *On peut comprendre qu'*a fortiori *un salarié qui n'est pas censé lire des cours d'économie tous les matins soit vraiment stupéfait et par conséquent très angoissé par la situation*[1]. » Mme Parisot aurait sans doute du mal à comprendre que c'est de l'entendre tenir ce genre de propos qui laisse « vraiment stupéfait », mais cependant moins « angoissé » qu'encouragé à s'opposer à elle par des moyens qui, à ce stade de désorganisation intellectuelle, ne pourront plus être purement discursifs. À sa décharge, accordons-lui de ne faire que persister dans un partage de la compétence que toutes les élites libérales avant elle ont travaillé à établir et en lequel on pourrait voir l'une des composantes de l'exercice de la domination à l'époque individualiste, formes douces du pouvoir d'imposer qui s'habillent sans cesse de psychologie et de pédagogie, et qui ont conduit, en économie, à l'éclosion d'une série d'organismes spécialement dédiés à l'« explication » de cette dernière à ceux qui ne la « comprennent pas » – il faudrait plutôt dire : qui ne la comprennent pas *comme il faut* –, tels l'Institut pour l'éducation financière du public, ou le Codice, Conseil pour la diffusion de la culture économique, qu'on rebaptiserait avantageusement en Coboce, Comité pour le bourrage de crâne économique. Il est donc évident pour Mme Parisot que l'énormité de la faillite financière – dont le corrélat nécessaire, quoique encore invisible à ses yeux, est une faillite intellectuelle de même proportion – ne saurait pour autant remettre en cause le partage des dirigeants et des dirigés, c'est-à-dire des enseignants et des enseignés, et que la compétence dûment rémunérée demeure le propre des mêmes sans rien avoir perdu de sa légitimité.

---

1. Entretien avec Laurence Parisot, *La Tribune*, art. cité.

Ils sont plus dispensables qu'ils ne le croient

Il est à craindre que, jusque dans le « camp » de Mme Parisot, le mélange de franche bêtise et de cynisme en roue libre requis pour tenir de pareils propos se fasse de plus en plus rare, même si dans un premier temps la solidarité de classe suggère à tous les faillis de faire bloc et de ne pas concéder à haute voix ce que l'évidence impose pourtant. Car c'est une forme de vie qu'il s'agit de défendre, la vie à millions – de celles qu'on n'abandonne pas facilement. C'est pourquoi seule une force extérieure leur fera lâcher ce qu'ils ne lâcheront jamais d'eux-mêmes. L'interdiction des bonus pour les traders, la limitation drastique des écarts de salaires dans l'entreprise, par exemple à un rapport qui reviendrait à 1 pour 30 ou à 1 pour 20, l'intégration des revenus financiers dans la fiscalité ordinaire, le relèvement des taux marginaux d'imposition à des niveaux qui conviennent aux revenus produits par les fortunes constituées pendant les deux décennies passées – Paul Krugman rappelle opportunément que l'administration Roosevelt n'hésita pas à relever ses taux jusqu'à 80 % puis 90 %[1], et nous découvrons tout d'un coup les marges inutilisées d'une politique de justice sociale –, toutes ces choses peuvent être envisagées sans qu'à aucun moment se produisent les catastrophes dont les « compétents » agitent sans cesse la menace, puisque d'une part les compétents, assez souvent, ne le sont pas, et que d'autre part, si certains d'entre eux l'étaient vraiment et venaient à partir, d'autres attendent derrière eux avec une grande envie de prendre leur place !

C'est ici qu'apparaît ce coup de force idéologique magnifiquement réussi qui consiste à avoir imposé la tautologie

---

1. Paul Krugman, *L'Amérique que nous voulons*, *op. cit.*

selon laquelle ceux qui sont au pouvoir sont nécessairement compétents *puisqu'ils sont au pouvoir*. L'« évidence de la compétence » y repose ainsi sur un renversement par lequel la détention de la compétence est moins la cause réelle de l'arrivée au pouvoir que la détention du pouvoir n'est la preuve supposée de la possession de compétence. Cette inversion a bien sûr pour effet de rejeter dans le groupe des non-compétents ceux qui n'ont pas le pouvoir... et de faire oublier que, parmi ceux qui ne l'ont pas, il s'en trouve probablement qui l'exerceraient bien mieux. On pourrait d'ailleurs opposer aux patrons l'argument évoqué à propos des traders : qu'ils partent, mais pour aller où ? Se croient-ils attendus aux États-Unis ou ailleurs ? Le « marché des dirigeants » y est déjà formé sans eux, il est suffisamment encombré, et nul ne les attend. Qu'on laisse donc partir sans crainte ceux qui se croient irremplaçables : d'abord ils pourraient bien revenir plus vite qu'ils ne l'imaginent, ensuite il s'en trouve pléthore derrière pour prendre leur place, enfin les attraits de la détention du pouvoir seront toujours suffisamment puissants pour convaincre certains d'y céder même à rémunération « réduite ».

Bonus et primes, ou la captation individuelle des efforts collectifs – déconstruction du « mérite »

Mais dire cela, c'est rester prisonnier du schème de la compétence des individus, c'est-à-dire en définitive de l'homme providentiel – à qui par conséquent la société devra tout et donnera tout –, et, partant, laisser de côté l'idée, au moins aussi pertinente, de la compétence collective. Quoique le libéralisme fasse sur elle une impasse quasi systématique, aussi bien dans les formes de reconnaissance que dans l'encouragement à se développer, son existence est attestée dans les multiples expériences de sociétés coopératives, qui ne sont pas identifiées comme des « succès » pour cette simple raison qu'elles ne reconnaissent pas les critères habituels du « succès », ceux de l'expansion forcenée et de l'acharnement dans le profit. Ainsi la dépendance stratégique assumée du mouvement coopératif à la compétence collective a-t-elle la propriété de faire apparaître en creux l'énormité du contresens pourtant le plus central à la pensée libérale : le contresens « méritologique ». Si loin que le Medef se déclare prêt à aller dans la voie de la retenue (pas loin et de mauvais gré), il restera accroché à son idée du mérite qui, devenue indéfendable en temps de crise, justifie toujours à ses yeux qu'aux beaux jours toute la fortune de l'entreprise soit entièrement redevable à son chef. On peine rétrospectivement à croire qu'il ait fallu tant d'années pour (envisager d')en finir avec les parachutes dorés, « sanction » d'échecs tout aussi retentissants, en contravention manifeste avec la doctrine alléguée, et c'est probablement la raison pour laquelle, dans un premier temps au moins, l'opinion estime avoir obtenu gain de cause à l'annonce de l'abandon de ces pratiques[1]. Mais, pourvu d'ailleurs qu'on fasse abstraction des contraintes extraordinairement légères, en fait même complètement nulles, que le rapport du Medef prévoit pour instituer cette « discipline », la question des énormes rémunérations en cas de « réussite » demeure de l'ordre des évidences si évidentes que c'est l'idée même d'en discuter qui semble baroque.

---

1. L'idée d'un abandon demanderait à être en fait sérieusement édulcorée, comme l'atteste la lecture du rapport Medef-Afep sur la question, qui ne formule que des souhaits et laisse entièrement aux conseils d'administration, dont la souveraineté est rappelée plus d'une fois, le soin de leur donner la traduction qui leur sied. « Recommandations sur la rémunération des dirigeants mandataires sociaux de sociétés dont les titres sont admis aux négociations sur un marché réglementé », rapport Medef-Afep, octobre 2008.

Il y a pourtant plus d'une raison d'en parler. À commencer par celle de l'« imputation du succès » – il faudrait plutôt dire de l'« imputabilité » du succès –, à savoir : de qui ce succès (celui de l'entreprise) est-il le fait, à qui convient-il de l'attribuer ? Dans la pensée libérale, l'imputabilité des effets ne fait pas l'ombre d'un doute : les individus sont libres, souverains et responsables. On sait ce que chacun a fait, on sait ce qui s'est ensuivi, ce qui s'est ensuivi est l'effet de ce que chacun a fait, l'intéressé en portera donc la responsabilité et en recueillera les fruits – ou les sanctions –, lui et lui seul. Il faudrait entrer dans une discussion proprement philosophique pour défaire cette fausse évidence de la responsabilité dont personne ou presque, spontanément, ne doute pourtant un instant. Mais c'est un terrain où le combat est perdu d'avance tant le schème individualiste-libéral est profondément ancré dans les têtes, et ce n'est pas avec des arguments philosophiques qu'on défait un certain sentiment de soi, un certain rapport de soi à soi hérité d'une généalogie séculaire.

Une objection moins profonde, mais au plus fort pouvoir de conviction, reste cependant possible, qui, maintenant le schème de la responsabilité, ou de l'imputabilité, en modifie le point d'application : non pas des individus isolés et séparables, mais toujours des collectifs. Pour le coup, voilà bien une idée qui a tout pour s'imposer avec la force de l'évidence, et d'une évidence bien fondée cette fois : par quelle aberration intellectuelle peut-on en effet envisager de n'imputer la réussite d'une entité éminemment collective, comme une entreprise, qu'à un seul individu, fût-il son « chef » ? Comme si le chef faisait tout tout seul ! Et même : comme si, sans le chef, rien ne se faisait ! Les importants qui savent toujours aménager la doctrine au mieux de leurs intérêts ont une conscience discrète de ce vice de raisonnement, qu'ils savent parfaitement utiliser quand les choses tournent mal. Car on aura noté qu'en cas de déconfiture tout soudain il n'y a plus que de la responsabilité collective. Total brise un de ses tankers mais la pollution ne saurait être imputée à son président : il y a l'armateur, le concepteur du navire, le certificateur qui lui a permis de prendre la mer, peut-être les météorologues qui n'ont pas suffisamment averti de la tempête, sans doute l'État, en fait toujours l'État, on ne sait pas pourquoi mais on trouvera – Matthieu Pigasse, vice-président de Lazard Frères, n'explique-t-il pas doctement que la crise financière a aussi pour responsable l'État[1] ? Cette fois il n'y a plus qu'une « chaîne de responsabilités », si longue, si étirée que le président de Total y a presque entièrement disparu. Pour les patrons il y a donc des chaînes qui libèrent… On les sort chaque fois que nécessaire et pour transfigurer le démérite individuel patronal en carence collective aussi étendue que possible. Cependant, lorsqu'il s'agit d'annoncer les milliards d'euros de profit de Total, c'est son président et lui seul qui est au pupitre, et nul ne doit en douter : ce profit est bien *son* œuvre – en témoigne, au-delà des oblats verbaux qui n'engagent à rien, la part qu'il s'en accorde au titre de son autosatisfecit.

Eat what you kill !

La finance pousse le raisonnement à ses dernières extrémités. Elle formule elle-même ses maximes avec le zeste de cynisme qui fait sa marque de fabrique, et parle à propos du principe des bonus de la « *eat-what-you-kill culture* ». De même que la proie que vous avez capturée vous appartient en totalité, de même la plus-value que vous avez ramenée est *votre* profit. Portant la logique jusqu'à son terme, on se

---

1. Émission *Revu et corrigé*, France 5, 8 février 2009.

demande presque comment la banque ose en accaparer une part. Formidable paradoxe de la finance, marxiste qui s'ignore – mais d'un marxisme très particulier, bien sûr. Car, pour l'être vraiment, il faudrait dire que l'entreprise entière a été nécessaire pour produire la plus-value du trader, et ajouter que l'entreprise entière n'est pas une entité abstraite supérieure à ses salariés, mais la collectivité de ceux-ci et pas autre chose. Pour passer un ordre en salle de marché, il faut un *back office* en état de marche, des stratégistes qui ont produit des schémas d'anticipation, des analystes qui ont formulé des avis, et aussi un service qui règle comme il faut les factures d'électricité pour que les écrans ne passent pas au noir, des personnes qui font le ménage pour que la salle ne tourne pas à la porcherie – physiquement du moins. Le trader qui s'imagine souverain n'est donc rien sans tous ces collaborateurs de coulisse, et il pourrait prendre les paris les plus audacieux et les plus rémunérateurs, cliquer autant qu'il le veut ou aboyer dans un téléphone à s'en briser les cordes vocales, son agitation, sans ceux-ci, ne rapporterait pas un euro. À l'exact opposé des dilutions opérées en cas de crise, c'est donc ici l'extrémité de la chaîne qui revendique le produit de l'effort de toute la chaîne, et – le plus ahurissant – l'obtient !

C'est bien pourquoi la rémunération des traders est par excellence le front symbolique de la bataille : parce qu'elle donne à voir sous sa forme la plus pure la logique à l'œuvre partout ailleurs dans la grande entreprise néolibérale, où les dirigeants, progressivement gagnés par la « *eat-what-you-kill culture* », s'entretiennent mutuellement dans le délire méritologique leur attribuant, parce qu'ils sont en haut de la structure, le bénéfice moral, puis pécuniaire, des réussites de la structure. On reste plus perplexe encore de voir comment le discours patronal de la « rémunération bien méritée » aura réussi à se maintenir en dépit des maniements évidemment asymétriques de l'argument méritologique : les profits sont attribuables à *ma* responsabilité individuelle et les pertes à *la* responsabilité collective. Or, entre ces deux imputations, il faut choisir ! Mais le choix ne s'impose-t-il pas à la présente analyse : dans des économies où la division du travail a atteint la profondeur que nous connaissons, le moindre acte productif est la somme d'une multiplicité de contributions coordonnées qui rendent l'idée d'en attribuer le fait à une seule d'entre elles proprement absurde ? À supposer qu'on veuille bien lui accorder d'être davantage qu'une simple rationalisation des intérêts des dominants, la pensée libérale, qui ne veut connaître que des individus séparés, manque tout de la vie sociale dont elle prétend parler, et notamment qu'elle est... sociale ! Aussi la préservation du schème méritologique exige-t-elle de faire oublier en permanence le caractère intrinsèquement combiné des actes productifs et la fréquente impossibilité de les décomposer pour mesurer exactement les contributions individuelles. Dissimulée derrière la fiction de la « séparabilité » et de la « mesurabilité » – fiction à laquelle la théorie économique néoclassique a apporté son constant renfort sous l'énoncé de la « rémunération des facteurs à leur productivité marginale » –, la vérité à refouler impérativement, c'est que la fixation des salaires est un processus *politique*[1]. Nulle part il n'y a de mètre-étalon *objectif* du mérite, qu'il soit moral ou « contributiviste », mais seulement des processus de pouvoir qui règlent des partages inégaux. Par un de ces paradoxes que l'histoire de la pensée réserve parfois, la théorie économique qui, se réclamant le plus systématiquement d'Adam Smith, aurait dû poser le fait premier de

---

1. Peu de contributions récentes ont insisté comme celle de Bernard Friot sur cette dimension profondément *politique* de la fixation des salaires, par-delà toutes les fictions des « mécanismes de marché ». Voir Bernard Friot, *Puissances du salariat. Emploi et protection sociale à la française*, La Dispute, 1998.

la division du travail, donc de l'inextricable combinaison des travaux, aura été la moins capable d'en tirer les véritables conséquences.

Et si vraiment on voulait garder les bonus...

La discussion ne s'arrête pas là. Car rien n'a été dit encore à propos des termes de « succès » ou de « réussite », jusqu'ici volontairement laissés dans le vague de guillemets opportuns. Or c'est peu dire que ces termes admettent de multiples définitions, et qu'en retenir une plutôt qu'une autre fait de belles différences. Là aussi, c'est un problème qu'il était préférable de ne pas soulever, car la préférence de certains pour une définition particulière demandait à ce que fût effacée la possibilité même de définitions latérales. Rien n'est moins neutre que l'idée du « succès », à moins qu'elle n'ait préalablement reçu une définition très précise. Mais qui peut l'affirmer en économie ? Les actionnaires ont dit leur mot en cette matière et ils ont tout fait pour qu'il soit définitif : le « succès » sera mesuré par le cours de Bourse, alias la « création de valeur »[1]. L'enrichissement du capital-actions est devenu l'étalon. Il admet certes des variantes et des définitions intermédiaires, mais toutes ne font que décliner l'exclusif point de vue des actionnaires sur l'entreprise, et les formes restreintes dans lesquelles doit entrer sa « réussite ». Voilà

---

1. Dans sa définition la plus rudimentaire. Car pour affirmer un point de vue précis, celui des actionnaires, l'idée de « création de valeur » est tout sauf précise : on peut en recenser jusqu'à 14 définitions, variées au point d'en être parfois contradictoires. Voir à ce propos Frédéric Lordon, « La "création de valeur" comme rhétorique et comme pratique. Généalogie et sociologie de la valeur actionnariale », *L'Année de la régulation* (La Découverte), n° 4, 2000.

défini le mérite patronal – et les façons de le « récompenser » qui s'ensuivent logiquement : indexation des bonus sur les profits et stock-options. Plus d'une décennie de ce régime a maintenant amplement montré ce qui résultait pour les salariés de cette définition-là du « mérite », et du parfait alignement subséquent des intérêts patronaux sur ceux des actionnaires, c'est-à-dire du non moins parfait déclassement de ceux des salariés. Aussi est-il difficile de résister à l'expérience de pensée qui consisterait à imaginer ce que deviendrait la gestion des entreprises, et la vie des salariés, si la « réussite » et à sa suite le mérite patronal, dont on n'aurait pas complètement abandonné l'idée, se trouvaient redéfinis, par exemple, d'après le nombre d'emplois créés, le taux de progression des salaires[1] ou un indicateur quelconque de satisfaction des employés quant à leur vie professionnelle. Si vraiment c'était trop demander que de renoncer, intellectuellement et pratiquement, au schème méritologique, alors qu'il demeure, mais sous ces formes-là du « mérite », et non pas sous celles qui ont pour effet de systématiquement engendrer de la souffrance pour les écartés des bonus.

---

1. Évidemment sous la condition, pour une entreprise privée, de demeurer en vie, c'est-à-dire non chroniquement déficitaire.

CHAPITRE 3

Pour un système socialisé du crédit

Toucher aux (salaires des) banquiers, c'est déjà atroce, mais toucher aux banques, c'est au-delà de l'entendement. Et pourtant on y touche ! Le spectre de la nationalisation est sorti de sa crypte et partout ce ne sont que courses éperdues et cris affolés. « La nationalisation, si vraiment les dernières extrémités l'exigent, mais partielle et temporaire ! » Ils se relaient en boucle à tous les micros comme pour conjurer le spectre hideux du capitalisme d'État, cette abomination qui les a tenus sur la brèche pendant deux décennies. « Ils » ? Toujours les mêmes, bien sûr : répétiteurs libéraux, préposés à la rectification des erreurs socialistes et à la rééducation *market friendly*, experts permanents et patentés, autorités d'avant la crise comme d'après. Naturellement, une vue raisonnablement ambitieuse des choses se féliciterait de leur avoir arraché une fois dans leur vie le mot « nationalisation », à eux qui n'ont cessé de proclamer la supériorité du marché et du privé. Mais le compte n'y est pas tout à fait et leur indifférence au fond à ce que la nationalisation « temporaire » fasse payer par la puissance publique, qu'ils ont tant méprisée, les pots cassés normalement réservés aux actionnaires a de quoi donner quelques aigreurs.

De quelques envies de nationalisations punitives

Hors tout argument de principe, il y a déjà dans cette affaire plus qu'il n'en faut pour justifier de céder à la mauvaise humeur et à la tentation de la nationalisation méchante, c'est-à-dire permanente, peut-être même un peu confiscatoire sur les bords. À commencer par le comportement des banques récipiendaires de l'aide publique elles-mêmes. On aurait pu imaginer que ces messieurs, n'ayant jamais manqué une occasion de se proclamer la race des seigneurs ni de ridiculiser l'archaïsme misérable de l'action publique, adopteraient un profil moins flamboyant au moment de se rendre à l'équivalent pour eux de la soupe populaire. Rien du tout ! Ils portent haut comme d'habitude et leur cynisme n'a pas pris une ébréchure. Ceux qui imaginaient que les aides gouvernementales avaient vocation à permettre aux banques de redémarrer les émissions de crédit aussi vite que possible risquent donc d'en être pour leurs frais – c'est le cas de le dire. Quatre jours après avoir aimablement encaissé 25 milliards de dollars de recapitalisation au bon cœur du contribuable étasunien, Jamie Dimon, le président de JPMorgan Chase, livre dans une conférence interne sa vision de leur meilleure utilisation[1]. Il n'y est nulle part question du moindre crédit supplémentaire à l'économie. Davantage, en revanche, de financer les suites opérationnelles de l'intégration récente de Washington Mutual, et surtout d'accumuler les moyens de nouvelles acquisitions, car, on ne le dit pas assez, les crises sont des périodes fastes si on sait les prendre du bon côté : les malportants sont légion et leurs cours de Bourse anéantis les désignent comme des proies excellent marché pour ceux

---

1. Joe Nocera, « So when will banks give loans ? », *New York Times*, 25 octobre 2008.

qui restent à peu près à flot... et peuvent compter sur les concours financiers de l'État pour financer leurs emplettes. *« Je pense qu'il va y avoir de grandes opportunités pour nous dans cet environnement*, déclare sans l'ombre d'un embarras de conscience l'un des dirigeants de JPMorgan, *et je crois que nous avons l'occasion d'utiliser ces 25 milliards de dollars de cette façon*[1] *»* – pour le coup, on peut leur faire confiance.

Au moment où la crise fait exploser à la face de l'opinion publique internationale ce mélange, auquel aucune autre corporation ne résisterait, de rémunération obscène, d'incompétence manifeste et d'irresponsabilité sans borne – puisque, raflant les profits de la bulle, la finance laisse les dégâts du krach à toute la collectivité... avant de l'appeler à son secours ! –, il y a dans le cynisme bancaire une constance et une fraîcheur inentamée qui finiraient presque par forcer l'admiration. Dans le cas de la banque britannique Barclays, c'est l'absence complète de remords et une forme d'intransigeance idéologique acharnée qui étonnent le plus. Car Barclays, elle, ne veut pas de l'État. Ni de son secours ni, surtout, de sa présence. C'est que le gouvernement britannique, qui a un peu plus de suite dans les idées que les autres, a décidé que financer, c'était nationaliser, fût-ce partiellement, et que nationaliser, c'était avoir voix au chapitre. Or le gouvernement a laissé entendre qu'il entrait dans la « voix au chapitre » de reprendre la main sur les rémunérations des banquiers et d'y mettre bon ordre. Bien sûr on n'imagine pas d'agression caractérisée, juste le minimum cosmétique permettant de calmer momentanément la fureur du public. Mais même de ce minimum, Barclays ne veut à aucun prix. Son président Bob Diamond, que son nom prédestinait sans doute aux bonus exorbitants, n'a-t-il

---

1. *Ibid.*

pas empoché 20 millions de livres au titre de l'année 2007 ? Il ferait beau voir que l'État, socialiste par nature, lui impose de renoncer si peu que ce soit à la juste rémunération de ses mérites. Aussi, plutôt que d'en venir à cette abomination dernière, et parce que tout de même ses pertes rondelettes la contraignent à la recapitalisation, Barclays a-t-elle imaginé, sur le mode du « tout mais pas ça », d'échapper à l'État en se jetant dans les bras d'investisseurs du Qatar et d'Abu Dhabi[1].

Ce n'est pas d'en appeler à tel investisseur plutôt qu'à tel autre qui est remarquable ou discutable en soi, ce sont plutôt les conditions dans lesquelles on sollicite les uns pour ne pas vouloir de l'autre. Car la secourable entrée des investisseurs du Golfe a son prix, qui défie la rationalité économique. Il faut dire qu'en matière de recapitalisation des banques occidentales les fonds souverains ont déjà donné... et s'en souviennent encore : persuadés que, avec la déconfiture de Bear Stearns et son sauvetage par les autorités étasuniennes, la crise avait atteint son point extrême et que les valeurs ne pouvaient que remonter, les fonds souverains avaient jugé venu le moment de leur entrée en scène sur le double mode de la générosité salvatrice et de la bonne affaire opportunément ramassée. Las, c'était en mars 2008, et l'on sait ce qui est advenu depuis... Pour les convaincre d'y revenir après la Saint-Barthélemy de l'automne, il fallait y mettre le prix. Au nom de l'intégrité du privé et de la préservation des bonus, Barclays y était prête. Mais quel prix ! Le gros de l'opération de recapitalisation (3 milliards de livres) consiste en un paquet d'actions préférentielles destiné aux deux fonds souverains. Là où les actions ordinaires sont rémunérées par un dividende, dont

---

1. Respectivement la Qatar Investment Authority et le cheikh Mansour Bin Zayed Al Nahyan, membre de la famille royale d'Abu Dhabi.

chacun sent bien qu'il sera probablement maigrelet dans les années qui viennent, les actions préférentielles, assimilées à une participation en capitaux propres, ont le délicieux avantage de jouir d'une rémunération garantie, à l'image des obligations. Or la garantie dont Barclays gratifie ses nouveaux actionnaires n'est pas mince : 14 % avant impôt jusqu'en 2019... Certes, les actionnaires ordinaires ne sont pas non plus des amis du socialisme, mais certains d'entre eux commencent à l'avoir mauvaise au moment où ils prennent conscience que Barclays envisage de payer à leurs frais sa détestation de l'État et sa préférence pour les bonus. Il est vrai que faire ceinture alors que les deux nouveaux entrants sont accueillis avec du 14 % garanti sur dix ans n'entre dans aucune définition, même très élastique, de l'équité – précisons : de l'équité *interactionnariale*. Et cela d'autant moins qu'à 3 milliards de livres d'actions préférentielles plus 2,8 autres d'actions convertibles réservées aux mêmes, et un paquet supplémentaire de *warrants*, la recapitalisation a des effets dilutifs dont les actionnaires ordinaires sont les premières victimes.

La présence des mots « actionnaires » et « victimes » dans la même phrase, le second s'appliquant au premier, laisse immanquablement une impression bizarre. Mais, on l'aura compris, il s'agissait moins d'invoquer les normes de la justice *absolue* que de montrer jusqu'où le capital privé se montre prêt à aller pour échapper à la nationalisation et préserver la souveraineté de l'argent. Et de suggérer par là combien ce genre de spectacle rend d'autant plus impérieuses les envies de nationalisation, d'ailleurs sous une forme qu'on voudrait particulièrement brutale. On objectera sans doute que ce sont là des arguments sanguins qui ne devraient pas avoir part à la décision. C'est un point de vue. Évidemment il faut avoir un œil de colin froid pour s'y tenir, et tout le monde n'a pas cette chance. De moins en moins de monde au demeurant. Un sondage réalisé auprès de 115 directeurs financiers de grandes entreprises étasuniennes révèle que 58 % d'entre eux s'attendent à ce que l'argent public reçu par les banques serve surtout à financer de nouvelles acquisitions ou (pour 40 % des répondants) à maintenir rémunérations et bonus[1]. On ne s'attardera pas sur les mérites scientifiques d'un sondage probablement pire que la moyenne d'un genre génériquement avarié, si ce n'est pour en retenir l'information brute qu'il se trouve tout de même un nombre considérable de directeurs financiers désabusés au point de soupçonner à leur tour les banques de recevoir l'argent du contribuable avec toutes les intentions du monde, sauf celle de prêter. Il devrait être assez clair que les directeurs financiers étasuniens ne sont pas par principe ennemis des grasses rémunérations. Mais que celles des banquiers soient maintenues par les fonds des plans de sauvetage publics, même à eux la chose semble discutable...

En situation de récession : la nationalisation-coordination

Quand bien même elle n'aurait que ces arguments-là en sa faveur, la nationalisation punitive du secteur bancaire n'en serait pas moins entièrement justifiée. Il se trouve qu'elle en a d'autres, sans doute plus recevables pour le lecteur moins intempérant, et, il est vrai, plus analytiques. On les trouverait, pour commencer, dans le droit fil du grand troc implicite – dont les États sont les dindons – qui voulait échanger aides publiques contre reprise du crédit. Le gouvernement français s'ahurit d'avoir été floué et

---

1. « Many CFOs cynical on banker bailout plans », CNBC.com, 26 novembre 2008.

découvre qu'ayant tout fait... il n'a aucun pouvoir dans les banques renflouées ! L'eût-il vraiment désiré, il lui aurait suffi de s'en donner les moyens, et notamment d'intervenir en fonds propres afin d'avoir aux conseils des banques une participation politique proportionnée à sa participation financière. Mais, pour l'heure, le gouvernement a choisi des instruments de dette, suffisamment sophistiqués pour, moyennant quelques torsions réglementaires, avoir l'air de recapitaliser... sans véritables apports de fonds propres.

Les fausses recapitalisations du gouvernement français

Les 10,5 milliards d'euros apportés à six banques (BNP Paribas, Crédit Agricole, Banques populaires, Crédit Mutuel, Société Générale, Caisse d'épargne) fin octobre 2008 ont pris la forme de dettes hautement subordonnées, dont l'exigibilité est la plus faible possible, au point de les assimiler à des quasi-fonds propres. La dette subordonnée est ainsi admissible pour la constitution de la base de capitaux propres entrant dans la définition du ratio de solvabilité Tier 1 pourvu qu'elle ne dépasse pas une certaine proportion. Le gouverneur de la Banque de France, Christian Noyer, a offert son concours à la discrète modification réglementaire qui a permis de relever la part maximum de la dette subordonnée de 25 à 35 % du total des capitaux propres « Tier 1 »... On comprend bien l'avantage du point de vue des finances publiques : par construction, la dette subordonnée doit être remboursée – en l'occurrence son échéance est de cinq ans, et elle porte un taux d'intérêt supérieur de 400 points de base aux taux des titres d'État de même maturité, ce qui, si aucun des renfloués ne fait faillite entre-temps, rend ce concours de l'État réversible et en fait même une assez bonne affaire. On en comprend symétriquement les inconvénients pour les banques : il s'agit d'une « recapitalisation »... mais temporaire, puisque, au moment du

---

remboursement, les ratios de capital des banques perdront instantanément ce qu'ils avaient gagné au moment de recevoir les
fonds – en fait l'État gagne du temps et espère que d'ici à
2013 les banques auront refait du gras. On en voit enfin les
limites du point de vue de la puissance publique, qui voudrait
obtenir des banques qu'elles se remettent à prêter en contrepartie de ces aides, puisque la différence entre « vrais » fonds
propres et « quasi »-fonds propres, c'est le droit de vote ! La
dette subordonnée n'est assimilable à du capital propre que
d'un point de vue strictement comptable et réglementaire ; elle
reste séparée des actions en cela qu'elle ne confère aucun droit
« politique » à son porteur en assemblée générale des actionnaires ou, mieux, au conseil d'administration. L'État apporte
donc des milliards, mais sous une forme qui le prive d'emblée
de toute influence stratégique. C'est pourquoi le désarroi du
gouvernement, qui pensait les banques bonnes filles et prêtes
à se sentir ses obligées, fait peine à voir. La morale de la réci-
procité n'a jamais vraiment été leur truc, et si encaisser les
aides sans être formellement contraintes de prêter se révèle de
leur point de vue plus confortable qu'encaisser les aides et
prêter, il ne devrait pas y avoir lieu de s'étonner qu'elles choisissent la première solution, sauf persistance attardée d'une
âme d'enfant ou accès de débilité profonde.

Quand bien même, par une sorte de miracle moral
incompréhensible, les banques ne suivraient pas leur ligne
de plus grande pente du cynisme opportuniste, leur réti-
cence à prêter ne serait pas aisément surmontée. Car le bon
vouloir n'est pas seul en cause dans cette affaire et il est
rationnel pour une banque confrontée à un contexte macroéconomique extraordinairement adverse de retenir ses émissions, à moins de prendre le risque de voir ses prêts
nouvellement accordés tourner très rapidement en mauvaises
créances. Le propre d'une récession aussi violente que celle
qui s'annonce est de transformer à grande vitesse des
agents économiques sains *ex ante* en futurs mal-portants.

Dans ce processus, les banques contribuent activement, quoique à leur corps défendant, à faire advenir cela même qu'elles redoutent le plus, puisque leurs propres décisions de restriction du crédit, sur la foi d'une anticipation de dégradation prochaine, privent les agents des avances qui leur permettent ordinairement de relancer les productions, et mettent en panne l'ensemble des dynamiques offres-demandes – des demandes des uns qui soutiennent les offres des autres. On pourrait même, si l'on voulait, prêter aux banques une conscience lucide de cet effet pervers, elles n'en pourraient mais. C'est là un problème typique, peut-être le problème par excellence, des économies de marché, c'est-à-dire des économies où des unités productives indépendantes se déterminent sur une base privative et en dehors de toute coordination globale *ex ante* : nul ne choisira d'« y aller » seul contre une tendance d'ensemble défavorable... et par conséquent les réactions individuelles – et rationnelles – de repli face à la tendance ont pour seul effet de valider et d'amplifier la tendance.

Pour qu'une banque consente à prêter, il lui faudrait la certitude que toutes les autres prêteront avec elle et que sa propre contribution ne sera pas qu'un coup d'épée isolé dans l'eau d'une mer démontée. La caractéristique de la coordination bancaire dans ce genre de situation est donc qu'elle porte avec elle ses propres conditions de réussite : si toutes les banques prêtent simultanément, la conjoncture reçoit un puissant soutien d'ensemble et les agents solvables sont maintenus dans leur solvabilité puisqu'ils disposent des moyens de reconduire des productions viables. Mais, précisément, l'économie de marché est par construction une forme économique dans laquelle la coordination fait constamment problème. Aussi toutes les banques s'apprêtent-elles à observer, chacune par-devers soi, les désastres globaux, y compris pour elles-mêmes individuellement, de la coordination manquante. Cette coordination, dont les agents privés livrés à eux-mêmes sont incapables, ne peut donc venir que du dehors : d'une main visible et suffisamment puissante pour prendre les commandes et imposer à tous de se régler sur une certaine ligne de conduite qui leur est mutuellement avantageuse. Or, on l'aura pressenti, il n'est pas d'autre main visible de cette sorte que celle de l'État.

Si, comme il est répété en boucle, mais pour une fois à très juste titre, la récession est le produit direct de la violente contraction du crédit et que, *a contrario*, seule une restauration des conditions antérieures du crédit permettrait d'éviter le pire qui s'annonce, alors le problème de coordination qui s'y oppose pour l'heure détermine de lui-même sa solution : synchroniser la reprise du crédit par *toutes* les banques, et non pas simplement par une poignée de banques aidées, sous le commandement autoritaire de l'État. Et comme, avec les banques, la simple prière n'est pas tout à fait suffisante, le *modus operandi* de la manœuvre s'en déduit : la prise des commandes par la nationalisation, accompagnée le cas échéant – probablement il écherra – de toutes les facilités de refinancement nécessaires, dont les autorités étasuniennes sont en train de montrer à quelle échelle phénoménale il est possible de les déployer.

La sécurité des encaisses monétaires est un bien public vital (qu'on ne confie pas à des intérêts privés)

On fera remarquer que cet argument inscrit la nationalisation dans la particularité d'une situation conjoncturelle, par nature transitoire, et qu'il ne saurait lui donner les justifications d'une disposition permanente. Or ces justifications existent, elles sont fournies comme jamais par la crise financière elle-même. Contre la puissance des effets d'amnésie, il faut en effet se souvenir de ces semaines de septembre-octobre 2008 au cours desquelles la possibilité de l'effondrement total des institutions bancaires et financières des principaux capitalismes est restée comme suspendue. Qu'un hebdomadaire aussi peu suspect de complaisances altermondialistes que *The Economist* titre à sa une *« Le monde au bord du gouffre »* devrait en dire assez long sur l'état de péril extrême où les dérèglements de la finance ont porté les sociétés. Les « sociétés » en effet et pas seulement les « économies », car la matérialisation d'un risque systémique géant signifie l'évaporation instantanée de tous les avoirs et encaisses monétaires... pour tout le monde. C'est l'événement maximal en économie et, précisément parce qu'il est maximal, il cesse *ipso facto* d'être exclusivement économique puisqu'il a pour effet de plonger toute la société dans un chaos violent au moment où la totalité des agents, entreprises mais surtout ménages, se retrouvent privés absolument des moyens de faire face aux exigences élémentaires de leur survie matérielle dans une économie monétaire à travail divisé. C'est une situation tellement exceptionnelle qu'aucun effort d'imagination n'est suffisant pour se la figurer adéquatement et pour se représenter l'état de destruction sociale qui en résulterait. À défaut, au moins a-t-elle la vertu de faire mieux voir ce que la routine des temps ordinaires rejette dans un parfait oubli, à savoir que la *sûreté des encaisses* n'est pas à proprement parler une donnée de nature économique : elle est un prérequis à toute activité économique possible.

Si donc on prend au sérieux que les dépôts, les épargnes et des possibilités minimales de crédit doivent être considérés comme des *biens publics vitaux pour la société marchande*, il s'en déduit qu'on n'en remet pas la garde à des intérêts privés, à plus forte raison quand ils sont aussi mal éclairés que des banques profondément engagées dans les activités de marchés financiers et sans cesse exposées à leurs tendances déséquilibrantes. Par une association d'idées bien fondée, on peut difficilement s'empêcher de songer à cet autre bien public vital pour la société qu'est la sûreté nucléaire, et à ce qu'il pourrait résulter du fait qu'il ait été « confié » à des actionnaires privés, dirigés par l'unique critère de la rentabilité des capitaux propres. Et quand bien même l'évocation du risque qui découle de cette extraordinaire décision n'appelle qu'un simple conditionnel – « ce qui pourrait résulter » –, c'est encore beaucoup trop quand il est question d'une chose aussi grave.

Un deuxième argument de principe prolonge très naturellement le précédent – car, même à une lecture de mauvaise volonté, il devrait apparaître qu'on n'est plus là dans le registre des impulsions sanguines ou, un peu mieux, des considérations simplement conjoncturelles. C'est une idée assez robuste en effet qu'une structure vitale pour la société doit être conçue et configurée pour résister, non pas aux contraintes des temps ordinaires, mais à des événements exceptionnels. Pour filer la métaphore nucléaire, le dimensionnement de l'enceinte de confinement d'un réacteur ne retient pas pour hypothèse la chute d'un canard épuisé mais l'écrasement d'un avion. Ce n'est pas que les avions aient une telle propension à aller au sol inopinément et spécialement à cet endroit-là. Mais, pour improbable que soit la réalisation de ce risque, c'est bien lui qui est retenu comme *criterium*, pour cette seule raison que son occurrence entraînerait pour la société des dommages incalculables. Par conséquent, *ce sont les événements extrêmes qui décident de la configuration de la structure vitale* – par anticipation prudente ou par longue méditation des cuisantes expériences du passé. Or, ça tombe bien : un événement extrême, en matière de finance, nous venons d'en avoir un ! Et la solution s'est imposée d'elle-même : on a nationalisé ! Une succulente ironie historique et politique veut que ce soient des gouvernements idéologiquement libéraux qui y aient été contraints, envers et contre toutes les préventions de leurs archaïques doctrines – il va sans dire que tombe de plein droit dans cette catégorie le gouvernement britannique du faux Labour (Fake Labour ou peut-être, pour la paronymie, Few Labour), appellation à la vérité beaucoup plus adéquate que celle aveuglément reprise du New Labour, comme si l'étiquette de la « nouveauté » comme oripeau destiné à faire passer une trahison manifeste pouvait tromper quiconque. Ainsi, l'événement extrême a parlé et, par l'argument qui précède, il impose son réquisit comme configuration, mais *permanente*, de la finance. Ce réquisit, c'est la nationalisation.

DES CONDITIONS DE VIABILITÉ DE LA NATIONALISATION

Dire cela n'est pas ignorer les exigeantes conditions de viabilité dont devrait être muni un projet de nationalisation bancaire. Nul n'ignore en effet les dégâts que peut produire, au sein même du secteur public, supposément gouverné par une « autre logique », la cohabitation avec des entités privées, elles entièrement vouées à la profitabilité. Le cas du Crédit Lyonnais a suffisamment montré les limites de la tutelle publique à l'époque néolibérale – il est vrai que, depuis ce moment inaugural de 1984 où Laurent Fabius, Premier ministre, assigna aux entreprises publiques pour unique objectif de « faire du profit », la tutelle en question a perdu jusqu'au sens de sa vocation spécifique et n'a plus été capable de concevoir ni de commander quoi que ce soit qui diffère significativement des objectifs du privé, de fait reconnus comme seuls légitimes. C'est sans doute la raison pour laquelle le Lyonnais, jouant à la croissance indéfinie de la part de marché et du profit – comme les « vrais » – mais adossé à la garantie publique, a fini dans l'état qu'on sait. Et c'est la même raison, par parenthèse, qui permet d'affirmer dès aujourd'hui, et sans grand risque de se tromper, qu'une Poste au capital ouvert, enfin autorisée à «jouer à la mondialisation» – ses dirigeants en rêvent depuis si longtemps –, qui plus est assise sur le tas d'or des livrets A, est vouée à n'avoir bientôt plus en tête que l'activité de marché (moderne et qui rapporte) au lieu du courrier (ennuyeux et qui coûte), mais surtout de prendre date dès maintenant pour l'un de ces désastres où mène fatalement la létale combinaison de l'inexpérience, du ravissement des tard venus et de l'empressement de celle qui voudra au plus vite « avoir tout d'une grande ». À plus forte raison quand elle a perdu jusqu'à son identité pour avoir tout cédé aux logiques du marché, la tutelle publique n'est donc pas en soi suffisamment puissante pour contenir les dérives qui résultent de la concurrence avec le privé, spécialement quand tout ce petit monde s'ébat joyeusement dans un univers dont les perspectives de profitabilité sont hors du commun et, partant, irrésistiblement tentantes, comme c'est le cas de la finance de marché. C'est la raison pour laquelle la cohabitation des entités privées et publiques doit être limitée au minimum, argument qui plaide en soi sinon pour une nationalisation intégrale du crédit, du moins pour un secteur public très majoritaire.

Nationalisation ou non-privatisation bancaire ?

Il est pourtant permis de se demander si l'argument central, celui qui reconnaît à la sécurité des dépôts le statut d'un bien public, ne devrait pas moins conduire à une conclusion de nationalisation qu'à une conclusion de « non-privatisation » – ce qui n'est pas exactement la même chose. Car il est vrai que la nationalisation bancaire à grande échelle se heurte à une réserve sérieuse. On pourrait même dire : à une réserve *essentielle*, puisqu'elle est liée au fait même que l'État détiendrait le contrôle *direct* de *tous* les moyens de crédit. C'est là le type même de proposition bien faite pour mettre de travers tous ceux qui considèrent que la captation du pouvoir d'émission monétaire par des agents privés est en soi un scandale et qu'un pouvoir si stratégique se devrait d'être entièrement rendu à la souveraineté populaire, c'est-à-dire domicilié en l'État. Il y a beaucoup de choses justes dans cet argument-là... à part son ultime conclusion – et cela alors même qu'elle semble devoir s'imposer sans coup férir dès lors qu'on en a admis les prémisses !

OÙ LA QUESTION DES INSTITUTIONS BANCAIRES CROISE CELLE DE LA CRÉATION MONÉTAIRE

On ne peut qu'être étonné – et réjoui – de l'ampleur prise par ce débat, qui a d'abord fait son chemin sur Internet à partir de la vidéo de Paul Grignon, *Money as Debt*, mais qui reçoit un fameux coup de main de la crise financière – a-t-on jamais autant parlé qu'aujourd'hui de banques et de liquidités ?... Trop habitués à la parlotte entre initiés mais surtout persuadés de leur monopole « naturel » sur la chose économique, les économistes ne pouvaient imaginer un seul instant voir débarquer dans les cénacles bien propres de l'académie une horde de mal élevés décidés à se saisir de la question monétaire. Mais les manants ne respectent rien, et eux qui ont été si longtemps et si soigneusement tenus à l'écart des débats économiques ont décidé d'un coup que ces choses-là les concernaient aussi et qu'à défaut de se les voir expliquer ils s'en saisiraient eux-mêmes. Seul un réflexe d'ordre, hélas trop prévisible, peut avoir conduit certains économistes, nouvelle noblesse de robe, à se scandaliser et à prendre pour une insupportable intrusion dans le champ de leurs questions réservées ce qui devrait être tenu pour le plus admirable des réflexes démocratiques : le tiers état s'intéresse. À la décharge des clercs, il faut bien reconnaître que ce débat « parallèle » sur la création monétaire a été lancé de la plus maladroite des manières et que le sens commun académique a quelques bonnes raisons de renâcler aux accents légèrement paranoïaques de la vidéo de Paul Grignon, qui, sur fond de musique inquiétante, dévoile la formidable conspiration : la monnaie est créée *ex nihilo* par les banques... Évidemment, le goût du sensationnel en prend un coup sitôt découvert que la conspiration de la création monétaire *ex nihilo* fait l'objet des enseignements de première année universitaire, à l'occasion desquels la « révélation » a jusqu'ici provoqué peu d'évanouissements. Une bonne moitié de la vidéo-scoop de Grignon était donc déjà en vente libre et disponible dans n'importe quel manuel des facultés...

Le principe symétrique du droit absolu de saisine des « amateurs », et de leur droit d'effraction dans les débats des « professionnels », devrait donc consister en un minimum de respect pour la division du travail et en une obligation, non pas bien sûr d'avoir préalablement accumulé une connaissance « professionnelle », mais au moins de ne pas imaginer « tout inventer », de cultiver le doute méthodique que « la » question (n'importe laquelle) a déjà dû être travaillée, et de faire l'effort minimal d'« y aller voir avant » – manière d'éviter les boulettes du type « complot monétaire »... On pourrait cependant aussi imaginer que la position même du « savoir » devrait valoir à ceux qui l'occupent une sorte de devoir d'indulgence, pour mettre tout ça de côté. Et en venir plus rapidement aux vraies questions. Quitte à résumer grossièrement, il semble que l'objet du tumulte tourne autour des éléments suivants :

1. On croyait la création monétaire le fait de l'État – l'État n'était-il pas réputé « battre monnaie » ? –, on découvre que c'est plutôt l'affaire des banques privées.

2. Non contente d'être privée, l'émission monétaire-bancaire s'effectue *ex nihilo*. Or ce qui ne coûte rien à « produire » (l'octroi de lignes de crédit) est facturé quelque

chose (le taux d'intérêt). La chose n'est-elle pas profondément illégitime ? Nul ne questionne le privilège de quelques institutions privées, seules détentrices du droit de création monétaire, et encore moins les conditions réelles de leurs profits.

3. Un qui sait combien l'intérêt lui coûte, c'est l'État. Le service de la dette publique n'engloutit-il pas bon an mal an l'équivalent des recettes de l'impôt sur le revenu ? Certes, ce ne sont pas des banques qui le lui facturent (l'État s'endette sur les marchés), mais – retour au point 1 – si l'État disposait du droit de création monétaire, il pourrait en profiter – lui, c'est-à-dire la collectivité des citoyens-contribuables – et, pour peu qu'il soit raisonnable, réserver « sa » création monétaire au financement de l'avenir, c'est-à-dire des biens d'équipement de la nation, le tout bien sûr à intérêt nul, donc avec les économies qu'on imagine.

4. Or il se trouve que les facilités monétaires que lui accordait la Banque de France ont été interdites par la loi de 1973, et que le verrouillage est devenu quasi définitif avec l'article 123 du Traité européen (Lisbonne), qui prohibe formellement toute avance de la BCE aux États membres.

Il faut bien reconnaître que l'idée de la création monétaire *ex nihilo* est suffisamment contre-intuitive et contraire aux représentations spontanément formées par le sens commun en matière monétaire pour justifier l'effet de stupéfaction qu'entraîne presque systématiquement son énoncé. Car le sens commun se figure le banquier comme l'homme aux écus – il n'a pas totalement tort... – assis sur un tas d'or *préalablement* accumulé et par conséquent disponible pour être *ensuite* prêté. C'est là, au sens strict des termes, confondre la *finance*, où des détenteurs de capitaux déjà accumulés prêtent à des demandeurs de fonds, et la *banque*, dont l'action caractéristique est le *crédit*, qui procède par simple écriture et met des fonds à disposition hors de toute accumulation préalable, sous la forme de la bien nommée monnaie *scripturaire*, simplement en créditant des comptes d'agent.

LA VOIE ÉTROITE (MAIS PRATICABLE) ENTRE INSTABILITÉ PRIVÉE ET SURÉMISSION PUBLIQUE

Dans *La Violence de la monnaie*[1], Michel Aglietta et André Orléan ont montré l'importance pour tout système bancaire de réaliser un compromis institutionnalisé entre les deux modèles polaires antagonistes de la centralisation et du fractionnement.

Le modèle fractionné pur remet *intégralement* la création monétaire à des banques privées. Ce sont donc des monnaies scripturaires idiosyncrasiques qui se trouvent émises dans cette configuration – en quelque sorte la banque A émet des « euros-A », la banque B des « euros-B », et ces *différentes* monnaies sont soumises en permanence à une épreuve de convertibilité de marché, à des taux évidemment fluctuants selon la qualité anticipée de leurs émetteurs respectifs : rien ne garantit *a priori* l'équivalence 1:1 des euros-A, B, etc. Un système bancaire fractionné pur est, par construction, d'une extraordinaire instabilité, entre autres parce que le taux de change des monnaies internes est laissé à des mécanismes de marché. Tel n'est évidemment pas le monde dans lequel nous vivons, quoique les banques y émettent de la monnaie sur la même base décentralisée, scripturaire et fiduciaire. Mais, et c'est une différence fondamentale, les banques jouissent en fait d'une sorte de délégation, ou de concession d'émission monétaire accordée par le pôle public (concrétisée par une *autorisation* bancaire), et, surtout, la variété des monnaies bancaires idio-

---

1. Michel Aglietta et André Orléan, *La Violence de la monnaie*, PUF, 1982.

syncrasiques est réhomogénéisée sous l'espèce du cours légal, c'est-à-dire de la convertibilité *instituée* (et non de marché) de toutes les monnaies bancaires en la monnaie « Banque centrale » : 1 euro-A = 1 euro-B = ... = 1 euro Banque centrale. L'institution du cours légal est adossée au circuit du refinancement bancaire par lequel les soldes interbancaires sont exclusivement réglés en monnaie centrale (la monnaie émise par la Banque centrale), laquelle s'établit alors comme clé de voûte du système et place toutes les émissions monétaires privées sous sa fédération homogénéisatrice. Cette emprise du pôle public sur les émetteurs privés de monnaies (monnaies certes privées à leur émission mais aussitôt « déprivatisées » par la contrainte institutionnelle du cours légal et par l'homogénéisation qui résulte de leur circulation dans le circuit interbancaire dominé par la Banque centrale) est l'expression même du compromis institutionnalisé entre fractionnement et centralisation, là où un système centralisé pur ne connaîtrait en définitive que le seul émetteur public de monnaie : une monobanque tout à la fois Banque centrale et banque commerciale agissant au travers du réseau de ses succursales. Certes, le réseau des « agences » de la monobanque « décentralise » en quelque sorte l'émission de crédit en la branchant sur les conditions locales réelles du tissu économique dont les agences, sur place, ont la connaissance fine. Mais l'émission du crédit n'en est pas moins dans la main exclusive d'un pôle étatique unifié et, si cette propriété a pour avantage (théorique) la possibilité d'un contrôle démocratique souverain, elle a aussi pour rude inconvénient de remettre la totalité de la création monétaire à un agent – l'État – dont nul ne peut faire l'hypothèse qu'il l'utilisera pour le meilleur seulement.

Dire cela n'est pas affaire de stigmatisation par principe de l'État, qui serait par essence moins vertueux ou efficace que le « privé » – il faudrait être singulièrement à la masse pour soutenir de pareilles âneries au moment où la finance privée offre le spectacle de destructions de valeur jamais vues dans toute l'histoire du capitalisme... Mais la méfiance est légitimement suscitée par la taille et la puissance, qui permettent d'anticiper l'abus, la déraison ou la démesure, et elle doit l'être tout particulièrement quand il est question d'un concentré de violence aussi explosif que la monnaie. Car la monnaie est en soi une puissance sociale, dont toutes les autres puissances de la société, grandes ou petites, privées ou publiques, cherchent frénétiquement à s'emparer. La monnaie est le métabien, c'est-à-dire le bien particulier qui, dans la société marchande, donne accès à tous les autres biens. Elle est donc l'instrument générique du désir. Tous les désirs d'objets de la société marchande passent par elle – la littérature, le théâtre, le cinéma, les plus inspirés comme les plus médiocres, ont-ils jamais cessé de faire fond sur ce pouvoir magnétique de l'argent-talisman ? C'est pourquoi il ne faut escompter aucune modération ni aucune régulation interne du désir d'argent, et l'on voit mal par quel miracle l'État unique détenteur des moyens de la création monétaire résisterait à la tentation de devenir « émetteur pour compte propre ».

C'est la raison pour laquelle il est permis de redouter que le pôle étatique unifié du crédit ne cède plus souvent qu'à son tour à la tentation de substituer aux critères de la sélectivité économique qui régissent normalement les octrois de crédit des critères de sélectivité politique, avec les risques de surendettement et de mauvaises créances qui vont avec, et plus encore à la tentation d'apporter des solutions monétaires à des conflits qui n'ont pas été réglés politiquement. Il n'y a sans doute pas d'huile plus efficace à mettre dans les rouages politiques que de la monnaie – à court terme. N'importe quel trouble social ou presque doit pouvoir être éteint avec de la monnaie supplémentaire, formidable adjuvant qui dispense de tous les douloureux arbitrages auxquels sont systématiquement reconduites des finances publiques sous contrainte budgétaire. Or l'État est, par construction, le lieu où se totalisent la plupart des conflits sociaux, et on imagine sans peine la propagation comme une traînée de poudre qui résulterait d'un conflit social difficile auquel l'État aurait apporté une solution monétaire « pure »[1], à l'issue de quoi il deviendrait réputé que le robinet monétaire est politiquement disponible et potentiellement ouvert, et l'on verrait aussitôt se précipiter tous les secteurs de la société pour obtenir par les mêmes voies des avantages équivalents. Il faut tenter de se figurer la puissance du désir de monnaie qui s'emparerait de toute la société, et la ruée générale vers l'« État monétaire » qui s'ensuivrait, pour se faire une idée de la violence politique et sociale qu'enferme la monnaie.

Là où le pôle fractionné pur est menacé par l'instabilité et la déflation, le pôle centralisé pur est donc, lui, exposé au risque permanent de la surémission, du surendettement et de l'inflation, c'est-à-dire au risque de l'État-puissance toujours tenté d'ajouter la puissance sociale de la monnaie à la sienne propre. Avertir du risque d'abus monétaire de l'État n'est nier ni que les allocations monétaires du privé peuvent être fameusement aberrantes, ni qu'il soit possible d'imaginer en principe une politique de crédit public éclairée et justifiée par le financement de besoins sociaux. Ainsi, la sélectivité poli-

---

1. Certes, nombreux sont les conflits sociaux qui appellent très légitimement des solutions financières, c'est-à-dire requièrent de diriger vers certaines catégories de citoyens ou certains secteurs de la politique publique des moyens supplémentaires. Mais justement : ce sont des solutions *financières*, et non *monétaires*, c'est-à-dire à financement *fiscal*. Il est temps de mesurer ce que l'état de tension chronique des finances publiques et de paupérisation structurelle des services publics doit au refus de relever les prélèvements obligatoires au niveau qui devrait être le leur, notamment en mettant sérieusement à contribution le capital et les catégories les plus fortunées.

tique à laquelle il a été fait référence n'est pas *en soi* un critère illégitime de l'orientation des crédits – on peut très bien par exemple envisager de soutenir en crédits des entités chroniquement déficitaires du fait, disons, de sujétions de service public, là où bien sûr aucun prêteur privé ne s'engagerait. Mais c'est que la sélectivité politique devienne l'unique critère, et qu'elle prenne le pas *systématiquement* sur la sélectivité économique, qui présente un risque : celui, microéconomique, de l'émission de crédits qui ne seront pas remboursés, et celui, macroéconomique, de la surémission inflationniste. Or les occupants de l'État poursuivent des objectifs avant tout politiques, et notamment ceux de leur pérennité au pouvoir, objectifs qui menacent de se subordonner tous les moyens disponibles, y compris les moyens monétaires. Aussi, quitte à insister un peu lourdement, il faut redire que la monnaie n'est pas un pur instrument en attente de ses usages rationnels et qu'il n'y a sans doute pas pire erreur que de prendre sur elle le point de vue étroitement techniciste de l'« ingénieur » : la monnaie est du concentré de désir, et c'est à l'aune de cette charge de violence et de démesure, telle qu'elle en fait un objet quasi anthropologique, qu'il faut en envisager le maniement et les formes d'institutionnalisation. La grande leçon de *La Violence de la monnaie*[1], c'était qu'en matière monétaire les modèles polaires purs sont dangereux et qu'il n'y a pas d'autre voie que celle du compromis institutionnalisé entre les principes antagonistes du fractionnement et de la centralisation, de l'État instance de la volonté souveraine et de l'État abuseur monétaire potentiel, etc.

---

1. Michel Aglietta et André Orléan, *La Violence de la monnaie*, *op. cit.*

Les structures d'un système socialisé du crédit

Reste que, des compromis institutionnalisés, il peut s'en concevoir de nombreux et de fort différents. Celui dans lequel de fait nous nous trouvons a largement fait la démonstration de ses tares à l'occasion de la crise financière : les concessionnaires privés de l'émission monétaire n'ont eu de cesse de surémettre du crédit en direction des opérateurs de la finance de marché, nourrissant la plus extravagante crise de mauvaises dettes qu'on ait jamais vue. Pour autant, la nationalisation à grande échelle d'urgence ne devrait être qu'une étape de transition et devrait à terme muter vers une réorganisation complète des structures monétaires et bancaires, restaurant le compromis centralisation-fractionnement, mais évidemment sous des formes qui ne reconstituent pas le système antérieur, c'est-à-dire qui refractionnent le système bancaire mais en redéfinissant radicalement le statut des concessionnaires.

« Refractionner », c'est, à l'encontre de l'unification publique du système du crédit, reconnaître le principe même de la délégation-concession de l'émission monétaire et, plus encore, maintenir l'autonomie opérationnelle des concessionnaires. Mais le point important, appelé à faire véritablement rupture, réside dans la redéfinition du statut de ces derniers, et consiste notamment à placer explicitement la concession sous un principe de *service public*, comme il convient si l'on prend au sérieux l'idée – directrice – que les dépôts et les épargnes sont des biens publics vitaux pour la société. Aussi cette redéfinition statutaire pourrait-elle s'effectuer selon l'esquisse de cahier des charges suivante :

1. Les concessionnaires de l'émission monétaire ne sauraient être des sociétés privées par actions.

2. Ni entités actionnariales privées, ni entités publiques sous le contrôle direct de l'État, les concessionnaires devraient être des organisations, sinon non profitables, du moins à profitabilité encadrée, c'est-à-dire limitée. L'occasion est donnée de répondre aux préoccupations de ceux qui, partant de l'idée de création monétaire *ex nihilo*, en déduisent l'illégitimité de principe de l'intérêt. Il faut reconnaître que la remarque ne peut pas laisser indifférent... Si la « production du service bancaire », à savoir l'émission du crédit, ne coûte rien, puisqu'elle ne nécessite aucune accumulation de fonds préalable, il est vrai que le fait qu'elle soit consentie à titre onéreux a du mal à passer. La réalité est cependant un peu différente du schéma théorique pur. En premier lieu, les institutions bancaires ont à couvrir des coûts de structure. Ensuite, et surtout, quoique procédant en principe à des émissions *ex nihilo*, les banques ne sont pas pour autant dégagées de toute nécessité de financement. Une part des crédits est adossée à des accumulations préalables. Mais le règlement des soldes interbancaires s'effectue en monnaie centrale, or celle-ci n'est fournie... qu'aux guichets de la Banque centrale, et moyennant intérêt – le taux directeur. On pourrait cependant tirer la synthèse de tous ces éléments et considérer que, oui, la modalité « *ex nihilo* » rend abusive la facturation aux clients des banques d'un intérêt sur la totalité des encours de crédit, mais, non, il n'est guère imaginable que ces crédits soient alloués à taux nul puisque les banques ont des coûts à couvrir, et notamment des coûts variés de refinancement. En conséquence, le prix du crédit pourrait être formé sur la base du taux directeur de la Banque centrale[1] *mais au prorata de la part des encours effectivement refinancée* – plus un petit quelque chose pour

---

1. Ou au taux moyen pondéré de refinancement de la banque considérée.

couvrir les coûts de structure et fournir une marge modérée permettant de financer des investissements de développement matériel et technique.

L'INTÉRÊT COÛT DU CRÉDIT...
ET RÉGULATEUR DE L'ÉMISSION MONÉTAIRE

L'erreur, cependant, des « critiques de l'intérêt » consiste à ne le regarder que comme un simple prix, dont la légitimité reposerait en dernière analyse sur la réalité des coûts effectivement consentis par les offreurs de crédit. C'est oublier que, via les taux directeurs de la Banque centrale, l'intérêt est aussi, et en fait surtout, non pas le seul terme de l'échange entre un offreur et un demandeur privés, mais l'instrument général du contrôle de l'offre et de la demande de monnaie. Il faudrait d'ailleurs dire les choses dans un registre moins « technique » et plus anthropologique : l'intérêt est l'instrument de la contention externe de l'insatiable désir d'argent. Quand bien même, par un miracle institutionnel et technologique, les banques seraient en mesure de fournir du crédit à prix rigoureusement nul, il faudrait conserver la possibilité – artificielle – de le facturer aux clients à titre onéreux, et ce pour la raison suivante : la simple contrainte de remboursement du principal peut ne pas suffire à réguler d'elle-même la demande de moyens de paiement « excédentaires » – « excédentaires » par rapport à quoi ? par rapport à ceux qui sont fournis par le revenu courant, car tel est bien l'effet, et même la finalité du crédit : détendre momentanément la contrainte budgétaire des agents et leur permettre de dépenser plus qu'ils ne gagnent. C'est bien parce qu'il permet de « franchir les limites » que le crédit est un objet de désir explosif. Ne pas se donner les moyens de le contrôler, c'est s'exposer en quelque sorte à l'« excès des moyens de paiement excédentaires » : excès macroéconomique de la demande ainsi solvabilisée par rapport aux capacités de production, ou excès microéconomiques, éventuellement généralisés, d'emprunteurs surchargés de dettes et dont la solvabilité est vulnérable à un retournement conjoncturel. C'est pourquoi la politique monétaire doit impérativement conserver les instruments lui permettant le cas échéant de décourager des demandes de crédit qui ne seraient pas suffisamment contenues du seul fait de la contrainte de remboursement du principal ; et cela ne peut être fait qu'en y ajoutant, fût-ce artificiellement, la surcharge réglable de l'intérêt. Ne voir l'intérêt qu'au prisme du « juste » (ou de l'« injuste ») prix, c'est donc passer à côté de l'essentiel en matière monétaire, et notamment ignorer combien la monnaie n'est pas une marchandise comme les autres[1], dont le prix n'aurait qu'à refléter la réalité des structures de coûts. Et c'est méconnaître la nature profonde de la monnaie, qui est d'être un concentré de désir – et partant de violence.

LE CONTRÔLE DU CRÉDIT PAR LES PARTIES PRENANTES

Aussi faut-il déconnecter les problématiques de l'intérêt-prix et de l'intérêt-régulateur... mais sans oublier cependant que le profit bancaire demeure en soi un enjeu de première importance, comme l'attestent les désastres où viennent de conduire sa poursuite effrénée dans l'univers mirobolant des marchés, ni renoncer à tirer la conclusion qui s'ensuit logiquement : les entités dépositaires de ce bien public que sont les avoirs monétaires des agents ne doivent pas être laissées libres de s'adonner sans réserve aux tenta-

---

1. Quitte à faire « académique », il est impératif de citer ici le livre de Karl Polanyi, *La Grande Transformation* (Gallimard, 1984), dont l'intuition centrale – la monnaie n'est pas un objet marchand ordinaire – est également au centre de *La Violence de la monnaie* d'Aglietta et Orléan (*op. cit.*).

tions du profit financier, et s'il apparaît que ces tentations sont en soi irrésistibles – comment pourraient-elles ne pas l'être dans l'univers capitaliste, dont la finalité même est l'accroissement indéfini du profit ? – il convient d'emblée de leur couper les ailes. En cette matière la première mesure conservatoire consiste à leur refuser le statut d'entités privées actionnariales – dont la vocation, on pourrait même dire l'essence, est la recherche du profit – et à placer les futures entités bancaires sous une contrainte réglementaire de profitabilité encadrée, c'est-à-dire limitée – à tout prendre il n'y a guère meilleure régulation qu'un obstacle « en dur » pour des incitations qu'on sait éminemment dangereuses.

3. Existe-t-il alors dans le répertoire des formes juridiques disponibles de quoi habiller adéquatement ce genre d'entité ? Si ça n'est pas le cas, rien n'interdit de faire preuve d'un peu de créativité pour inventer un statut intermédiaire entre les sociétés de capitaux et les établissements publics, et qui ne soit ni de simple association, ni d'ONG, mais un statut *sui generis*. Quel serait le but de ce statut *ad hoc*, et en particulier pourquoi refuser de piocher dans le sous-répertoire des établissements publics ? La réponse, on l'a compris, tourne autour de l'idée d'un contrôle public mais qui ne serait pas directement étatique, un contrôle public d'une autre nature, *lato sensu* pour ainsi dire. Tel est le troisième point de cette esquisse de cahier des charges, qui envisage pour les banques un contrôle public local par les parties prenantes : salariés, entreprises, associations, collectivités locales, représentants locaux de l'État, etc. Par un argument tout à fait semblable à celui qui s'est appliqué à l'instant au pôle bancaire public unifié, il ne saurait être question que les intéressés au crédit aient directement la main sur le crédit, c'est-à-dire, en l'occurrence, que les parties prenantes siègent directement dans les comités d'engagement. Leur place est dans des instances plus distantes et

moins opérationnelles – comités de suivi et d'orientation – mais à toutes les échelles, du niveau local (département, par exemple, ou toute autre circonscription qui fasse sens du point de vue de l'activité économique) jusqu'au niveau « groupe », et surtout avec pouvoir effectif et pas seulement consultatif : pouvoir de valider ou de recadrer périodiquement la stratégie bancaire, de nommer et de révoquer les dirigeants, comptables devant les diverses instances délibératives, etc.

Tout cela n'est pas sans faire penser au modèle bancaire mutualiste, mais avec tout de même de sensibles différences et, surtout, avant son formidable dévoiement par les logiques de la finance de marché. Il n'en demeure pas moins que 1) la multiplicité et l'autonomie opérationnelle des concessionnaires de l'émission monétaire, 2) la soustraction aussi bien au secteur privé profitable qu'au contrôle étatique direct, au profit d'une nouvelle forme de service public (bancaire), et 3) le contrôle public local par les parties prenantes, mais moyennant des médiations institutionnelles suffisamment allongées, sont les caractéristiques centrales qui définissent, non plus un pôle public unifié du crédit, mais ce qui pourrait être appelé un *système socialisé du crédit*.

LA QUESTION DE LA SOLVABILITÉ : QUELS FONDS PROPRES POUR UN SYSTÈME SOCIALISÉ DU CRÉDIT ?

La soustraction au secteur privé conduit inévitablement à poser la question des fonds propres. Bien sûr, ces banques pourraient émettre de la dette de long terme mais – par construction – pas des actions. L'État, par ses finances publiques, aurait-il les moyens d'être l'unique fournisseur de ressources permanentes pour la totalité du secteur bancaire socialisé ? – sachant que, à supposer que ce puisse être le cas, ce statut d'unique apporteur de fonds propres ne lui donnerait, là encore par construction juridique, aucune hégémonie décisionnelle : nous sommes ici dans un monde où les rapports de pouvoir économiques – les rapports de « gouvernance », si l'on veut – sont reconstruits sur des bases entièrement nouvelles et, plus précisément, sur des bases *entièrement politiques*, c'est-à-dire complètement désindexées des rapports économiques, et notamment des rapports de participation financière. Le capitalisme actionnarial a fini par imposer comme une évidence indépassable que la voix au chapitre était indissolublement liée à la propriété financière et à la participation au capital. On serait presque tenté d'admirer la performance qui a consisté à rendre impensable que la distribution du pouvoir au sein des entités économiques puisse s'effectuer autrement, et à effacer des esprits cette idée pourtant élémentaire que l'organisation des rapports des hommes entre eux est, par définition, une question proprement politique, et qu'elle ne perd rien de cette qualité y compris dans l'univers économique. Si donc on sait reconnaître comme il doit l'être le caractère authentiquement politique des rapports de pouvoir, fussent-ils économiques, il apparaît que la médiation de la propriété financière en opère une distorsion que rien ne fonde véritablement, avec pour seul effet, on s'en doute, de substituer au principe « un homme une voix » le principe « une action une voix », c'est-à-dire de réinstituer le suffrage censitaire en proportionnant la capacité politique des agents à leur capacité patrimoniale. C'est d'ailleurs bien cette pleine repolitisation de rapports qui n'auraient jamais dû être dépolitisés par les logiques capitalistiques que le système socialisé du crédit vise à produire au travers de ses formes institutionnelles propres – et qui interdit absolument que l'apporteur de fonds propres revendique la moindre contrepartie de pouvoir *à ce seul motif*.

Il reste que, même renonçant à faire du pouvoir le corrélat de ses apports, l'État verrait les finances publiques rudement sollicitées d'avoir à fournir en fonds propres la totalité du système bancaire socialisé, particulièrement si la transition est brutale. Est-ce à dire que la question de la solvabilité bancaire reste sans solution dans ces conditions ? Non, car l'État a toujours la ressource d'un apport substitutif, d'une nature autre que des fonds propres « directs » : l'apport de sa *garantie*. Au demeurant, rien n'interdit de considérer que la garantie que l'État apporterait aux banques à l'intention de tous leurs créanciers n'est pas autre chose qu'un apport latent de *fonds propres mais non tirés*. Plus précisément encore, la garantie de l'État fonctionne de fait comme une réserve potentielle de fonds propres non tirés *mais à tirage certain en cas de besoin*. Cet apport de fonds propres « contingents » – mais à tirage certain en cas de matérialisation de l'élément de contingence, c'est-à-dire d'« événement de solvabilité »[1] – a exactement les mêmes effets qu'un apport ferme de fonds propres *ex ante…* mais avec de remarquables propriétés d'économie pour les finances publiques.

Est-il cependant raisonnable d'adosser ainsi la *totalité* du secteur bancaire à la garantie de l'État ? Oui, à partir du moment où ces banques sociales opèrent sur les bases qui viennent d'être indiquées, à savoir des banques d'abord tenues à distance d'un univers de marchés qu'il faudra avoir sérieusement cadenassé[2], mais surtout tenues à un cadre réglementaire de profitabilité limitée. Seule cette force du plafonnement réglementaire du profit peut s'opposer avec quelque chance de succès aux forces autrement *irrésistibles* de la concurrence-cupide, c'est-à-dire de l'élan

---

1. Par analogie avec ce que les CDS (Credit Default Swaps) nomment les « événements de crédit », à savoir le défaut de l'emprunteur dont les titres sont assurés, le terme « événement de solvabilité » désigne ici le constat d'insolvabilité d'une banque.
2. Voir en ce sens Frédéric Lordon, *Jusqu'à quand ?, op. cit.*, chapitre 5.

en vue d'un profit *indéfiniment* plus élevé. Et, de fait, la question de la solvabilité, ou plutôt de l'insolvabilité des banques ne se pose jamais que dans les cas polaires opposés de la poursuite actionnariale-privée du profit jusqu'à l'aveuglement et au prix de risques hors de toute maîtrise... ou bien de la commande directe de l'État qui impose à des banques publiques de procéder à des surplus d'émission monétaire incompatibles avec les contraintes générales de l'économie ou bien avec la situation particulière de quelques bénéficiaires, au risque de l'inflation ou du surendettement local ou global. Mais la structure même du système socialisé du crédit le rend immune à ces deux dérives et a donc pour effet de maintenir la probabilité d'occurrence des « événements de solvabilité » à des niveaux aussi bas que possible.

Si cette configuration du système bancaire est, toutes choses égales par ailleurs, plus à l'abri qu'une autre de la folie des grandeurs, n'est-elle pas à l'inverse exposée au risque symétrique d'une attrition du crédit du fait de la disparition des incitations de la concurrence et du profit ? Là encore, il semble que le risque soit limité par les structures politiques mêmes du système socialisé du crédit dès lors qu'elles donnent toute leur part aux parties prenantes, directement intéressées au maintien à bon niveau des flux de financement bancaires... et dès lors que leur influence s'exerce dans des formes institutionnelles qui réalisent un bon équilibre des pouvoirs et ne leur accordent ni rien... ni tout !

DEUXIÈME PARTIE

Défaire le capitalisme antisalarial

« Défaire le capitalisme antisalarial ». En voilà un titre bizarre, auquel il y aurait à redire. Le capitalisme n'est-il pas par définition le mode de production salarial ? Qu'il y ait eu avant lui des économies monétaires à division du travail, la chose est bien connue. Ce qui l'en différencie, c'est précisément l'invention du salariat et son extension à l'échelle de la société entière. Et puis, à l'inverse, le capitalisme n'est-il pas par excellence le mode de production antisalarial ? Celui dont l'oppression salariale, aussi déguisée soit-elle, est le principe constitutif, celui dont l'exploitation, quel que soit le sens qu'on donne au mot, dérivé de la théorie marxienne de la valeur ou d'autre chose, exprime l'essence même ? Que peut bien vouloir dire dans ces conditions « défaire le capitalisme antisalarial » ? Pure et simple contradiction dans les termes, ou bien tautologie débouchant sur un programme révolutionnaire ?

Parler de programme révolutionnaire, c'est rappeler la force d'irruption historique des grandes crises, c'est-à-dire la possible déstabilisation d'un ordre dans la totalité de ses strates, économiques, politiques, symboliques – ou idéologiques si l'on préfère. « Possible » ne veut pas dire « certaine », et nul ne sait exactement[1] de quoi l'histoire rouverte

---

1. Spécialement au moment où cet ouvrage est rédigé – mars 2009.

155

par la crise va accoucher. D'un point de vue abstrait cependant, il est permis d'indiquer l'ouverture théorique du spectre. Le plus bas niveau de la remise en cause, ce sont les structures des marchés de capitaux libéralisés et le contrôle des activités bancaires qui s'y déroulent. Et puis voici qu'à l'autre extrémité des gens qui s'étaient refusés mordicus à parler de « capitalisme » – trop critique, trop « lutte des classes », trop de gauche –, pour préférer les bluettes édulcorées de l'« économie de marché », se mettent maintenant à brailler – sur le mode de la vaticination ou de la franche panique ? on ne sait – à la crise *du* capitalisme. Mais ont-ils la moindre idée de ce qu'ils disent ? Le plus probable est que, pour la plupart, journalistes tête dans le guidon, éditorialistes empressés de faire oublier leurs apologies passées, ils n'en ont pas le premier commencement. Leur demanderait-on de fournir le concept du capitalisme qu'ils en seraient tout à fait incapables – de même d'ailleurs que celui de l'« économie de marché » qu'ils ont tant célébrée sans même savoir ce qu'elle était, comme en témoigne la profonde inanité des débats auxquels la « chose » a donné lieu. Or la définition du capitalisme existe, pourvu qu'on sache aller la lire là où elle se trouve : chez Marx – évidemment, s'il faut aller « là »... Chez Marx, le capitalisme est la conjonction de trois rapports sociaux fondamentaux : le rapport monétaire-marchand[1], le rapport de propriété, le rapport salarial – lui-même défini comme un rapport de double séparation : séparation des travailleurs d'avec les moyens de la production et d'avec les produits de la production. Si les mots ont un sens, « crise *du* capitalisme » signifie sortie du *mode de production capitaliste* par le dépassement de ces trois rapports. Pas une petite affaire.

---

1. Pour les puristes, c'est moi qui ajoute « monétaire » au « marchand » que Marx retient seulement.

Et voilà l'incertitude de l'histoire de nouveau en crue. Elle tient en une question : « Jusqu'où ? » Si, pour toutes les souffrances qu'elle occasionne, la crise a cette extraordinaire vertu de rendre à nouveau pensables des choses qui ne l'étaient plus, de poser des questions qui avaient été interdites, de rouvrir des débats colmatés, la question en effet est : « Jusqu'où pourront aller les remises en question ? Aussi loin que quoi ? » Inutile de chercher une lueur d'intelligence dans l'œil d'un sondeur pour espérer y trouver la réponse. C'est le corps social seul qui en est le détenteur, mais à l'état pratique, c'est-à-dire sans le « savoir » en soi, puisque la réponse en question n'est pas autre chose que le résultat de ses possibles mises en mouvement, telles qu'elles se feront... ou pas. Jusqu'où iront les questions politiquement posées, ce sera, comme toujours, une affaire de mobilisation et de lutte. Lutte contre les intérêts de la conservation qui se sont réarmés autant qu'ils le pouvaient et feront tout pour céder le moins possible de ce monde qu'ils chérissent tant – il n'est que de voir les incertitudes, pour ne pas dire hélas les certitudes, qui planent sur le tout premier degré de la remise en cause, à savoir la transformation réelle, et non factice, des structures de la finance de marché ; et lorsque après deux années de crise et de dévastations on entend Christian de Boissieu, président du CAE[1], se demander à haute voix si vraiment il est utile d'aller « vers plus de régulation ? »[2], phrase terminée par un invraisemblable point d'interrogation qui dit tout du non-vouloir, du désir de ne pas, on se demande simplement si l'on ne rêve pas.

Le corps social réduira-t-il ces réticences d'arrière-garde à l'état de poussière ? Poussera-t-il son avantage jusqu'à

---

1. Le Conseil d'analyse économique est rattaché au Premier ministre.
2. Christian de Boissieu, « Vers plus de régulation ? », *in* Catherine Lubochinsky (dir.), *Les Marchés financiers dans la tourmente. Le défi du long terme*, PUF, 2009.

des seuils inouïs ? Jusqu'où l'emmènera sa colère – la force motrice de tous les soulèvements ? Nul ne peut le dire. À quoi pourrait ressembler une sortie du capitalisme si cette colère portait jusque-là ? Contrairement à ce que croient tous ceux qui estiment avoir tiré de l'histoire des pays socialistes une garantie à vie, la chose n'est pas impossible à dessiner. Il faut accorder qu'elle n'est pas simple non plus. Et surtout reconnaître que, de toute façon, ce genre de grande surrection sort rarement tout armée des cerveaux d'intellectuels en chambre... Le parti que je prends ici tient l'hypothèse que la sortie du capitalisme, dût-on le regretter, est l'issue la moins probable de la crise actuelle. C'est un parti qui n'aimerait rien tant que se tromper mais qui, d'une part, ne sous-estime pas l'effort de pensée que représente le fait d'envisager un au-delà du capitalisme – il y faudrait un autre livre, et en entier[1] – et, d'autre part, une fois posé, choisit logiquement de réfléchir à autre chose, autre chose qui ne se contenterait pas non plus de la confidentielle et très technicienne reprise en main des structures de la finance de marché. Car, celle-ci fût-elle réalisée, elle nous laisserait néanmoins sur les bras l'alternative, il faudrait dire le dilemme, du capitalisme de basse pression salariale : soit la croissance mais nécessairement à coup d'endette-ment, ou plutôt de surendettement des ménages, avec au bout une nouvelle crise « financière », soit le contrôle des dettes privées mais alors la croissance très ralentie et le chômage qui va avec – en réalité, si vraiment était effectuée la refonte des structures de la finance, interdisant par exem-ple les délires de la titrisation, seule resterait la dernière branche de l'alternative, peu réjouissante à tous égards.

Au-delà de la possible contradiction dans les termes, ou au contraire de la possible tautologie, tel est bien le sens investi

---

1. Voir cependant *infra*, « Projection ».

dans l'idée-raccourci d'un « capitalisme antisalarial »[1], à savoir une *configuration* du capitalisme dont les principales structures œuvrent de manière convergente à la régression salariale dans toutes ses dimensions : régression de statut, de revenu, de protection, de conditions de travail, de qualité de vie. Quelles sont ces « principales structures » ? La contrainte actionnariale et la contrainte concurrentielle. L'une exige des efforts indéfinis d'extraction des gains de productivité à servir sous la forme de la rentabilité des capitaux propres. L'autre, sous les oripeaux idéologiques de la non-distorsion, crée les conditions d'affrontement les plus distordues entre des systèmes socioproductifs aux normes parfaitement hétérogènes. Les deux ensemble mettent dans la ligne de mire le salaire et le salariat, à qui tous les ajustements sont passés sous les formes les plus variées, des plans sociaux à répétition jusqu'à la stagnation ou la régression du revenu, sans compter le grignotage permanent des moindres avantages jadis chèrement gagnés. Redisons-le une fois de plus : toutes les transformations des marchés financiers ne changeront rien à cet état de fait. Or la crise financière a précipité une colère qui va bien au-delà d'elle et qui s'est accumulée de longue date, colère formée autour des conditions de la vie salariale précisément. Sans doute le spectacle des bonus, du refus d'en rien lâcher tout en touchant les secours publics, celui des extravagantes faveurs fiscales faites aux plus riches, ont-ils pour effet de porter cette colère à l'état de fureur et de la rendre débordante. Mais le fond de l'affaire reste et demeure dans les données de la souffrance salariale comme propre d'une configuration du capitalisme dont le renversement, pour le coup, n'a rien d'une utopie, tout en

---

1. Pour une caractérisation plus analytique de cette configuration du capitalisme, j'ai proposé ailleurs l'appellation plus disgracieuse, mais plus précise, de « capitalisme de déréglementation à dominante financière ». Voir *Jusqu'à quand ?*, *op. cit.*, épilogue.

offrant la consistance d'un véritable projet politique, quelque chose comme une « nouvelle donne ».

Au risque, comme souvent dans ce genre de conjoncture très fluide, de prendre son désir pour la réalité, il est très probable, et puis aussi il est très souhaitable – voilà le mélange assumé –, que les gouvernants ne s'en tirent pas à moins. La colère qui s'est levée n'est pas du genre qu'on apaise avec deux, trois breloques, un G20 couvert par Claude Askolovitch et quelques lâchers de lest à droite à gauche. Il va lui falloir du consistant, du substantiel pour retrouver le calme, et du substantiel concret, c'est-à-dire qui change pour de bon les conditions de l'existence salariale. À défaut du grand saut postcapitaliste, une transformation suffisamment profonde des structures actionnariales et concurrentielles serait déjà à même de produire le renversement non pas du capitalisme tout court mais de *ce* capitalisme-*là*, le capitalisme antisalarial. Si la réponse à la question « jusqu'où ? » pouvait donc être jusque-« là », alors cette crise n'aurait pas eu lieu totalement pour rien.

CHAPITRE 4

Le paradoxe de la part salariale
(à propos de 10 points de PIB…)

S'il est certain qu'une donnée agrégée ne saurait épuiser le sens à donner à « capitalisme antisalarial », il n'est pas exclu non plus que, bien choisie, elle puisse lui donner une illustration assez spectaculaire. C'est le cas de l'évolution du partage de la valeur ajoutée, c'est-à-dire de la part des salaires dans le PIB. Il faut avoir la bonne mine de Jean Peyrelevade pour soutenir face caméra, sourire aux lèvres, que la part salariale n'a pas varié « *depuis cinquante ans*[1] ». Il est vrai que Jean Peyrelevade est le seul à dire aussi ouvertement que la part des salaires dans la valeur ajoutée est bien trop élevée et qu'il s'agirait qu'elle rende au plus vite 3 ou 4 points au profit[2] – admettons qu'il y a là un certain courage dans la joyeuse provocation. Peyrelevade semble pourtant avoir vu que, de 1970 à aujourd'hui, la part salariale a connu un formidable coup d'accordéon, avec une croissance très forte de 1970 jusqu'au point haut de 1982, suivie d'une décrue encore plus forte dont l'essentiel est acquis dès la fin des années 80. À quoi peut rimer alors d'invoquer des stabilités quasi séculaires, si ce n'est à

---

1. Jean Peyrelevade, iTélé, « Le 12-14 », 19 février 2009.
2. Jean Peyrelevade, *Sarkozy : l'erreur historique*, Plon, 2008.

signifier que l'ajustement salarial n'est pas autre chose que le « retour à la normale », à la normalité des lois de la nature économique ?

Et pourtant l'« anomalie » a eu lieu. C'est à ce moment d'ailleurs qu'il faudrait commencer à parler chiffres. La chose est passablement délicate car ces calculs de partage de la valeur ajoutée n'ont rien d'évident : comme pour toutes les statistiques macroéconomiques, le poids des conventions qui président à leur construction est grand, et les variations sur ces conventions sont susceptibles d'avoir en bout de ligne des effets sensibles[1]. L'évolution décrite à l'instant en termes délibérément vagues – ça monte de 1970 à 1982, ça baisse jusqu'à la fin des années 80 pour finir plus bas que le point de départ de 1970 – correspond au constat faisant incontestablement accord. Les divergences apparaissent alors. Pour certains la baisse ne s'arrête pas en si bon chemin et se poursuit quoique à un rythme sans commune mesure avec l'ajustement précédent[2]. Pour les autres, l'INSEE en particulier, la part salariale, à quelques oscillations près, se stabilise à partir du milieu des années 90 et ne bouge quasiment plus de son plateau à 69 %, soit tout de même deux points au-dessous de sa valeur de 1970. Quelle que soit la thèse retenue, il est impossible en tout cas de soutenir que la part salariale connaît depuis 1990 une compression aussi dramatique que ce qui lui a été infligé pendant les années 80.

---

1. Entre autres : comment traiter le « revenu mixte », c'est-à-dire les entreprises individuelles dans lesquelles il y a confusion du revenu de l'entreprise et du revenu de l'entrepreneur ? Comment corriger la statistique des effets du taux de salarisation ? Etc.

2. Voir par exemple Xavier Timbeau, « Le partage de la valeur ajoutée en France », *Revue de l'OFCE*, n° 80, janvier 2002 ; Michel Husson, *Un pur capitalisme*, Éditions Page deux, 2008.

Aussitôt, deux questions. La première est simplement, logiquement, revendicative : « On nous en a pris, dit le salariat, et même beaucoup, maintenant il faut nous en rendre. » Question subsidiaire : combien ? Tout ou partie ? Et si « partie », laquelle ? La seconde est plus analytique, mais pas dénuée d'intérêt tout de même, et tient à ce qu'on pourrait nommer le « paradoxe de la part salariale » : comment comprendre que la part salariale cesse de s'ajuster (ou s'ajuste mais beaucoup plus faiblement) au moment où l'économie française entre dans un régime de mondialisation franche... précisément réputé pour mettre les revenus salariaux sous intense pression ?

Brève histoire du pendule

Le constat, un peu hâtivement transformé en slogan, d'une bascule de « 10 points de PIB au capital » repose sur la référence implicite de 1982 – le point haut. Or il faut avoir le courage de le dire : ce point haut était trop haut. Les travaux fondateurs de l'école dite de la régulation[1] ont livré une histoire analytique assez convaincante de cette divergence soudaine de la part salariale, qui était demeurée stable tant que la progression rapide du salaire réel à l'époque fordienne demeurait en ligne avec la croissance non moins forte de la productivité du

---

1. Gare au contresens : la « régulation » qui donne son nom à ce courant, hétérodoxe et fort minoritaire, de la théorie économique n'a strictement rien à voir avec le sens qu'on donne ordinairement au mot, et en particulier pas avec cette « régulation » dont bon nombre imaginent qu'elle suffira à ramener la finance de marché à la raison. Pour un tour d'horizon de ses travaux, voir Robert Boyer et Yves Saillard (dir.), *Théorie de la régulation. L'état des savoirs*, La Découverte, coll. « Recherches », 2002 (2ᵉ édition).

travail[1]. Or le début des années 70 voit une rupture brutale du rythme des gains de productivité, qui passent grosso modo d'une cadence de 4 % l'an à 2 % environ. Mais la progression des salaires, elle, est pilotée par une série de dispositifs institutionnels – conventions d'indexation, sur les prix notamment – et de mécanismes sociaux – diffusion progressive à tout ou partie de l'économie des avantages salariaux négociés dans la frange supérieure des grandes entreprises fordiennes – que leur inertie même détermine à continuer de fonctionner indépendamment des vicissitudes de la productivité. C'est la part salariale qui enregistre mécaniquement l'effet de ciseau entre les gains de productivité, qui viennent de descendre brutalement une marche alors que les salaires réels continuent de courir sur leur erre à mécanismes institutionnels invariants. Les profits en sortent littéralement laminés. Il faut se souvenir qu'à l'époque le pouvoir actionnarial n'existe même pas en rêve. Les profits servent des dividendes très modérés et vont pour l'essentiel à l'autofinancement. Aussi leur dégringolade a-t-elle pour effet presque immédiat la plongée du taux d'investissement.

Tout cela survient au plus mauvais moment puisque l'économie française est en train d'amorcer son grand mouvement d'extraversion. Les capitalistes ont bien compris que le marché intérieur est en voie de saturation et que la prolongation de la logique fordienne de production de masse requiert maintenant l'extension internationale. Ce faisant, c'est tout le modèle fordien d'une croissance (relativement) autocentrée qui, tentant de se prolonger lui-même, amorce en fait sa propre déstabilisation. Car le bouclage « production de masse à destination du marché intérieur/forte distribution salariale/solvabilisation d'une consommation dynamique permettant d'écouler la pro-

---

1. Voir par exemple Robert Boyer et Jacques Mistral, *Accumulation, inflation, crises*, PUF, 1978.

duction » offrait une très forte cohérence... que l'ouverture va progressivement briser. La relative fermeture de l'économie française alignait paradoxalement fortes progressions salariales et croissance maintenue des profits, car ce que les entreprises perdaient en marge, elles le regagnaient par les volumes. Or l'ouverture afflige le salaire d'une valence qu'il n'avait pas : élément de coût dans la compétition internationale. Par ailleurs, la contrainte extérieure révèle un défaut de compétitivité structurelle qu'il reviendrait à un surplus d'investissement de combler – or voilà que la part des profits plonge. Le double impact sur la profitabilité et sur la compétitivité de l'augmentation de la part salariale est indirectement lisible dans le triste destin que connaîtront les deux tentatives de relance keynésienne – celle de Chirac en 1975 et celle de Mauroy en 1981. L'une et l'autre se fracasseront sur la « contrainte extérieure », révélant à leur corps défendant que la crise précipitée (et non causée) par les chocs pétroliers est bien du côté de l'offre, et non de la demande. La part des profits terminera en 1982 à 24 %. C'est trop bas.

Le capital cependant va prendre sa revanche avec une rapidité et une brutalité insoupçonnées. En moins de quatre ans, la part des profits refait tout le chemin perdu – à la mi-1986, elle est revenue aux 29 % de 1970 ; 1986 est d'ailleurs l'année d'un ajustement de la part salariale d'une incroyable violence : 3,5 points de PIB basculent en douze mois ! Et surtout, l'ajustement ne s'arrête pas en si bon chemin : le sommet est atteint en 1989 avec 33 %. Cette régression s'opère de la plus violente et de la moins délibérément contrôlée des manières. La décision politique en 1983 de briser les clauses d'indexation des salaires sur les prix y prend toute sa part. Mais ce sont surtout les mécanismes de marché, libérés sans la moindre entrave, qui vont garantir l'irréversibilité du retour au capital. À commencer par ceux du chômage de masse, devenu source d'une altération permanente du rapport de force entre employeurs et employés, et « instrument » assez cyniquement manié de cette politique qu'on appellera la « désinflation compétitive ». Ce sont en fait tous les processus de déréglementation concurrentielle, ceux de la construction européenne comme ceux de ses prolongements internationaux par OMC, AMI et AGCS interposés, qui contribueront le plus décisivement à installer pour la durée les structures de la régression salariale.

Quo non descendet ?
(Jusqu'où ne descendra-t-elle pas ?)

C'est sans doute parce que ce processus de l'ajustement salarial a été – délibérément – le moins institutionnalisé et le moins négocié possible, parce qu'il a été voulu sans appel et sans retour, que le capital, retrouvant toute sa puissance de domination, a été comme d'habitude, comme toute puissance à nouveau sans entraves, incapable de savoir jusqu'où aller trop loin. Est-il possible de situer ce seuil à partir duquel la baisse de la part salariale – que, oui, il fallait faire revenir de son pic de 1982 – devient contre-productive, puis franchement absurde, et pour finir scandaleuse ? On pourrait emprunter la réponse à Edmond Malinvaud, ancienne figure tutélaire de la science économique française – directeur de la Prévision au ministère de l'Économie, directeur général de l'INSEE, professeur au Collège de France –, qu'on ferait difficilement passer pour un ami de la grève générale ou un propagateur de sédition anticapitaliste. Dans un article publié en 1986, Edmond Malinvaud pose en effet la question sans fioritures : « *Jusqu'où la rigueur salariale devrait-elle aller*[1] *?* » On pardonnera la tautologie mais, si la question est posée…

---

1. Edmond Malinvaud, « Jusqu'où la rigueur salariale devrait-elle aller ? Une exploration théorique de la question », *Revue économique*, n° 2, mars 1986.

c'est que la question se pose ! Qu'elle le soit par une personne dont toutes les propriétés sociales attestent qu'elle serait l'une des dernières à la poser abusivement, c'est-à-dire à la poser si elle ne se posait pas, est en soi un indice supplémentaire, le principal étant que c'est bien en cette charnière 1985-1986 que la part salariale rejoint à la baisse son niveau initial de 1970 et qu'il y a par conséquent lieu de se demander s'il est utile d'aller plus loin.

LES BOURRICOTS DU « THÉORÈME DE SCHMIDT »

Malinvaud rappelle alors les termes, pourtant connus de longue date, d'un débat que la poursuite aveugle du processus d'ajustement salarial va s'escrimer à systématiquement oublier. Contrairement à cette légendaire ânerie connue sous le nom de « théorème de Schmidt », il est parfaitement inexact, en toute généralité, que « les profits d'aujourd'hui font l'investissement de demain qui bla-bla-bla après-demain ». C'est d'ailleurs bien ce que l'on va cruellement constater à partir du milieu des années 80. D'une part, le taux d'investissement[1] continue de s'effondrer alors que l'ajustement salarial est déjà en cours – il ne remontera qu'à partir de 1984. D'autre part, jamais il ne retrouvera ses niveaux de 1970, il s'en faudra de beaucoup, alors même que la part des profits, elle, va s'envoler à des niveaux inconnus[2]. S'il suffisait de tabasser la part salariale pour

----

1. Ratio de l'investissement productif total (dans le langage de la comptabilité nationale : la formation brute de capital fixe – FBCF) sur le PIB.
2. Le taux d'investissement, qui est d'environ 21 % en 1970, chute à 14 % à son point le plus bas, qui est, lui, en 1984, pour ne remonter qu'à peine à 15 % en 1986, alors que la part des profits a refait tout son retard. Lorsque cette part des profits connaît son plus haut de 1989 à 33 %, le taux d'investissement ne dépasse pas les 18 %, soit 3 points (de PIB) de moins qu'en 1970.

faire repartir la croissance, la chose se serait rapidement vue. Malheureusement il n'en est rien et d'une certaine manière l'objet de l'article de Malinvaud est précisément de rappeler pourquoi. Le salaire est une variable économique bivalente : il est à la fois coût, donc l'un des éléments déterminant le profit, *et* facteur de solvabilisation de la consommation, la composante majoritaire de la demande finale. Chacun de ces effets « primaires » peut même être intensifié : le premier – le côté « coût » – si l'on ajoute l'effet de la compétitivité et des exportations[1] ; le second si l'on prend en compte le fait que l'investissement n'est pas déterminé par le profit seul, mais également par le niveau de demande auquel font face les entreprises, niveau de demande dans lequel la consommation tient la plus grande part.

S'il existait quelque part dans le bureau d'un ministre de l'Économie éclairé un manomètre lui permettant de régler au petit poil la répartition du revenu, il lui faudrait trouver, pour maximiser la croissance, la balance entre, d'une part, trop de salaire qui fait perdre, par le profit, sur l'investissement et, par la compétitivité, sur les exports et, d'autre part, pas assez de salaire qui fait perdre sur la consommation, *donc aussi* sur l'investissement puisque les entreprises réagissent essentiellement à la demande, présente et anticipée. Évidemment, plusieurs effets au lieu d'un seul, qui plus est contradictoires, c'est moins simple que le théorème de Schmidt ânonné pendant des années par des éditorialistes sortis de Sciences Po. Il est vrai qu'il est tellement plus simple d'être borné quand on a intérêt à être borné, et que les demeurés du théorème de Schmidt ont joui d'un incontestable avantage sur les autres pour défendre en toute tranquillité d'esprit la régression salariale. Malheureusement, la

---

1. L'exercice théorique conduit par Malinvaud dans son papier de 1986 est réalisé dans un cadre d'économie fermée.

divergence du profit et de l'investissement les rattrape dès le milieu des années 80, et c'est bien de cette divergence que s'inquiète Malinvaud, certes dans le registre extrêmement feutré de l'« exploration théorique ». Dès 1986 il est clair que la remontée de la part des profits est entrée dans la zone des rendements décroissants, puisque la remontée de l'investissement est infiniment plus poussive que celle de la part des profits, signe que les pertes du côté de la consommation et de la demande intérieure commencent à peser. En témoigne le fait que le taux d'autofinancement des entreprises repasse la barre des 100 % en 1986... ce qui signifie, en clair, que les entreprises ont plus de profit qu'elles n'ont de projets d'investissement – la belle affaire...

Et nous ne sommes qu'en 1986 ! Tout ce que le capital va rafler à partir de là, il va le prendre de la plus improductive des manières. L'investissement répondant toujours aussi majoritairement à la demande finale, ses variations sont largement indépendantes d'une part de profit qui, elle, croît continûment. Mais qui n'est pas perdue pour tout le monde. La transformation des structures financières fait émerger un pouvoir actionnarial qui a décidé de soutirer le maximum à l'entreprise. Dans ces conditions, investissement ou pas, il est vital que la part des profits continue de monter – et comme au surplus l'aide des ânes schmidtiens est tout acquise, il faudrait être bête pour ne pas extorquer.

LA PREUVE PAR LES SUBPRIMES

Rien n'obligeait pourtant à valider un raisonnement disqualifié d'emblée par son indigence même et – surtout – si rapidement démenti par les faits. Il s'en prend, décidément, des tournants en 1985-1986... C'est bien là par conséquent qu'il faudrait situer le commencement de l'excès de la *profitation* – quand un mot nouveau parfaitement adéquat apparaît, pourquoi se priver de l'utiliser ? À cet instant charnière, l'inquiétude exprimée à bas bruit par Malinvaud, son rappel des effets multiples du niveau de la répartition salaires-profits et de la façon dont son déplacement trop grand peut détériorer la résultante entre ces effets antagonistes, correspondent à la résorption quasi complète de l'écart de la part salariale sur la période 1970-1982. Que la déformation du partage de la valeur ajoutée en faveur des profits soit devenue aberrante et que la résultante entre effets de coûts et effets de demande tombe dans un profond déséquilibre, c'est, pour ainsi dire, le « capitalisme déréglementé » lui-même qui l'atteste, quoique à son corps défendant. Car le capital voit très bien que la constriction de la part salariale finit par lui ôter ses propres débouchés – dans des économies comme la France ou les États-Unis, où la consommation fait 70 % de la demande finale, on ne fait pas l'impasse sur la demande *intérieure*, et on ne s'imagine pas que les trous seront comblés par les exportations. N'est-ce pas cette réalité même que tente d'accommoder, mais à structures constantes, l'invraisemblable échappée dans l'endettement des ménages ? – « ils n'ont plus un sou – nous savons bien pourquoi... ; or il faut bien que nous leur vendions notre marchandise ; qu'ils passent par le crédit, puisque nous ne leur donnerons rien d'autre, et qu'ils achètent autant qu'ils peuvent ». Cette solution n'était qu'une rustine, la crise financière en a sonné le glas. Et ce faisant révélé à quel point, cédant à ses propres exigences de profit sans limite, le capital a fini par se nuire à lui-même...

Où remettre le curseur ?

Il ne faut cependant pas cacher la rusticité de la référence au moment 1985-1986, choisie à l'estime, là où, idéalement, il faudrait disposer d'un modèle permettant de cerner aussi finement que possible le partage optimal de la valeur ajoutée – optimalité d'ailleurs susceptible d'être définie de plusieurs manières : on pourrait d'abord en retenir pour définition le « niveau de partage qui maximise le PIB » ; mais l'on pourrait également en choisir pour critère le « niveau de partage qui maximise la masse salariale ». Il est bien évident que ces deux optima ne coïncident pas. Car il est possible que le second optimum, l'« optimum salarial », soit atteint pour un PIB plus faible… mais dont les salariés auront une part plus grande – et à condition que cette part plus grande d'un tout plus petit conduise bien au final à avoir une masse accrue[1].

Disons-le donc tout net : à défaut de ce modèle, c'est une estimation à la truelle qui est livrée ici. Si toutefois, ces réserves faites, on accepte d'en jouer le jeu, la référence 1985-1986, choisie comme le moment où l'ajustement salarial est fait et où la part des profits commence à sérieusement déraper, donne une part salariale à 72 % environ – le « environ » procédant lui-même d'une vague moyenne justifiée par le fait déjà mentionné que l'ajustement est particulièrement violent pendant ces deux années de bascule[2]. Rapporté aux 69 % actuels de la part salariale, ça fait 3 points de PIB à récupérer par le salariat.

Grosse déception ? On veut bien l'imaginer : 3 points, c'est moins que « 10 »… Mais 10 points, c'était la différence entre le point le plus haut – trop haut – et le point le plus bas – où l'on n'est plus (1989)… selon l'INSEE. 3 points de PIB, en 2007, ce sont tout de même 53 milliards d'euros, qui ne sont pas rien. En réalité, ces 3 points sont un minimum. Pour s'en faire une idée, il suffit de constater que la part des dividendes dans le PIB est passée de 3,2 % à

---

1. Ce qui suppose d'avoir une part plus « plus grande » que le tout n'est plus petit – et même « plus grande » dans un rapport suffisant.
2. La part salariale passe de 72,8 % en 1985 à 69,3 % en 1986.

8,5 % en 2007 : 5,3 points au bas mot, virés aux actionnaires et récupérables par le salariat. « Relaps ! » s'écrieront immédiatement certains journalistes de *Libération*[1], car c'est persévérer dans l'erreur que de prendre à nouveau 1982 pour référence, l'année du capital injustement spolié. À ceci près qu'on ne voit aucune objection sérieuse à faire revenir la rémunération des actionnaires à ses 3,2 points de 1982, à moins de pouvoir exhiber un argument qui tienne la route et justifie à peu près l'utilité de ces dividendes. Or, d'arguments de cette sorte, il n'y en a point. Bien sûr, deux décennies de pouvoir actionnarial ont mis dans toutes les têtes molles une chansonnette à base de « rémunération du risque » et de « fourniture des indispensables capitaux propres ». Mais la première strophe a servi à justifier tout et n'importe quoi, en particulier des rendements des capitaux propres exorbitants (au nom de la « prime de risque ») ; quant à la seconde, elle est carrément fausse puisqu'il est maintenant avéré que le capital actionnarial est en bonne voie de pomper plus de liquidités aux entreprises cotées qu'il ne leur en apporte[2]... Il y a surtout que, contrairement au refrain entonné par tous les amis des temps présents, le plongement des entreprises dans l'univers boursier ne stimule en rien leur capacité d'investissement, ce serait même l'exact contraire. Car, aux niveaux de rentabilité exigés par les investisseurs, il n'y a plus beaucoup de projets qui passent la barre... Qu'à cela ne tienne : dans un mouvement d'une parfaite cohérence, le capital actionnarial fixe des objectifs hors de portée, constate qu'ils ne sont pas atteints, et en tire le motif d'exiger des entreprises qu'elles leur restituent le « cash oisif », c'est-à-dire les surplus financiers inemployés... faute de projets suffisamment rentables en

---

1. Grégoire Biseau, « Partage salaire-profit : Hamon et Besancenot s'indignent un peu vite », *Libération*, 18 février 2009.

2. Voir *infra*, chapitre 5 de ce livre.

suffisamment grand nombre ! Comme l'ont noté quelques observateurs pourtant peu suspects d'inclinations révolutionnaires, le pouvoir actionnarial a réussi cette performance de donner naissance, à l'exact opposé de ses prétentions idéologiques, à un *« capitalisme sans projet »*[1]... Formidable constat : dans l'augmentation de la part des profits, l'essentiel est allé engraisser une nuisance économique et sociale. On se demande comment il est possible d'hésiter avant de mettre un terme à cette aberration. Voilà non plus 3 mais 5,3 points à récupérer – on peut aussi envisager d'arrondir.

Derrière la répartition, les structures

On pourrait aussi discuter chiffres à nouveau. Le point le plus bas est-il vraiment en 1989, ou bien la part salariale a-t-elle recommencé à baisser depuis ? Pour avoir le fin mot de cette histoire, il faudrait entrer dans un débat statistique passablement plus sophistiqué que ce qui a été proposé ici – et qui prend telles quelles les indications de l'INSEE, dont les constructions ne sont pas non plus incontestables (preuve en est que les calculs de l'OCDE, qui n'est pas non plus connue pour être à la botte des syndicats anarcho-révolutionnaires, livrent des résultats significativement différents). À la vérité, la focalisation exclusivement numérique du conflit finit par être la plus mauvaise façon de poser le problème. C'est que traiter isolément du débat sur la part de valeur ajoutée à rendre aux salariés est une entreprise à la limite du non-sens. Car ce sont des contraintes structurelles qui déterminent pour l'essentiel la viabilité économique de tel ou tel niveau de répartition. De ce point

---

1. Patrick Artus et Marie-Paule Virard, *Le capitalisme est en train de s'autodétruire*, La Découverte, 2005.

de vue, l'immense habileté du néolibéralisme a précisément consisté en l'installation d'une configuration structurelle qui fait objectivement obstacle à un rebasculement massif de la part salariale. Les 71 % de la part salariale de 1970 n'avaient en effet pas sur le dos la contrainte actionnariale ni celle de la concurrence européenne et mondiale. C'est pourquoi retransplanter à l'identique un certain niveau de répartition dans un monde qui a changé du tout au tout est un exercice des plus hasardeux.

FINANCE ET CONCURRENCE : LA SYMBIOSE ANTISALARIALE

Oui, dans les structures financières et concurrentielles qui sont les nôtres, il est exact que les entreprises sous pressurisation actionnariale ne laisseront pas le profit régresser – il n'est que de voir l'incroyable obstination des grandes entreprises cotées à maintenir les dividendes (ou à les couper aussi peu que possible) au moment où elles entrent dans une récession historique –, oui, il est exact qu'elles useront de tous les moyens, c'est-à-dire de *toutes les latitudes stratégiques que leur offre la présente configuration des structures*, pour maintenir les coûts salariaux aussi bas que possible : plans sociaux, délocalisations, mise en concurrence forcenée des fournisseurs, flexibilisation organisationnelle à outrance, formes variées de chantage à l'emploi, etc. Elles le feront car, à leur tête, des patrons sous surveillance actionnariale constante jouent leur carrière, et jouent aussi leur fortune puisque, par stock-options et bonus interposés, leurs intérêts ont été alignés sur les objectifs de la rentabilité financière. Elles le feront également car les autres autour d'elles l'auront déjà fait et, les unes et les autres s'influençant mutuellement, toutes ensemble sont irrésistiblement poussées vers le pire (social) par des forces inscrites dans les structures mêmes, en l'espèce celles de la concurrence.

Il n'y aurait donc pire erreur que de traiter séparément le problème de la répartition sans voir tout ce qui fait objectivement obstacle à la manœuvre qui voudrait ramener brutalement le curseur vers des valeurs moins outrageusement favorables aux profits. Il est vrai qu'il faut un certain sang-froid, peut-être même une résistance à l'envie de la paire de claques, au spectacle de tous ceux qui se précipitent pour faire ce genre de rappel aux « contraintes » en se félicitant *in petto*, mais si visiblement, de leur existence, ou pis encore, à la façon des socialistes de gouvernement, en se fendant d'une pantomime de déploration, tout en n'ayant aucune intention d'y rien changer. Or c'est bien là que le « problème de la répartition » devrait migrer pour retrouver sa complète pertinence : au niveau des structures. À la vérité, la « répartition » et les « structures », c'est tout un. Car ce sont bien les structures, celles, rappelons-le, de la concurrence et de la finance actionnariale[1], qui *déterminent* le partage de la valeur ajoutée, et par conséquent feraient obstacle à son rebasculement, celui-ci fût-il à la portée d'un réglage immédiat. Changer ces structures n'est donc pas seulement lever les contraintes qui s'opposent pour l'heure à la restitution de… X points de PIB aux salaires, c'est installer les forces qui d'elles-mêmes pourraient opérer cette restitution.

« PAROLES, PAROLES… » – LE PARTI DE DALIDA

On mesure l'inconséquence du parti socialiste qui, après deux décennies de mûre réflexion tout de même, s'avise en mots compatissants du déséquilibre dont la part des salaires a été frappée, mais ne peut, et en fait ne veut, toujours rien dire des conditions structurelles de possibilité de ses propres vœux pieux. Il est vrai, le voudrait-il vraiment qu'il

---

1. Il faudrait y ajouter aussi celles du marché du travail.

lui faudrait consentir à renverser toutes ces choses qu'il a lui-même tant contribué à installer. À commencer par le *level playing field* européen et ses prolongements mondiaux, par OMC interposée – Lamy n'est-il pas une sorte de « meilleur d'entre nous », homologue à « gauche » du célèbre Juppé ? –, qui ont pour heureux effet de mettre en quasi-plain-pied concurrentiel des économies à haut niveau de protection sociale – auxquelles viennent s'ajouter au surplus quelques préoccupations environnementales – et des compétitrices qui n'ont aucune de ces charges... et de forcer les premières à s'aligner vers les secondes. Mais il lui faudrait aussi défaire, ou plutôt refaire, les structures de la finance actionnariale, par exemple en promouvant un dispositif comme le SLAM (Shareholder Limited Authorized Margin), qui fixe au capital actionnarial une rémunération maximale autorisée, écrêtée par prélèvement fiscal intégral[1]. Évidemment il y a là de quoi rendre presque fou d'épouvante un socialiste de gouvernement, à qui l'on ne parviendra probablement pas à faire entendre que limiter autoritairement la rémunération actionnariale, c'est supprimer du même coup toutes les incitations qui pèsent sur les entreprises – et sont aimablement passées aux salariés par les dirigeants – à dégager toujours plus de rentabilité des capitaux propres, indéfiniment et avec les moyens qu'on sait.

Le paradoxe de la part salariale

Parler ainsi de ce que le pouvoir actionnarial a de plus toxique, en fait de lui tout court, c'est se mettre du même coup sur la voie de l'un des « mystères » présents du partage de la valeur ajoutée, et même de ce qu'on pourrait nom-

---

1. Voir *infra*, chapitre 5 de ce livre.

mer le « paradoxe de la part salariale ». Car le fait est que celle-ci est, en France au moins, quasi stationnaire depuis la fin du grand pendule, c'est-à-dire depuis le début des années 90. C'est bel et bien un paradoxe car on aurait pu spontanément penser que l'entrée dans un régime de mondialisation franche, précisément structurée autour des deux grandes contraintes précédentes – la finance actionnariale et la concurrence –, aurait été l'opérateur véritable de l'ajustement salarial, ou au moins qu'elle aurait contribué à sa poursuite intense dès le milieu des années 90. Or il n'en est rien – et cela qu'on en tienne pour l'hypothèse de la stationnarité simple ou pour celle de la décrue continuée, mais à un rythme si bas. C'est en général à ce moment qu'on entend le souffle assourdissant du soupir de soulagement : ouf, « la mondialisation n'est pas coupable » ! Il faut reconnaître qu'il est étrange que la part salariale enregistre ses plus faibles mouvements au moment où l'on ne cesse de parler, et à raison, des invraisemblables pressions exercées par le capital actionnarial au dégagement des profits et de la rentabilité financière.

Les paradoxes sont souvent apparents et celui-ci est bien du genre. Par construction en effet les pressions du capital actionnarial s'exercent sur les entreprises *cotées* – pour l'essentiel celles du CAC40 ou du SBF120 – et sur celles-là seulement. Est-ce à dire que l'influence du capital actionnarial s'arrête sitôt passé le périmètre des grands indices boursiers ? En aucun cas. Il n'est pas même besoin pour le voir d'en appeler au mouvement relativement récent de la *private equity* qui réussit à pousser à son comble la logique actionnariale... mais hors de la Bourse. Des entreprises, moyennes ou petites, ni cotées, ni sous LBO[1], échappant donc à l'emprise

---

1. On parle de LBO (Leverage Buy-Out) à propos de l'opération consistant, pour un fonds d'investissement dit de *private equity*, à racheter une entreprise à l'aide d'un fort endettement pour la faire sortir de la Bourse et en devenir l'actionnaire quasi unique.

directe du capital actionnarial, n'en sont pas moins dans son orbite néfaste, et cela par le jeu des relations clients-fournisseurs qui transmettent l'impératif catégorique de la rentabilité financière tout au long des chaînes de sous-traitance et sans aucune perte en ligne ou presque. Pour n'être pas aussi directement soumis que leurs donneurs d'ordres à l'impératif de rentabilité des capitaux propres, les sous-traitants non cotés n'en sont pas moins sommés d'apporter leur contribution aux objectifs actionnariaux de leurs commanditaires. Aussi sont-ils harcelés pour extraire toujours davantage de valeur, sans la moindre chance de la conserver pour eux, mais avec l'obligation de la passer à leur donneur d'ordres, qui lui-même, fournisseur d'un client plus haut placé, la fera passer à son tour en y ajoutant ses propres gains de productivité, et ainsi de suite jusqu'au sommet de la chaîne de sous-traitance, là où s'établit le contact direct avec le pouvoir actionnarial, à qui la somme agrégée des contributions ainsi « remontées » est finalement remise.

Comme le montre éloquemment le film de Gilles Perret, *Ma mondialisation*, les constructeurs automobiles travaillent férocement leurs équipementiers qui eux-mêmes harcèlent sans relâche leurs propres fournisseurs, etc., tous étant sous l'injonction catégorique de gains de productivité, donc de réductions de coûts, à seule fin de remonter-consolider le profit en haut de la pyramide. Dans une symbiose de structures quasi parfaite, c'est la contrainte de concurrence qui s'offre à plier irrésistiblement tous ceux qui, à un niveau ou à un autre de la chaîne, se trouvent en position de fournisseurs, donc de devoir répondre à l'injonction d'extraction de valeur venue de plus haut, et sont en lutte immédiate avec d'autres compétiteurs de même niveau qui s'efforcent d'« extraire » davantage. L'effet propre de la concurrence, au degré qu'elle a atteint sous les vivats de la construction européenne, est donc de placer les agents en position de se battre pour leur survie, et en l'occurrence d'accepter de se désosser s'il le faut pour servir au commanditaire le pourcentage de réduction de coûts exigé année après année.

Parce qu'elle maximise l'insécurité de tous les agents économiques et les pousse à leurs dernières extrémités, la contrainte de concurrence a joué comme un formidable amplificateur de la contrainte actionnariale, dont elle a fait prévaloir les exigences bien en dehors du petit périmètre des entreprises cotées et, par chaînes de sous-traitance interposées, jusque dans la quasi-totalité du système productif. La grande différence cependant tient au fait que, si le pouvoir actionnarial qui domine le haut de la pyramide industrielle exige des entreprises auxquelles il a directement affaire – celles-là mêmes qui versent les dividendes – des profits sans cesse croissants, il se moque en revanche comme d'une guigne du niveau de profit réalisé dans les étages intermédiaires : la seule chose qui compte à leur propos est l'intensité des gains de productivité, destinés à être entièrement captés par l'étage supérieur, puis passés à l'étage supérieur de l'étage supérieur, qui y ajoutera son propre écot, et ainsi de suite jusqu'au sommet où s'opère la totalisation de tous ces gains de productivité, aspirés de toutes les couches du système productif, et *alors seulement* convertis en profit pour le grand actionnariat institutionnel. C'est la raison pour laquelle toutes les unités productives des strates inférieures se trouvent entièrement requises par ce qu'on pourrait appeler, au sens le plus médiéval du terme, la « corvée actionnariale », « entièrement » signifiant ici que non seulement le salariat de ces strates est essoré, mais également que *le petit capital lui aussi est mis à contribution*. Il ne saurait être question que ce dernier en conserve trop pour lui et s'approprie ses propres gains de productivité – rectifions : les gains de productivité réalisés sous sa houlette par « son » salariat. Ces gains doivent être passés aux étages supérieurs en des proportions qui témoignent de l'extraordinaire déséquilibre des rapports de force clients-fournisseurs du fait de l'intensification de la concurrence. Il faut dire les choses comme elles sont et savoir reconnaître que le petit capital est loin de rouler carrosse – le petit capitaliste, c'est une autre affaire, qui fait parfois fortune à la revente de son entreprise, notamment lorsque tournent alentour des fonds de *private equity*. Ces entreprises intermédiaires vivent donc ce parfait paradoxe de tout connaître des rigueurs de la contrainte actionnariale... sans jamais y être *directement* confrontées.

Il résulte de cette analyse hiérarchique que, les marges de ces entreprises étant mises à contribution pour tirer les meilleurs prix, les profits n'y ont rien de faramineux, et que la répartition de la valeur n'y a pas subi de formidables distorsions. Pour le dire vite, à ces niveaux de la pyramide industrielle, tout le monde souffre : le travail *et* le capital. Mettons un instant de côté les objections bien fondées selon lesquelles le capital souffre mais pas forcément le capitaliste, que cela n'est rien de toute façon en comparaison de ce qu'endure le travail, pour aller directement au point important de la présente analyse : la frange supérieure du grand capital mise à part, l'épaisseur du tissu productif n'a pas vu sa répartition profondément altérée depuis la fin des années 80. Or c'est cette « épaisseur » qui dans la statistique d'ensemble l'emporte de son poids écrasant et « fait » le résultat final. On comprend mieux pourquoi le résultat en question ne rend, tel quel, aucune justice à l'état véritable des choses, et masque en particulier l'approfondissement de la régression salariale, alors qu'en surface le partage semble stable ou presque. Or cette anamorphose tient au seul fait que, dans les étages inférieurs, le petit capital trinque avec le salariat et que, les deux faisant de concert mouvement vers le bas (ou beaucoup moins vite vers le haut), leur *rapport* demeure quant à lui à peu près conservé.

Évidemment, voir les choses sous cet angle demande de se déprendre du mouvement de satisfaction qui, pareil à celui du canasson trop content de retrouver le chemin de l'écurie, s'empare de tous ceux qui, passablement chahutés par la crise, trouvent là le moyen d'en revenir avec soulagement à leurs fondamentaux un instant perturbés : « Allez, ce monde dans lequel nous vivons, il n'est pas ce qu'on en dit ; à entendre la bronca, nous avons failli avoir peur : les gueux deviennent agressifs, voilà qu'ils réclament ; vérification scientifique effectuée, ils n'en ont aucun motif, il va suffire de leur expliquer.» C'est ainsi depuis deux décennies, et ils ont tellement envie que ça dure encore un peu... Sur la base de la lecture la plus superficielle et la plus rassurante, Grégoire Biseau, dans *Libération*, s'inquiète de ce que *« Hamon et Besancenot s'indignent un peu vite »* à propos du *« partage salaire-profit »*[1]. Mais de *Libération*, depuis les cris de joie de *Vive la crise !* jusqu'aux fulminations du TCE, il y a beau temps qu'on n'attend plus rien et qu'on n'est plus surpris de rien. Disons que Grégoire Biseau, lui, s'indigne un peu lentement et que, avec ceux qui s'indignent un peu plus vite, ça fera une moyenne. La rubrique où son article est publié, cependant, revendique de s'intituler « Désintoxication». Il est vrai que depuis tant d'années l'obscène orgie salariale a bien mérité le dépuratif – ces gens-là se goinfrent jusqu'à des dizaines d'euros. L'idéologie de la jouissance salariale a fait tant de mal, il est bien temps de passer le bicarbonate. *« Désintoxication »*, *« salaire-profit »*, *« un peu vite »*... On l'entendrait dans la bouche de Laurence Parisot, on n'y croirait même pas.

---

1. Grégoire Biseau, « Partage salaire-profit : Hamon et Besancenot s'indignent un peu vite », art. cité.

CHAPITRE 5

Une mesure contre
la démesure actionnariale : le SLAM !

Par ses effets, directs ou diffus, éclatants ou moins visibles, la contrainte actionnariale est l'une de ces chapes qui pèsent en permanence sur le salariat, l'une des plus puissantes armatures du capitalisme antisalarial. Parler ainsi de puissance, du jeu des puissances, est tout sauf un hasard. Car il faut avoir au choix la niaiserie, la dénégation ou l'hypocrisie bien accrochée pour continuer de soutenir, à l'image des économistes libéraux, que le capitalisme est un monde d'harmonies marchandes, offreurs et vendeurs magnifiquement conduits à s'accorder « comme par une main invisible ». S'il ne parvient toujours pas à entamer une certaine béatitude scolastique, le spectacle quotidien de la violence des rapports économiques impose à tous les autres, et particulièrement à ceux qui en sont directement victimes, son évidence cinglante. Le capitalisme n'a rien de commun avec l'« équilibre général des marchés », cette cinématique tranquille des offres et des demandes rêvée par la théorie pure. Il est un monde de forces qui vont, de pôles de puissance, les uns – les dominants – en expansion, les autres occupés à résister à l'écrasement, pour certains, même, à simplement survivre. Dans un monde de forces allantes, seule la force vient à bout de la force – les gentils fondent tous leurs espoirs sur l'idée que ce sera celle des arguments raisonnables ou de la vertu, mais, comme les surgissements de régulations morales par génération spontanée demeurent des événements de probabilité infime, les gentils sont voués à tomber dans la catégorie des cocus de l'histoire ou dans celle des idiots utiles, ceux à qui les cyniques rendent discrètement un hommage rigolard pour service rendu à la reproduction du système.

À défaut d'une Pentecôte morale qui verrait la vertu de modération, tel l'Esprit saint, descendre sur les capitalistes, accompagnée, tant qu'on y est, de l'amour du prochain salarié, la réalité de leurs comportements et l'extension de leur pouvoir demeurent déterminées par l'état des structures économiques. Si énoncée telle quelle la proposition peut sembler un peu abstraite, il est facile de lui donner des contenus parlants. N'est-il pas en effet assez simple de saisir que le pouvoir des capitalistes est de moindre portée, et le rapport de force capital-travail moins déséquilibré, lorsque, comme ce fut le cas pendant les années fordiennes, la concurrence modérée atténue les pressions compétitives exercées sur le salariat, la régulation des investissements directs rend impossible le chantage à la délocalisation, les marchés de titres réglementés ne donnent à la finance qu'une emprise minime sur la gestion des firmes, la restriction des mouvements de capitaux internationaux permet à la politique économique de se préoccuper de croissance et d'emploi, etc. ? La distribution du pouvoir change en raison directe des transformations qui ont fait sauter ces restrictions les unes après les autres, avec l'aimable collaboration des libéraux, des sociaux-démocrates « modernisateurs » et de l'Europe unie. Quand tombent les barrières institutionnelles et réglementaires qui retenaient les puissances dominantes, celles-ci reprennent leur poussée et explorent à fond les nouvelles marges de manœuvre qui leur ont été concédées, car il est dans la logique de la puissance d'aller au bout de ce qu'elle peut – c'est-à-dire jusqu'à ce qu'elle rencontre un nouvel obstacle qui la force à s'arrêter. Mais ces obstacles n'existent plus, ou si peu. Et, à moins d'embrasser la philosophie sociale des gentils, il ne faut pas compter sur la modération spontanée des puissances dominantes car, ne connaissant aucune régulation interne, la puissance est déterminée à conquérir autant qu'elle le peut. La démesure est la tendance de la puissance, c'est pourquoi la mesure doit toujours lui venir du dehors.

Le capital actionnarial, ou la puissance dominante en ses structures

Si le capitalisme est cet univers de puissances en lutte, alors une intervention doit y prendre un caractère non pas gestionnaire, mais stratégique. Quelle est la puissance dominante, où se tient-elle, quels sont ses moteurs et ses points faibles, que dresser pour l'arrêter ? – voilà les questions pertinentes. De ce point de vue, le capitalisme d'aujourd'hui nous simplifie la tâche, son *hegemon* est facile à identifier : c'est la finance actionnariale. L'histoire récente de sa domination est entièrement sédimentée dans ses structures : il suffit d'une carotte géologique sur les deux décennies écoulées pour reconstituer sa prise de pouvoir[1]. Autoriser les investisseurs internationaux à aller et venir librement, organiser la liquidité du marché boursier, c'est-à-dire la possibilité de vendre instantanément des blocs de titres, donc de quitter le capital d'une entreprise avec la même facilité qu'on l'avait abordé, installe les conditions de ces grands mouvements de capitaux qui vont balayer le marché et *in*

---

1. Pour une restitution cursive de cette histoire du surgissement actionnarial, voir Frédéric Lordon, *Et la vertu sauvera le monde...*, *op. cit.*, chapitre 1. Pour une présentation plus abstraite, voir Frédéric Lordon, *La Politique du capital*, Odile Jacob, 2002.

fine faire les cours... c'est-à-dire déterminer la capacité des équipes dirigeantes à résister aux menaces extérieures de la prise de contrôle hostile ! Or c'est bien là que se trouvent les raisons de l'extraordinaire emprise de la finance actionnariale sur les firmes et, surtout, sur leurs dirigeants. Si ne pas être à la hauteur des exigences des actionnaires signifie s'exposer à une désaffection boursière, donc à des baisses de cours qui finiront par rendre l'entreprise « opéable », on comprend sans peine l'empressement fébrile des managers à maintenir le profit à tout prix, puisqu'en bout de course, dans cette affaire, ils ne jouent pas moins que leur tête ! Bien réinstallée dans son idée de soi comme propriétaire, c'est-à-dire comme seul ayant droit légitime, la finance actionnariale donne rendez-vous tous les trimestres à ses fondés de pouvoir managériaux pour relever les compteurs. Lui viendrait-il la fantaisie d'exiger un *reporting* mensuel ou, pourquoi pas, hebdomadaire, nul n'aurait les moyens de s'y opposer. De toute manière les résultats ont intérêt à être au rendez-vous. Toute performance en deçà des objectifs annoncés porte l'étiquette infamante du *« profit warning »* – dont les managers connaissent bien les conséquences pratiques : ce jour-là, en Bourse, ça va tanguer. Serge Tchuruk, l'un des premiers à avoir testé ce nouveau manège, a sans doute gardé un souvenir cuisant de son *profit warning* de 1998 : Alcatel, qui avait annoncé, penaud, un profit de 4 milliards de francs au lieu des 6 annoncés, a dégringolé de 38 % dans la journée... Bien d'autres ont suivi depuis.

Ainsi, le pouvoir actionnarial, resté croupion et anémié pendant trente années fordiennes de marchés cloisonnés et réglementés qui l'avaient dépossédé de la gestion des firmes, accaparée par des managers souverains et seuls maîtres à bord après Dieu, s'est rétabli dans toute sa splendeur. Cette restauration n'est pas l'effet de quelque grand homme du capital ou d'un réveil miraculeux. Elle doit tout à un bouleversement de structure qui, ayant abattu tous les obstacles passés aux mouvements du capital financier, a rouvert à sa puissance et à son expansion un espace comme il en avait rarement eu. De la déréglementation proprement dite, qui garantit la libre circulation, jusqu'à la concentration de l'épargne financière dans les bilans d'acteurs financiers (comme les fonds de pension et les fonds mutuels) détenteurs d'une force de frappe financière sans équivalent, en passant par les transformations du régime de contrôle capitalistique qui ont laissé les entreprises, toutes participations croisées défaites, dans un état de vulnérabilité extrême aux raids hostiles, tout concourt, dans ce nouveau paysage, à accroître la marge de manœuvre de la finance actionnariale, désormais dotée d'une capacité d'action, de dissuasion et de sanction qui porte son avantage stratégique sur les firmes à des niveaux inconnus. Le dernier ressort de cette emprise est peut-être le plus décisif, puisque l'ensemble du dispositif prend à partie les managers eux-mêmes, directement menacés dans leur persévérance managériale par la menace de l'OPA ou du débarquement. Maillon à la fois faible et fort, le dirigeant de l'entreprise est simultanément le plus sensible aux menaces de la finance dès lors qu'elle a les moyens de le priver de son bonheur de diriger, de ses rémunérations et de ses avantages en nature, bref de toute sa vie, et celui qui détient le pouvoir effectif de mettre toute l'organisation sous tension afin d'en extraire coûte que coûte le profit réclamé par les actionnaires – et de sauver sa place. Puissance contre puissance : les managers, jadis maîtres du capitalisme fordien, ont perdu cette manche de leur combat historique contre le capital financier ; ils ont maintenant le dessous[1].

---

1. En fait, comme on sait, pour bon nombre d'entre eux, les managers sont passés avec armes et bagages dans l'autre camp, celui des actionnaires – il est vrai que bonus indexés sur la rentabilité ou le cours et stock-options les ont bien aidés à rejoindre entièrement les logiques de leurs nouveaux maîtres.

Mais pas autant que les salariés, abonnés à la condition de dominés et voués à accommoder toutes les tensions venues « d'en haut », c'est-à-dire du conseil d'administration. Car, sur des charbons ardents maintenant que ses enjeux existentiels les plus chers sont en cause, on peut compter sur le dirigeant pour cravacher « son » entreprise et lui faire rendre autant qu'elle le peut. Aussi, du sommet, descendent tout au long de la structure hiérarchique de la firme, et presque sans perte en ligne, les injonctions qui convertissent le désir de la persévérance managériale, lui-même aiguillonné par le désir de l'enrichissement actionnarial, en mobilisation productive intense, cela jusqu'au dernier salarié, et même bien au-delà, dans tout le tissu des sous-traitants, chacun étant sommé de faire don de ses gains de productivité, captés, « remontés » et agrégés pour nourrir le tribut payé aux actionnaires.

Une limite, sinon la tyrannie de l'illimité

Il n'y a pas de substance cachée du pouvoir, pas plus du pouvoir actionnarial que d'aucun autre, il n'y a que l'état des structures qui livrent à certaines des puissances en présence les moyens de la domination. Ce que la configuration des structures met à la disposition des puissances dominantes, elles le prendront ; jusqu'où elle les autorise à aller, elles iront. Les structures actuelles du capitalisme financier ont ceci d'inouï qu'elles ont levé presque toute restriction aux élans de conquête et d'accaparement de la puissance actionnariale. Désir sans régulation interne ni externe, donc sans limite, le désir de la finance était voué à devenir tyrannique. Nous en sommes là. On peut se faire une idée assez exacte de cette divergence sans retenue au travers de l'évolution sur à peine plus d'une décennie de la part de richesse revendiquée par le capital actionnarial, et de plus en plus agressivement puisqu'il n'y a pas lieu de mettre les formes quand on a tous les moyens d'exiger – et d'obtenir. Au tout début des années 90, une grande banque comme la BNP, confrontée à la révolution actionnariale qui s'annonce, avoue un peu piteusement un ROE[1] de 2 à 3 % – l'histoire est là pour attester que ça ne l'a pas empêchée de prospérer jusqu'ici, mais précisément cette histoire va changer... À la fin de la décennie, le pli est bien pris : la « norme » actionnariale exige 15 % ! Notre BNP, qui en 1999 se bat contre la Société Générale, en face de fonds de pension ravis, a fait bien des progrès : elle s'engage maintenant sur un ROE de 18 % à horizon de 2002 – et la promesse sera tenue. Le milieu de la première décennie 2000 voit des entreprises de moins en moins rares à proposer à leurs actionnaires des ROE de 20, voire 25 %. On dira que c'est la banque, et que la proximité des marchés financiers garantit des rentabilités inconnues du reste de l'économie. Mais Danone n'est pas une banque et livre quand même un ROE de 19,7 % en 2007. LVMH et Vinci n'en sont pas davantage, mais donnent respectivement 17,5 % et 18,7 % pour la même année. Et puis Total *imperator* : 31 %... En fait la question doit être posée autrement : où sont les forces qui pourraient empêcher la finance actionnariale de faire des records d'aujourd'hui[2] la norme de demain ? Adossée à cette courte histoire statistique du ROE, passé de 2 à 20 % en à peine dix ans, la réponse est : nulle part.

---

1. Soit Return on Equity, ratio du profit net comptable aux capitaux propres, en d'autres termes le taux de profit pertinent du point de vue des actionnaires.

2. Records d'avant la crise, ça va sans dire. Mais avec lesquels, on peut en être sûr, les entreprises s'efforceront de renouer sitôt revenues à des temps meilleurs.

Encadré 1 : Taux de profit et ROE

La comptabilité offre divers indicateurs de « profit ». Le plus immédiat, mais aussi le plus fruste, est le « profit net comptable », à savoir ce qui reste des recettes une fois déduites toutes les dépenses. Du point de vue du capitaliste, il importe cependant de savoir quel volume de capital engagé ce profit-là a nécessité pour être obtenu.

Un indicateur déjà moins grossier est donc le taux de profit, ou encore taux de rendement (ou de rentabilité) du capital, à savoir le profit divisé par le capital total investi. Une entreprise qui dégage 10 de profit pour 100 de capital engagé livre un taux de profit de 10 %. Eût-elle dégagé le même profit (10) mais en ne nécessitant que 50 de capital, son taux de rendement du capital aurait été de 20 % (10/50), c'est mieux !

On peut faire un peu plus fin, en construisant un indicateur de profit pertinent *du point de vue particulier des actionnaires*. Car tout le capital investi ne vient pas d'eux. Une partie peut avoir été obtenue par recours à l'endettement. Le ROE (Return on Equity) est le taux de rentabilité qui divise le profit par les seuls capitaux apportés par les actionnaires (dits « capitaux propres », ou encore *equity*). Si le profit est 10 pour 100 de capitaux engagés, mais que ceux-ci se décomposent en 50 de capitaux propres et 50 de dettes (sur lesquelles on suppose qu'il faut payer 2 de taux d'intérêt), là où le taux de profit ramène le profit brut (10) au capital total investi (100) et est donc de 10 %, le ROE, lui, ramène le profit net des intérêts payés (10 – 2 = 8) aux seuls capitaux propres (50) et est donc de 16 % (8/50). On nomme « effet levier » la différence entre ROE et taux de profit « standard ».

Une société doit se poser la question de savoir si elle est vraiment sûre de vouloir laisser aller ainsi l'une de ses puissances totalement débridée. À moins d'être prêt à la voir maltraiter le salariat à des degrés encore inconnus, mais qu'elle ne manquera pas d'explorer, la finance actionnariale doit être arraisonnée du dehors. Comme la force qui va ne s'arrête pas d'elle-même, il faut lui en opposer une autre.

Mettre une limite au désir sans limite de la finance suppose alors de borner réglementairement et autoritairement son profit, seul moyen de lui ôter toute incitation à maltraiter les entreprises, leurs salariés et leurs sous-traitants, donc en créant les conditions qui rendent la surexploitation sans objet. « Réglementaire » et « autoritaire » étant les deux gros mots absolus de l'idéologie libérale, qui offre aux puissances dominantes tous les moyens de maltraiter mais « libéralement », il ne faut pas hésiter à les employer ni à les articuler bien distinctement pour signifier que nous avons compris la nature du capitalisme comme arène de puissances, et non comme paisible lieu de rencontre des offres et des demandes, et que nous sommes décidés à tirer toutes les conséquences pratiques de cette prémisse. À la force nous opposerons la force, à celle du capital, celle de la loi – la seule à notre disposition. C'est l'instrument du fisc qui se chargera de guillotiner le profit du capital actionnarial – qu'il se rassure, nous lui en laisserons un peu, et aussi la tête sur les épaules. Lui en laisser un peu n'est pas autre chose qu'en revenir à la norme économique rustique qui veut que le capital se rémunère grosso modo à la hauteur du taux d'intérêt. Des 3-4 % qui faisaient les taux d'intérêt « de régime » il y a peu encore aux 10, 15, puis 20 % de rendement réclamés par le capital actionnarial, en attendant mieux, l'ampleur de la dérive est-elle assez visible pour permettre d'anticiper qu'on n'en a pas encore vu le bout et qu'il est temps d'y mettre le holà ?

RETOURNER CONTRE LA FINANCE SES PROPRES ARMES

Comme les guillotines fiscales ne font pas rouler de vraies têtes, on peut s'en servir en s'amusant un peu. Car en l'occurrence l'instrument tranchant pourrait être construit selon un plan emprunté… à la finance elle-même – mais évidemment quelque peu détourné de ses finalités originelles. Parmi les innombrables trouvailles du très prolifique discours de la

« valeur actionnariale », l'EVA (Economic Value Added) s'est attachée à réviser la notion usuelle de profit net comptable, qui ne lui paraissait pas assez juteuse en l'état. Le « vrai » profit, dit l'EVA, c'est-à-dire celui qui fait sens du point de vue actionnarial, est ce qui reste quand, des recettes, on a enlevé tous les coûts, y compris – là est la nouveauté – le coût « fictif » – puisqu'il ne donne pas lieu à débours effectif[1] – du service particulier en quoi a consisté la mise à disposition par les actionnaires des capitaux propres. Ce « coût du capital », l'EVA suggère de le calculer en additionnant le taux d'intérêt de l'actif sans risque (généralement les bons du Trésor à 3 mois) et une prime de risque spécifique. L'EVA a donc le culot de rebaptiser « valeur économique ajoutée » le *surprofit* tel qu'il prend en compte le « coût du capital » pour déclarer qu'une entreprise n'est « vraiment profitable » que lorsque ce surprofit est lui-même positif. Mais elle a aussi, quoique très inintentionnellement, le bon goût de faire revenir dans le paysage une référence quantitative intéressante puisqu'elle est effectivement située dans l'orbite des taux d'intérêt : la somme du taux de l'actif sans risque plus une prime, voilà qui nous met par les temps qui courent autour de 6 ou 7 %[2] – c'est déjà plus raisonnable que les 20 % en vigueur pour le ROE. Évidemment, pour l'EVA, cette référence ne fait pas norme en soi, tout au contraire : elle définit simplement le *minimum minimorum* en deçà duquel une entreprise, quand bien même elle fait des bénéfices au sens comptable du terme, ne peut pas encore être dite profitable.

---

1. Que le compte de résultats d'une entreprise fasse figurer des coûts n'ayant pas donné lieu à débours n'est pas en soi une anomalie : c'est déjà classiquement le cas pour les dotations aux provisions ou aux amortissements.

2. On prend ici pour référence les primes de risque et les taux sans risque de 3 à 4 % d'avant crise, les 1 % actuels correspondant à une situation de politique monétaire exceptionnelle.

Le surplus ne compte vraiment qu'à partir de ce seuil, et, bien sûr, on l'encourage à être aussi élevé que possible...

Retourner contre la finance actionnariale ses propres armes, c'est alors faire subir à l'EVA un double détournement. En premier lieu, ce qu'elle considère comme un plancher, il faut en faire un plafond ! – et désigner par là l'azimut général du retour dans l'orbite des taux d'intérêt (à une prime de risque près). Mais, surtout, là où l'EVA n'est en fait conçue que comme un nouvel *indicateur comptable*, il faut l'utiliser pour construire une norme bornant la rémunération actionnariale *effective* (voir encadré 2). Or cette rémunération est constituée de deux éléments. Le premier correspond à des débours effectifs des entreprises qui rémunèrent les actionnaires par le versement de dividendes. Le second est fait des plus-values. Hors les divers moyens de soutirer directement à l'entreprise sa substance, l'actionnaire peut donc y gagner sur le marché par le jeu spéculatif des achats et reventes. Ainsi sa rémunération globale agrège-t-elle, dans des proportions variables selon les années, les produits du prélèvement tributaire direct (dividendes) et les plus-values boursières. On nomme TSR (Total Shareholder Return) cette rémunération actionnariale effective globale rapportée au capital-actions investi.

**Encadré 2 : Les deux visages
de la contrainte actionnariale**

L'emprise de la finance actionnariale sur les firmes se manifeste de deux façons qu'il convient de distinguer.

Elle apparaît d'abord comme une contrainte de *performance* comptable qui s'impose aux entreprises. Cette contrainte s'exprime d'une part dans la redéfinition, conformément au point de vue actionnarial, des divers indicateurs de profitabilité des firmes : par exemple, non plus le profit comptable « classique » mais l'EVA (qui est un surprofit), non plus le taux de profit mais le ROE (voir encadré 1). Elle s'exprime

---

d'autre part dans la divergence quantitative sans fin de la performance exigée, mesurée selon ces nouveaux indicateurs – ainsi du ROE passé de 2 à 20 % et plus.

Par ailleurs le capital actionnarial s'octroie une *rémunération effective* qui agrège plusieurs éléments. Le premier pèse sur l'entreprise puisqu'il provient de prélèvements directement opérés sur sa richesse : les dividendes. Le second, les plus-values, vient non pas de l'entreprise mais du marché financier, lieu de la revente spéculative des actions. Ce deuxième élément établit une connexion entre *rémunération actionnariale* et *contrainte de performance* puisque les améliorations de performance sont recherchées précisément pour pousser les cours boursiers à la hausse et accroître les plus-values.

C'est au TSR qu'il faut s'en prendre. C'est lui qu'il faut ratiboiser pour convaincre les actionnaires qu'une fois un certain seuil atteint il est inutile de pressurer davantage l'entreprise pour obtenir d'elle « plus encore et indéfiniment », car tout l'excès désormais tombera, par voie de couperet fiscal, dans la poche de l'État – cette chose honnie à qui donner un seul euro excédentaire devrait soulever le cœur de tout possédant bien-portant. Où fixer ce seuil ? Précisément au niveau indiqué, à son corps défendant, par la théorie de l'EVA elle-même, soit le taux d'intérêt (de l'actif sans risque) plus un petit quelque chose (la prime de risque). Précisons d'emblée à l'intention de tous les inquiets de l'uniformité socialiste que l'EVA possède des outils suffisamment fins pour ne pas imposer à tous la même toise de coût du capital et donner un calcul de la prime de risque ajusté à chaque cas particulier d'entreprise cotée[1]. Sur cette base, comment faire le calcul fiscal ?

---

1. Plus précisément, ces primes de risque spécifiques entrant dans le coût du capital de chaque entreprise sont calculées à l'aide du CAPM (Capital Asset Pricing Model), l'un des modèles « historiques » de l'évaluation des actifs boursiers.

La question n'est pas simple, car des plus-values sont réalisées chaque jour de l'année, alors que les transferts par dividendes ne sont connus qu'en fin de période. Il va donc falloir établir quelques conventions à l'esthétique incertaine pour les théoriciens purs de la finance. Ainsi, on peut retenir comme référence le montant total des transferts de liquidités effectués l'année *précédente* par l'entreprise. À chaque cession boursière réalisée par un actionnaire, il lui est imputé une part T de ces transferts au prorata du nombre de titres concernés par l'opération. Ce montant T est ajouté à la plus-value réalisée, PV, et l'ensemble est rapporté à la valeur initiale des titres vendus[1], ratio qui donne la rentabilité actionnariale effective – le TSR – de l'opération. Tout ce qui excède le seuil bornant réglementairement le TSR fait alors l'objet d'un prélèvement obligatoire[2]. Simple, coupant, et de bon goût.

Encadré 3 : Un exemple de calcul du plafonnement fiscal du TSR

Soient une entreprise dont le capital est constitué de 10 000 titres en circulation et un actionnaire qui en détenait 1 %, c'est-à-dire 100 titres, achetés à 1 € et revendus à 1,1 €. Sa plus-value PV est de 10 €. Si l'entreprise a versé l'année précédente à ses actionnaires un total de 500 € en dividendes, il lui en

---

1. Une difficulté vient du fait que les titres cédés ont pu être antérieurement acquis en plusieurs fois, donc en plusieurs « tranches » payées chacune à des cours différents. On pourrait alors : 1) soit calculer la valeur d'acquisition moyenne pondérée du bloc cédé ; 2) soit retenir pour base d'évaluation la « tranche » qui donne le cours le plus bas, c'est-à-dire le plus favorable au fisc (car maximisant la plus-value), et le plus défavorable à l'actionnaire...

2. On peut aussi envisager des régularisations de fin d'année comptable, remplaçant la référence des dividendes de l'année n − 1 par les dividendes effectifs de l'exercice courant quand il est achevé.

est imputé une part T de 1 %, soit 5 €. Son TSR « taxable » est donc (10 + 5) / 100, soit 15 %. Si cette entreprise a vu son seuil légal (particulier) de rentabilité actionnariale autorisée (taux d'intérêt + prime de risque spécifique) fixé à, par exemple, 6 %, les 9 % de différence sont intégralement prélevés. La taxe est donc de 9 €. Et le taux de rentabilité perçu par cet actionnaire est effectivement ramené de 15 à 6 %.

METTRE UN TERME AU POMPAGE ACTIONNARIAL DE LA SUBSTANCE DE L'ENTREPRISE

On pourrait cependant avoir le sentiment inconfortable d'avoir oublié un morceau en route. Car, dans l'ordre du pompage actionnarial de la substance de l'entreprise, les classiques dividendes ont été complétés depuis quelques années par une pratique au moins aussi gloutonnement captatrice connue sous le nom de *buy back*, opération consistant dans le rachat par l'entreprise de ses propres actions. Il n'est pas difficile d'en voir tout l'avantage pour les actionnaires : réduire le nombre des actions en circulation, c'est mécaniquement augmenter la « part » de bénéfice qui est attachée à chacune d'elles. Or, avec le ROE (Return on Equity), le BPA (bénéfice par action) est le Nord actionnarial – « plus pour chacun de nous », n'est-ce pas un programme en soi, la maxime même du capital ? Comme souvent, la goinfrerie pour se rendre présentable s'habille de termes « techniques », alors on dit « relution ». Relution, c'est le contraire de dilution. Là où une émission de nouvelles actions « dilue » le bénéfice sur un nombre accru de titres en circulation, quelle horreur, un *buy back* est relutif puisqu'il donne plus à chaque part de capital. L'expédient en quelques années a pris des proportions telles qu'il tourne au parasitisme à grande échelle. Les gâteries faites aux actionnaires détournent ainsi des sommes croissantes d'usages alternatifs tels que l'investissement productif ou la R&D – on ose à peine évoquer le maintien de l'emploi ou l'augmentation des salaires –, en même temps qu'elles donnent une illustration supplémentaire du pouvoir acquis par le capital actionnarial, mesuré ici par sa capacité à pomper impunément la richesse de l'entreprise. Quel est le premier geste auquel pense l'équipe dirigeante d'Arcelor pour sauver sa tête de l'OPA lancée par Mittal en 2006 ? Gratifier les actionnaires, qui tiennent en main son destin au bout de leur ordre de Bourse, d'un grassouillet *buy back* de 5 milliards d'euros – on serait presque tenté de convertir en francs pour mieux faire apprécier l'énormité des montants en jeu et imaginer ce qu'on aurait pu en faire autrement. Arcelor est loin d'être un cas isolé. Les entreprises du CAC40 ont ainsi racheté pour 19 milliards d'euros de leurs propres actions en 2007 et pour 11 milliards en 2008[1].

Les *buy back* s'établissent comme une catégorie intermédiaire, ou hybride, entre dividendes et plus-values. Des dividendes, ils ont le caractère de *débours effectif*, puisque c'est bel et bien du cash qui sort de la trésorerie de l'entreprise pour racheter ses propres actions. Pour autant ce cash ne fait pas, à la façon des dividendes, l'objet d'un transfert direct et unilatéral aux actionnaires puisqu'il est rendu au « marché » où il vient alimenter le jeu ordinaire des transactions, côté « demande ». Tel est bien d'ailleurs l'autre effet attendu des *buy back*, à savoir tenir le cours aussi haut que possible – en fait le même effet mais obtenu par deux voies différentes : la voie de la relution et celle du soutien de la demande de titres dans le marché. Si donc les *buy back* n'ont pas le caractère d'un tribut directement acquitté, ils n'en contribuent pas moins activement à la formation de

---

1. *Les Échos*, 13 février 2009. Pour un profit de l'ordre de la centaine de milliards d'euros (estimé à 95 milliards pour 2008).

la rémunération actionnariale globale *du côté de la plus-value*. C'est pourquoi il y a matière à se poser à leur sujet de sérieuses questions, et notamment celle de leur intégration dans la base taxable. On pourrait d'abord être tenté de répondre non, puisque leur effet est entièrement incorporé dans les plus-values et que celles-ci sont, par construction, prises en compte dans le TSR. Et pourtant les *buy back*, avec les dividendes, sont devenus l'un des procédés par excellence du droit actionnarial d'appropriation de la substance financière de l'entreprise – la confiscation à laquelle il est urgent de mettre un terme. S'il entre dans la vocation même du dispositif d'éviter cette forme de servitude par laquelle les entreprises, pour tenir en haleine la communauté actionnariale, sacrifient des parts croissantes de leurs moyens dans des opérations rélutives de *buy back*, pourquoi ne pas envisager de les inclure telles quelles dans la base taxable, et selon un traitement semblable à celui des dividendes ?

Bien sûr il s'agirait là d'un concept « étendu » de TSR, à proprement parler non rigoureux, mais les critères de la rigueur sont ici parfaitement dénués de pertinence. Changeons le nom du TSR, ou ne donnons pas de nom à la base que nous voulons construire ! Car de quoi s'agit-il véritablement ? De faire payer aux actionnaires tout ce qu'ils font sortir de l'entreprise, tout ce qu'ils soustraient à son développement, à ses emplois, à ses salaires, et cela même s'ils ne le touchent pas *directement*[1]. Dans ces conditions, pour chaque opération de vente de titres, la base taxable s'enrichit de la quote-part de *buy back* imputée sur une base similaire aux dividendes – référence des transferts de l'année précédente, imputation proportionnelle à la part de capital détenue –, avec pour triple effet de pénaliser un peu

---

1. Puisque la soustraction des *buy back*, ils la toucheront indirectement par les plus-values.

plus la détention actionnariale, accessoirement d'arrondir la recette fiscale, et enfin de décourager les transactions courtes – la pollution spéculative par excellence. Ces transactions, par définition, ne reposent pas sur l'encaissement des dividendes et ne jouent que le jeu de la plus-value de court terme, mais en profitant indirectement, par externalité, de tous les effets (relutifs) de la politique de transferts de l'entreprise (dividendes et *buy back*). En imputant dans la base taxable de ces transactions-là des transferts financiers qu'elles n'ont pas perçus (directement), on les rend évidemment beaucoup moins intéressantes – elles vont être taxées bien au-delà de leur revenu effectif. On allonge les horizons temporels en incitant les actionnaires, désireux d'éviter ce biais de surtaxation, à attendre au moins le temps suffisant pour percevoir effectivement les transferts qui leur seront de toute manière imputés… Au-delà du seul cas des transactions de court terme, l'inclusion dans la base taxable (d'une quote-part proportionnelle) des *buy back*, dont il est clair qu'ils ne sont jamais perçus comme *transferts effectifs*, produit un biais de surtaxation semblable, très intéressant *puisqu'il incite les actionnaires à demander aux entreprises de cesser leurs opérations de rachats d'actions* afin de minimiser ce biais et de faire en sorte que la rémunération actionnariale ne soit imposée que sur la base des transferts/plus-values *effectivement perçus*.

SLAM !

Il reste une question à trancher, à la fois très superficielle et très importante : quel nom donner à ce raccourcisseur de prétention actionnariale ? Pourquoi pas SLAM, comme Shareholder Limited Authorized Margin ? On aurait pu préférer VLAN, l'équivalent français, qui saisit bien également l'esprit de la chose, mais l'acronyme était plus difficile à construire. Et puis la finance se pique de ne parler qu'anglais, langue des affaires, par là réputée moderne ; donc on lui en donne. Il y a aussi qu'arraisonner la finance est un combat politique à portée évidemment internationale. Plaise ou non, l'anglais n'est pas un mauvais choix en vue de ce genre d'extensions. Il faut d'ailleurs espérer qu'elles se produiront car, l'idée lancée, rien n'est plus souhaitable que le plus grand nombre s'en empare, pour se l'approprier, la décortiquer, trouver ses défauts présents – il y en a[1] ! –, y remédier, pourquoi pas la rendre encore plus méchante – bref, le code du SLAM est immédiatement en *open source*, sa vraie place est dans le domaine public.

Mais qu'on ne s'y trompe pas : l'internationalisation de la proposition répond à des intentions essentiellement politiques, et très secondairement « techniques ». Qu'on n'aille, en particulier, surtout pas y voir l'anticipation d'un projet à l'échelle internationale qui pourrait seul venir à bout de la prévisible objection, jadis opposée à la taxe Tobin, qu'un dispositif de cette nature ferait « immédiatement fuir les capitaux hors de France ». Qu'ils fuient, ma foi, c'est bien possible, quoique dans une mesure qu'il ne faut sûrement pas s'exagérer. Que ce soit un problème réel, c'est déjà beaucoup plus contestable. Il est temps en effet d'indiquer la portée véritable des « bienfaits » de la Bourse pour les entreprises au chœur des amis des marchés financiers qui ne cesse de répéter que « sans la Bourse, pas de financement ». Mais à supposer même qu'on mette de côté la somme extravagante des nuisances en tout genre infligées aux entreprises par la tutelle actionnariale, la thèse de la « Bourse-qui-finance-l'entreprise » est tombée depuis belle lurette dans le domaine

---

1. Voir cependant *infra*, l'annexe du présent chapitre, pour quelques réponses par anticipation.

des contrevérités patentes. Évidemment, pour s'en apercevoir il faut avoir l'idée de mettre les apports de fonds propres en regard de tout ce que, par ailleurs, le chancre actionnarial ne manque pas de prélever. Tous calculs faits, il est apparu que dans le cas étasunien, paradis de la finance s'il en est, les prélèvements de dividendes et de *buy back* sont devenus supérieurs aux injections de capitaux frais, de sorte que la contribution *nette* des marchés d'actions au financement des entreprises est maintenant... négative[1] ! Les marchés boursiers européens, qui n'en sont pas encore tout à fait là, en prennent cependant bien le chemin, et leur contribution financière devient d'une minceur tendancielle. Si de la finance actionnariale ne reste plus que la nuisance tutélaire – sans le capital ! –, on aurait tort de redouter quoi que ce soit de grave à se passer de ses « services ». La Bourse et les investisseurs qui s'y ébattent s'amusent bien moins des émissions nouvelles – les véritables opérations de financement – que des étourdissantes opérations sur le marché secondaire où, si des liquidités s'investissent effectivement, elles ne font qu'alimenter l'improductive inflation des cours. La thermodynamique nomme entropie le phénomène dissipatif qui, amoindrissant la conversion d'une énergie donnée en travail effectif, détériore le rendement d'une machine thermique. À rapporter les montants faramineux de capitaux déversés quotidiennement sur les marchés aux financements effectifs *nets* qu'en tirent les entreprises, il semble que l'entropie boursière ait atteint des sommets justifiant qu'on accueille avec un calme raisonnable les cris d'orfraie qui ne manqueront pas d'être poussés à l'idée du SLAM – et la communauté financière, qui n'a

---

1. Voir l'éloquent graphique 1.7.d du rapport du CAE, *La Crise des subprimes*, La Documentation française, 2008, p. 23.

que l'exigence du rendement à la bouche, devrait s'interroger sur le sien propre, désormais tombé à des niveaux misérables.

Il faudrait cependant être bien prétentieux pour estimer tenir là dès maintenant le dispositif en sa forme achevée, blindé à toutes les objections (voir *infra*, annexe), la botte sans parade. L'imagination des professionnels de la finance est sans doute la seule qualité qu'on puisse leur reconnaître sans hésiter, et proverbial est leur goût ludique des stratégies de contournement. Mais un dispositif partiellement contourné vaut mieux que pas de dispositif du tout. Et si l'idée est encore imparfaite, si des objecteurs moins épais qu'à l'habitude lui trouvent des failles plus convaincantes que les jérémiades à base de « fuite des capitaux », qu'à cela ne tienne : l'essentiel était de la lancer. D'un point de vue technique – ça au moins, les économistes le savent –, la mutualisation et la division du travail ont bien des avantages : des économistes, des juristes et des fiscalistes potentiellement concernés par cette affaire, il s'en trouvera bien quelques-uns qui auront d'autres projets que de contribuer à la célébration de l'état actuel des choses et voudront apporter leur savoir à sa transformation.

D'un point de vue politique enfin – et c'est là bien sûr l'essentiel – l'idée vaut moins pour ses caractéristiques techniques que pour ses propriétés d'entraînement. À supposer qu'on lui trouve tous les défauts de « plomberie » du monde, il lui reste la vertu de signifier autrement que par simple déclamation, et en tentant de joindre réellement le geste à la parole, que la puissance actionnariale, à qui non pas la société mais une poignée d'élites partagées entre aveuglement et intéressement a décidé de lâcher toute bride, finira un jour par rencontrer sur son chemin une puissance opposée, décidée à l'arrêter. Il le faudra bien car une société est menacée quand en son sein l'une de ses puissances, devenue outrageusement hégémonique, écrase toutes les autres et se les asservit, impose ses réquisits comme les seules priorités effectives et peut tout subordonner à son expansion indéfinie. Certaines sociétés ont connu la domination d'une Église, d'autres ont été sous la coupe d'un parti unique, d'autres encore craignent leur armée, plus puissante qu'aucune autre institution. La société capitaliste d'aujourd'hui, toute démocratique qu'elle s'imagine, expérimente elle aussi le joug d'un groupe surpuissant, affranchi de toute force de rappel, par conséquent prêt à pousser son avantage jusqu'où bon lui semblera. Ce groupe désormais ignorant des limites et en proie à la démesure, c'est la finance actionnariale. SLAM est le nom d'un possible coup d'arrêt. Les amis de la finance, qui hurlent immédiatement à la dictature quand ça n'est pas leur dictature qui règne, n'ont pas idée de la douceur, finalement, du traitement qui leur est ici proposé. Car à force de maltraiter le corps social sans limite, puisqu'elle n'en connaît aucune elle-même et que tous ceux qui étaient chargés de la tenir l'ont lâchée en poussant des hourras, la puissance actionnariale pourrait aussi un jour essuyer quelques retours de manivelle, mais moins gentils que le SLAM. La promenade dans le quartier des banques de Buenos Aires offre après 2001 le spectacle édifiant des impacts de balles et des traces de barre de fer sur les portes blindées – comprendre : il est des seuils de spoliation au-delà desquels la population est très très en colère. À ce moment-là, il faut que les actionnaires en aient bien conscience, le temps de la négociation sur la prime de risque, le coût du capital et la marge maximale autorisée – qui signifie tout de même qu'il y a encore une marge ! – a passé.

Précisions et éléments de réponse à quelques objections prévisibles

Ce que le SLAM n'est pas – et ce qu'il est vraiment

Pour procéder par l'arme de l'impôt, le SLAM n'est cependant pas une mesure de politique fiscale. Rapporter des recettes supplémentaires à l'État n'est pas sa vocation première – même si l'on ne crache pas dans cette bonne soupe. Le SLAM n'est pas davantage un prélèvement de redistribution ou un instrument *direct* de lutte contre les inégalités.

Le SLAM est une proposition de *transformation des structures de la finance actionnariale*. Il a pour objet premier de modifier les contraintes de rentabilité qui pèsent sur les entreprises – et que les entreprises accommodent en en reportant la charge sur les salariés, c'est-à-dire en réduisant à marche forcée les coûts salariaux, par le licenciement des uns et l'intensification sans fin des efforts productifs des autres. Le SLAM ne vise donc pas en premier lieu l'obtention de recettes fiscales, mais l'allégement des épuisantes contraintes de mobilisation productive que font naître l'exigence actionnariale sans limite et sa transmission, sans perte en ligne, via les directions d'entreprise et au travers de l'organisation hiérarchique dont elles ont le commandement. Le SLAM est donc une action sur les structures du capitalisme d'aujourd'hui, et notamment sur celles qui définissent la configuration actuelle du rapport actionnaires-managers-salariés. Il part de la prémisse qu'il n'est pas d'autre moyen que de borner autoritairement l'exigence actionnariale de rentabilité indéfiniment croissante si l'on veut soulager le salariat des insupportables tensions qui lui sont imposées pour convertir son effort en plus-values et dividendes.

Le SLAM n'est pas non plus en soi un instrument de lutte *directe* contre les inégalités, mais c'est un effet qu'il pourrait cependant avoir indirectement. Enrayer les mécanismes qui poussent irrésistiblement les entreprises à réduire la masse salariale – licenciements, externalisations, rejet systématique des revendications salariales – ou bien à favoriser l'« ajustement flexible » – recours à l'intérim, multiplication des contrats précaires et des statuts hétérogènes, émiettement des horaires, intensification des cadences, déplacement autoritaire des sites, détérioration générale des conditions de travail, etc. – est le commencement de toute action sérieuse de réduction des inégalités et de restauration d'une condition salariale moins indigne.

Dans le collimateur du SLAM : les stock-options

La taxe de SLAM vise les actionnaires de tout poil, c'est entendu. Mais tous ne sont pas également « intéressants », ou prioritaires, à cibler. Les plus importants, ceux qui viennent en premier sur la liste, sont bien sûr les investisseurs institutionnels, fonds de pension, fonds mutuels, compagnies d'assurances, fortunes privées, etc. Le lecteur perspicace s'avisera sans doute qu'il est une autre catégorie d'actionnaires qu'on ne rangera ni avec les institutionnels ni avec les « petits épargnants », et à qui le SLAM ira comme un gant, il s'agit des patrons à stock-options.

Il faut peut-être prendre le temps de redire un mot des enjeux stratégiques attachés aux stock-options, bien au-delà du scandale immédiat de l'enrichissement sans borne de quelques dirigeants. Le « capital », en effet, n'est pas cette entité homogène et monolithique qu'on croit parfois. Lui aussi est traversé par ses conflits internes – et notamment celui qui oppose sa fraction « industrielle » à sa fraction « financière ». On peut bien dire que cette conflictualité-là est « secondaire » car elle n'est jamais suffisamment puissante pour remettre en cause l'unité supérieure de l'ensemble dans le conflit « primaire » qui l'oppose au « travail ». Pour autant la « logique actionnariale » de la rentabilité financière intransitive, c'est-à-dire de la rentabilité pour la rentabilité, indifférente aux activités sur lesquelles elle prospère, peut se révéler antagoniste à la « logique industrielle » du développement, de l'expansion, de la réalisation de choses, dès lors précisément que les normes de rendement exigé deviennent si élevées qu'elles censurent de fait bon nombre d'investissements, ceux que le capital industriel aurait jadis lancés mais qui maintenant ne « passent plus la barre ».

L'approfondissement de la déréglementation financière a fait surgir une puissance actionnariale désormais capable de soumettre le capital industriel à ses logiques propres de la « rentabilité indifférente » – mais de la rentabilité demandée toujours plus élevée. Le conflit d'objectifs qui en résulte est suffisamment aigu pour que se soit posée la question de sa « régulation » – interne à l'ordre du capital. Les stock-options en sont la solution de compromis la plus évidente puisqu'elle règle le problème en alignant les intérêts des hommes du capital industriel sur les intérêts de ceux du capital actionnarial. Pour leur faire oublier leurs rêves de grandeur industrielle et brider leurs pulsions d'expansion, rien de tel qu'une rémunération grassement comptée et indexée sur les critères de la performance actionnariale. Les mieux « travaillés » par l'esprit du temps ont fini par intégrer la discipline actionnariale comme une seconde nature et s'y conforment sans même s'en apercevoir ; les autres se sont fait une raison, bien aidés en cela par leurs paquets de stock-options.

Or, à n'en pas douter, cette composante-là de leur rémunération, le SLAM ne lui fera pas du bien... Ne s'en émouvront que ceux qui persistent dans ce morceau de bravoure idéologique voulant que les gros revenus récompensent les grands mérites. Pour tous les autres, il y aurait deux motifs d'accueillir le SLAM plutôt favorablement. Le raccourcissement automatique des gains réalisés sur stock-options aura d'abord pour effet de diminuer sensiblement les incitations pour les patrons à conformer entièrement leur politique d'entreprise aux exigences de la finance actionnariale. Il aura également l'honnête mérite de contribuer à ramener la rémunération patronale globale à des niveaux un peu moins obscènes.

L'objection de la fuite des entreprises

L'objection est inévitable dès lors que le SLAM a l'ambition de se présenter comme une mesure susceptible d'être mise en œuvre unilatéralement, hors de toute coordination internationale, c'est-à-dire avant que les poules aient des dents... Au nombre des problèmes que rencontre « le SLAM dans un seul pays », il y a bien sûr la possibilité des stratégies d'évasion des firmes. On en compte principalement trois : 1) la fuite « involontaire » sous l'effet d'une OPA par un acquéreur étranger ; 2) les délocalisations ; 3) le transfert du siège et la cotation sur une place étrangère.

Le risque d'OPA

Y a-t-il un risque ? Oui. Est-il fatal ? Non.

Il y a un risque objectif car, le SLAM limitant la rentabilité actionnariale, il pourrait avoir pour effet de déprimer les cours des entreprises françaises cotées, donc de les rendre plus facilement « opéables ». En cas d'acquisition par une firme étrangère, la firme française reste une entité de droit français mais devient filiale. Le SLAM peut continuer de s'appliquer à la relation actionnariale entre la filiale et la mère. La base taxable intégrerait tous les transferts financiers de l'une à l'autre. En effet la mère fait remonter le cash des filiales, d'une part sous la forme de dividendes, d'autre part en jouant sur les prix de cession internes. Pour ce dernier élément, il est possible de fixer une norme et de faire entrer dans la base taxable SLAM tous les écarts entre cette norme et les prix de cession internes effectivement pratiqués. Ainsi, sous SLAM, la filiale cesse d'être un investissement financier intéressant pour un acquéreur étranger puisque la rentabilité qu'il en tirera sera limitée. Le SLAM a donc, certes, pour effet de rendre les OPA plus probables par un effet de baisse des cours... mais il a aussi pour effet de les rendre moins intéressantes financièrement !

Il serait toutefois possible d'objecter que des OPA pourraient être envisagées par des acquéreurs étrangers non plus dans une logique financière mais dans une logique de captation industrielle : pour faire main basse sur un portefeuille de brevets, un portefeuille de clients ou d'abonnés, un certain nombre de technologies, et tirer ainsi bénéfice de complémentarités techniques, commerciales ou industrielles. Il ne faut pas s'exagérer ce risque : les entreprises étrangères, elles, ne sont pas sous SLAM, elles ne doivent donc opérer que des acquisitions susceptibles de dégager une rentabilité suffisante aux yeux de leurs actionnaires... quels que soient leurs bénéfices technologiques ou industriels. Mais le risque n'est pas nul. Si, pourtant, des acquéreurs étrangers décidaient malgré tout de « se payer » une entreprise française, en dépit de sa rentabilité financière limitée, on pourrait lui opposer la défense du « fonds anti-OPA » (voir *infra*, « Que faire des recettes fiscales du SLAM ? »).

LES DÉLOCALISATIONS

Comme l'argument des « délocalisations » vient très vite, autant le prendre de front. En commençant tout de même par rappeler que c'est la pression à la rentabilité sans fin qui est le premier moteur des délocalisations ! Allégeant cette pression, le SLAM devrait plutôt être envisagé favorablement sous ce rapport...

Deux cas doivent être distingués. 1) Les établissements non délocalisables, ou à avantage compétitif « localisé », parce qu'ils s'insèrent dans un environnement local favorable : proximité de centres de recherche, liens de collaboration interentreprises, main-d'œuvre spécialement qualifiée, etc. Par construction, ces établissements-là sont armés pour résister aux délocalisations. 2) Les établissements potentiellement délocalisables. Avec ou sans SLAM, c'est du pareil au même : s'il y a SLAM et que l'entreprise développe une stratégie active d'évasion, il y aura délocalisation. Mais sans SLAM ç'aurait été la même chose, en vertu du principe selon lequel, sous contrainte actionnariale, tout ce qui est potentiellement délocalisable finira effectivement délocalisé. Le SLAM devrait donc être, au minimum, neutre par rapport au problème des délocalisations : entre, d'une part, le surplus de délocalisations opérées par des firmes pratiquant une stratégie d'évasion et, d'autre part, la baisse du nombre de délocalisations de la part d'entreprises soulagées d'exigences de rentabilité infernales, la balance pourrait même se révéler avantageuse.

Transfert du siège et « relistage »
sur une place étrangère

Ce risque existe. Mais on peut le combattre en plaidant que le capital industriel lui-même a un intérêt au SLAM. En effet, la contrainte actionnariale, en n'exigeant de lui que des investissements passant une barre de rentabilité en constant relèvement et en censurant tous ceux qui ne la passent pas, bride considérablement son développement. Les patrons sont bien placés pour savoir que la contrainte actionnariale est un fléau : outre qu'elle limite leur propension au développement, elle les soumet à des contraintes absurdes, comme le *reporting* trimestriel. C'est la concurrence des entreprises pour la faveur des actionnaires qui les a amenées à faire de la surenchère dans l'adoption des comportements « actionnarialement corrects », et notamment à accepter de se soumettre à cette contrainte aberrante de l'annonce de résultats trimestriels. Rappelons que c'est parce qu'il était en lutte contre la BNP, dans un combat d'OPA hostiles, que Daniel Bouton, président de la Société Générale, cherchant par tous les moyens à gagner le soutien des actionnaires, et notamment des fonds de pension anglo-saxons qui allaient être l'arbitre de la confrontation, a eu la riche idée de faire assaut de *shareholder correctness* en proposant, pour la première fois dans le capitalisme français, d'annoncer des résultats trimestriels. Même Michel Pébereau, son opposant, qui ne passe pas précisément pour un dangereux révolutionnaire ni pour un critique patenté du capitalisme financiarisé, a publiquement reconnu que ce *reporting* trimestriel était un non-sens eu égard aux temporalités réelles des entreprises... avant de se soumettre à son tour à la contrainte, puisqu'il ne pouvait pas laisser son adversaire le distancer sur ce terrain de la danse du ventre devant les investisseurs institutionnels – une illustration supplémentaire des « vertus » de la concurrence, qui fait courir tout le monde vers le fossé.

Le SLAM a le bon goût – du point de vue même du capital industriel ! – de libérer les entreprises de ces contraintes antiéconomiques que lui impose le capital actionnarial. S'il a des avantages objectifs pour le capital industriel, encore faut-il que le capitaliste industriel s'en aperçoive pour se convaincre de l'inanité des stratégies d'évasion. Pour ce faire, il est urgent de désintoxiquer les patrons de leur identité actionnariale, celle qui leur a été constituée à coup de stock-options et qui les conduit à se comporter selon des logiques de plus en plus financières-actionnariales et de moins en moins industrielles. Or, on l'a vu, les choses sont bien faites, et le SLAM se propose de lui-même de débarrasser les patrons d'entreprise de leurs oripeaux actionnariaux et de les ramener à leur identité première en ratiboisant leurs stock-options, elles aussi (voir *supra*, « Dans le collimateur du SLAM : les stock-options »). Ramenées à une rentabilité totale de quelques pourcents, elles cesseront de les inciter à des contorsions tout entières faites pour complaire aux actionnaires – et parmi ces derniers à eux-mêmes. Le SLAM tue les stock-options et avec elles le biais actionnarial de la conduite des entreprises. Réalisant que, *protégées par le SLAM*, elles n'ont plus à se mettre en quatre pour sortir des rentabilités toujours plus hautes et toujours plus courtes (au sens du court terme), les entreprises pourront recommencer à penser long terme, développement et investissement… et faire le constat objectif qu'elles n'ont aucun intérêt à tenter de se soustraire à un dispositif qui leur rend de la marge de manœuvre bien plus qu'il ne leur impose de nouvelles contraintes.

SLAM et private equity

Faut-il soumettre au SLAM les fonds d'investissement (*private equity*) ? Et comment ! Ne pas le faire exposerait des entreprises cotées, dont les cours pourraient baisser en raison du SLAM, à devenir des proies faciles pour des fonds de *private equity*. Non seulement ces fonds reproduisent la logique actionnariale, quoique hors cote, mais ils la poussent à des niveaux proprement hallucinants, la rentabilité des opérations de LBO (Leveraged Buy Out) pouvant couramment dépasser les 30 à 40 % – on en connaît certaines qui ont carrément craché du... 100 %. Comme on sait, ces opérations, financées par de forts endettements, ont pour caractéristique de se payer « sur la bête » puisque l'entreprise est pressurée pour dégager les cash-flows nécessaires au service de la dette... du fonds qui l'a rachetée !

La base taxable SLAM doit, en conséquence, être un peu modifiée par rapport au cas standard d'une entreprise cotée. Elle doit notamment intégrer : 1) les dividendes, 2) *les cash-flows détournés pour le service de la dette d'acquisition*, et bien sûr 3) la plus-value de débouclage du LBO. Voilà qui devrait sensiblement calmer l'agressivité des fonds de *private equity*...

Que faire des recettes fiscales du SLAM ?
Un fonds public de participations anti-OPA !

Le SLAM n'est pas un instrument de politique fiscale... mais il rapportera tout de même quelques recettes ! Qu'en faire ? Il faut bien avoir conscience que le SLAM comme impôt ne fournira pas des recettes récurrentes. À terme, les rémunérations actionnariales s'ajusteront au voisinage du plafond et les recettes de SLAM deviendront tendanciellement nulles. On ne pourra donc compter sur elles pour financer des dépenses reconductibles. En revanche, elles fourniront un stock à employer une fois pour toutes. On pourrait alors envisager d'utiliser ces recettes pour abonder un fonds public de participations qui aurait pour vocation de sécuriser le capital des entreprises françaises cotées les plus exposées à un risque d'OPA étrangère en raison de la structure de leur capital (part importante de « flottant », absence d'alliances capitalistiques protectrices, etc.), et à plus forte raison sous l'effet du SLAM, qui aura pour conséquence possible de déprimer leurs cours. Ce fonds prendrait des participations dans celles des entreprises qui sont le plus vulnérables à un risque d'OPA. Cette prise de participation n'aurait pas nécessairement pour objectif l'acquisition d'un contrôle sur la gestion – d'une prise de pouvoir de l'actionnaire public – mais celle d'une sécurisation du capital. D'une manière générale, la puissance publique – SLAM ou pas SLAM, d'ailleurs – devrait encourager des formes de coordination capitalistique inter-entreprises, par exemple au travers de la reconstitution d'un réseau de participations croisées. Le point névralgique du pouvoir actionnarial est précisément là : le capital actionnarial tient les entreprises en subordination par la menace de débarquement des équipes managériales exposées à un risque d'OPA. Renforcer le contrôle capitalistique, sécuriser la propriété du capital, c'est rendre caduque la menace de l'OPA et priver le capital actionnarial de son plus puissant instrument de coercition des entreprises[1].

Sous ce rapport, le SLAM a le bon goût de régler ses propres problèmes. S'il est vrai qu'il pourrait augmenter le risque d'OPA, quoique de manière en fait limitée (voir *supra*, « L'objection de la fuite des entreprises »), il se pro-

---

1. À propos de l'importance stratégique de cette problématique du contrôle capitalistique, voir Frédéric Lordon, *Et la vertu sauvera le monde...*, *op. cit.*, chapitre 1.

pose d'y remédier lui-même en abondant par ses recettes fiscales un fonds public de sécurisation du capital des entreprises cotées, un fonds anti-OPA en quelque sorte.

La portée réelle du SLAM : bien au-delà du CAC40 ou du SBF120

Une objection fréquemment entendue suggère que, le SLAM ne s'appliquant qu'aux entreprises cotées, il n'aurait pas d'effet au-delà des limites du CAC40 ou du SBF120 et ne modifierait donc pas la situation de l'immense part de la population des entreprises. Cette objection est inexacte. Le système industriel (au sens large) est hiérarchisé : du groupe de « tête », formé par les entreprises cotées directement exposées à la contrainte actionnariale, « diffusent » des contraintes qui se propagent dans tout le tissu industriel et affectent un très grand nombre d'entreprises, même non cotées (voir *supra*, chapitre 4). Cette diffusion s'opère en effet le long des chaînes de sous-traitance et ce sont les contraintes de la concurrence qui prennent le relais de la contrainte proprement actionnariale. Soumises à d'intenses injonctions actionnariales de dégagement de rentabilité, les grandes entreprises en externalisent la charge sur leurs sous-traitants, sommés de réduire continûment leurs coûts. La concurrence entre les sous-traitants est suffisamment intense pour donner aux donneurs d'ordres un moyen de pression d'une grande efficacité. Bien que situées parfois très loin des remous de la finance actionnariale internationale, des fonds de pension anglo-saxons et des investisseurs institutionnels, les PME sont affectées indirectement, mais pas moins violemment, par l'impératif de rentabilité qui frappe le système industriel hiérarchisé à sa tête… pour se trouver répercuté en cascade tout le long de sa structure hiérarchique. C'est la contrainte de concurrence qui garantit à cette répercussion en cascade de se faire sans perte en ligne ou presque, de sorte que les entreprises non cotées « reprennent » toutes les tensions de rentabilité nées au niveau des entreprises cotées. En limitant la contrainte de rentabilité actionnariale, le SLAM a donc des effets bien au-delà du (petit) sous-ensemble des entreprises cotées, en vertu de la logique qui veut que soulager la pression action-nariale « en haut » conduise à soulager la pression sur les coûts « de haut en bas ».

CHAPITRE 6

La « menace protectionniste », ce concept vide de sens

La contrainte actionnariale est déjà assez nocive comme ça, mais sa toxicité est portée à un degré extrême par l'interaction qu'elle entretient avec la contrainte concurrentielle, laquelle s'offre à en élever les pires effets à un degré inouï d'intensité. Parce qu'il est assimilé au monde général de la finance, le capital actionnarial n'a pas le vent en poupe, non seulement dans l'opinion – cela est vrai depuis longtemps déjà –, mais jusque dans les sphères de la parole autorisée où, çà et là, se font entendre, oui !, des commencements de critique, certes sans intention aucune de joindre le geste à la parole, mais des critiques tout de même. Autrement résistant en revanche se révèle le bloc de la concurrence, abrité non seulement par la dureté juridique des traités européens, mais surtout par la muraille idéologique du « protectionnisme ». Car il est désormais tenu pour une évidence première qu'objecter si peu que ce soit à la concurrence libre et non faussée, celle de l'Union européenne, mais aussi de ses prolongements extraeuropéens par OMC interposée, c'est être « protectionniste » – par conséquent une figure du Mal. La domesticité médiatique n'a pas hésité à plonger avec délice dans la rhétorique sarkozyste des « tabous à renverser ». Il faut cependant noter qu'elle a le délice sélectif car elle réserve la bousculade des tabous à certaines questions seulement – entre autres et au hasard, la retraite par répartition, le statut et l'emploi publics, l'indemnisation des chômeurs, etc. – mais se ferait couper en morceaux plutôt que de laisser effleurer certains autres. L'avalanche est trop abondante pour faire l'inventaire des cris d'hystérie médiatiques chaque fois qu'il est question de « ça », le mot sortant de la bouche des intervieweurs avant même que l'infortuné interviewé ait eu le temps d'en articuler la première syllabe, et toujours sur le mode du « vous n'êtes tout de même pas…, vous ne plaidez tout de même pas pour…, vous ne proposez tout de même pas que… ». Les moins épais des éditorialistes français qui avaient trouvé la ressource de se moquer de l'« axe du Mal » de George Bush ont donc le leur, bien planté, et n'en ont pas le commencement du premier degré de conscience. *« Strauss-Kahn craint le retour du protectionnisme[1] », « menaces protectionnistes[2] », « protégeons-nous du protectionnisme[3] », « la situation comporte deux risques majeurs : des troubles sociaux et le protectionnisme[4] ».* Entre logorrhée et franche panique, on dirait une attaque de gastro. Et plus ils le disent moins ils savent de quoi ils parlent. Évidemment pour s'en apercevoir il leur faudrait prendre le temps de réfléchir un peu au sens des mots – et surtout de suspendre, si c'est possible, le réflexe spasmodique qui fait dire immédiatement « guerre », « xénophobie » et « repli sur soi », parfois même un peu baver au coin des lèvres.

---

1. Nouvelobs.com, 13 février 2009.
2. Leparisien.fr, 11 février 2009.
3. *Courrier international*, 2 février 2009.
4. Christine Lagarde à Davos, 31 janvier 2009.

La question du « protectionnisme », cas d'école du débat absurde

Il y a pourtant bien des manières de discuter du commerce international, et notamment celle de la macroéconomie, qui en envisage différentes configurations, évalue leurs mérites respectifs, leurs contributions à la croissance ou aux inégalités, etc. Cette discussion en soi a toute sa valeur, mais il n'est pas certain qu'elle traite comme elle le croit de la question du « protectionnisme ». Car la grande question préjudicielle est bien celle-ci : y a-t-il quelque chose comme une question du « protectionnisme » ?...

LA CONCURRENCE NON DISTORDUE...
AU MILIEU DES PIRES DISTORSIONS

Il faut y regarder à deux fois, et surtout faire l'effort de se déprendre des catégories les plus (faussement) évidentes par le truchement desquelles s'opère la construction du débat public, pour apercevoir combien ses problématisations peuvent être parfois fragiles, voire purement et simplement dénuées de sens. Or c'est très clairement le cas de la question du « protectionnisme », de même que de celle, connexe, de la « concurrence non distordue », qui réussissent cette performance de donner lieu à des flots de commentaires sur des mots d'une parfaite absurdité. Redouter le « retour du protectionnisme » n'a en effet de sens que si nous estimons vivre dans une situation de non-protectionnisme. Dans le sabir communautaire international, le non-protectionnisme a pour nom « *level playing field* », soit « terrain de jeux aplani », en d'autres termes : absence de toute aspérité et de toute dénivellation qui perturberaient le parfait plain-pied où l'on veut jeter les compétiteurs. Mais ce non-protectionnisme existe-t-il ? Et même : pourrait-il jamais exister autrement qu'en fantasme ? À quelques malhonnêtes entorses près, sans cesse corrigées par les bienveillantes autorités de la Commission, la concurrence non distordue règne, nous dit-on, en Europe. Concurrence non distordue, vraiment, avec l'Estonie ou la Macédoine, qui fixent à zéro leur impôt sur les sociétés[1] ? Avec la Roumanie, où les employés de Renault-Dacia payés 300 euros par mois sont une sorte d'élite salariale ? Avec la Pologne, qui refuse toute réglementation environnementale – et les coûts qui l'accompagnent ? Avec le Royaume-Uni, qui dévalue subrepticement sa monnaie de 30 % contre l'euro et d'un claquement de doigts diminue d'autant ses prix d'export ? Avec le Luxembourg, dont la transparence bancaire fait paraître limpide une flaque de pétrole ? Concurrence non distordue sans doute également avec la Chine, et aussi avec le Vietnam, bien connu pour la générosité de sa protection sociale, ou pourquoi pas avec la Birmanie, puisque BK Conseil nous certifie que le travail forcé y est une légende.

Tel est donc le tragique contresens de l'« antiprotectionnisme », qui s'obstine à créer les conditions *formelles* du marché en oubliant systématiquement toutes les protections structurelles qui rendent dès le départ l'échange inégal. Pour que le « non-protectionnisme » ait un sens, il faudrait ajouter aux règles du libre-échange *l'hypothèse de parfaite identité structurelle des systèmes socioproductifs mis en concurrence...* Or cette hypothèse est évidemment délirante. Fiscalité, protection sociale, niveaux de vie, réglementation environnementale, taux de change, droit du travail, tolérance sociale aux inégalités, préférence politique pour les coûts collectifs de services publics : les économies sont différentes en *tout*. Et dès lors que le regard cesse d'être obnubilé par les seules règles *de marché*, il apparaît que les structures *socioproductives*, en tant qu'elles sont irré-

---

1. Pour les bénéfices réinvestis.

ductiblement hétérogènes, sont des distorsions « acquises », qui plus est de long terme, qui rendent proprement chimérique un projet conséquent de *level playing field*. Le « non-protectionnisme » n'existe pas autrement qu'en fantasme, car, à part le délire de l'économie-un-seul-monde définitivement homogénéisée, toutes les différences restent autant de distorsions, c'est-à-dire, pour certains, de protections *de fait*. Ceux qui tirent leur fiscalité vers le bas, ceux qui ne veulent ni des coûts de la protection sociale ni des coûts de la protection environnementale, ceux qui manipulent leur change, ceux dont le droit du travail autorise toutes les pressions salariales, tous ceux-là sont à l'abri de formidables barrières et n'ont nul besoin de droits de douane ou d'obstacles non tarifaires pour s'ébattre et prospérer dans le commerce international libéralisé. Le monde *différencié*, le nôtre pour longtemps encore, est *par conséquent* – à savoir : *en tant qu'il est différencié* – protectionniste ! N'est-il pas absurde alors de hurler à la « menace protectionniste » dans un monde qui l'est nécessairement ? À moins, focalisant jusqu'à l'hystérie le regard sur certaines protections, que ce soit pour mieux faire oublier les autres.

La concurrence non distordue, c'est le protectionnisme !

On voudrait croire qu'il n'y a parmi les enragés de la « concurrence libre et non distordue » que des cyniques – pour qui le *level playing field* n'est que l'instrument rhétorique et pratique d'un rebasculement du rapport de force entre le capital et le travail par régime du commerce international interposé. Au moins ceux-ci ont-ils les idées au clair et ne se racontent-ils pas d'histoires. Mais il y a, dans ces rangs, bien plus encore d'ahuris qui croient vraiment à ce qu'ils disent et persistent à ne pas voir que leur célébration de la concurrence non distordue *dans les marchés* a pour effet de faire jouer de la pire des manières – la plus déniée et la plus destructrice – la concurrence très distordue *par les structures*. Par un paradoxe que jamais semble-t-il les amis des Grands Marchés de toutes sortes ne parviendront à saisir, la concurrence non distordue se révèle donc être le parfait complément du protectionnisme des structures. Et puisque organiser la seule concurrence par les règles de marché, c'est feindre d'ignorer les effets de protection (ou de vulnérabilité) des structures pour les laisser jouer plus violemment, on pourrait même dire en un raccourci bien fondé que *la « concurrence non distordue[1] », c'est le protectionnisme* ! Car il n'y a pas moyen plus efficace de maximiser la brutalité des rencontres compétitives entre des entités appartenant à des environnements structurels hétérogènes que de les plonger dans le *faux level playing field* des marchés grands ouverts. On peut alors donner au raccourci précédent sa formulation plus précise : *la concurrence des marchés, c'est le protectionnisme (dénié) des structures.*

Pareils aux scolastiques qui disputaient de la nature substantielle de la Sainte Trinité, les horrifiés du protectionnisme font un motif de scandale d'un problème qui n'a pas de sens, puisque la « menace » ainsi brandie est déjà trivialement dans les faits, quoique systématiquement occultée. C'est pourquoi l'alternative de la concurrence non faussée et du protectionnisme n'a pas plus de valeur que celle de l'unité ou de la tripartition des êtres célestes, et que le concept de « protectionnisme » est simplement absurde dès lors qu'il est envisagé comme alternative à autre chose qui serait pur de toute distorsion. Nous vivons dans le monde de la différence, donc de la distorsion de fait, c'est-à-dire dans un monde – eh oui, c'est un aveu difficile qu'il leur faudra consentir – *protectionniste*. La concurrence entre des

---

1. Au sens des traités européens.

entités qui ne sont pas strictement identiques est immédiatement faussée par leurs différences mêmes – d'où résulte que le concept de concurrence non faussée est une parfaite ineptie. Et celui de protectionnisme avec, du même coup.

UNE POLITIQUE DES DISTORSIONS NÉGOCIÉES
POUR UN MONDE DE FAIT PROTECTIONNISTE

Si donc nous vivons dans un monde *de fait protectionniste* et voué à le rester – hormis le fantasme de la Grande Homogénéisation du monde –, il faut prendre son parti de l'inanité de la discussion qui s'obstine à opposer le protectionnisme aux bienfaits du « libre marché », et se rendre à l'idée que le problème est tout entier plongé dans le registre du protectionnisme lui-même, qu'il n'en sortira pas, et qu'il n'y a dès lors plus qu'à choisir entre ses différents degrés et ses différentes formes – débat pour le coup plein de sens puisque à ce moment seront mises sur la table *toutes* les sortes d'hétérogénéités, de différences, de protections et d'inégalités entre lesquelles il faudra nécessairement passer des compromis – en d'autres termes, envisager de *corriger des distorsions par des distorsions contraires (et compensatrices)*. Évidemment il s'agit là d'une révolution copernicienne qui sera également refusée par les cyniques et par les ahuris, quoique pour des raisons fort différentes. Et pourtant il faudra bien s'y faire : si, du fait des différences de structures, c'est la non-distorsion qui est l'inégalité, alors c'est l'égalité qui appelle la distorsion. Si *Organisation* mondiale du commerce a un sens, autre que celui, dévoyé, de « promotion du libre-échange », c'est bien que, littéralement parlant, le commerce international nécessite d'être *organisé* pour que les distorsions correctrices soient instituées sur des bases stabilisées par la négociation, plutôt qu'aspirées par la spirale divergente des impositions unilatérales et des représailles qui s'ensuivent.

Or c'est là un objectif en soi très atteignable, et on ne voit pas quelle objection de principe, ou de pratique, pourrait lui être opposée, en tout cas certainement pas celle des « antiprotectionnistes », qui soutiennent qu'il n'est pas d'autre base de négociation possible que l'arasement libre-échangiste, et que toute distorsion fait nécessairement tomber dans la spirale des représailles hors de contrôle. Car, contrairement à ce que ceux-ci imaginent, l'actuelle OMC ne fait finalement pas autre chose que stabiliser une certaine configuration de distorsions ! – mais des distorsions structurelles recouvertes par le *level playing field* commercial. Négocier des distorsions stabilisées n'a donc rien d'une chimère puisque c'est l'ordinaire de son activité ! À ceci près toutefois que ce sont les distorsions les plus problématiques qui sont stabilisées, et de la pire des manières : sans le dire et sans avoir été posées ni reconnues comme telles. À l'inverse de ceux qui, confondant, par bêtise ou par intérêt, liberté et anarchie, voient toute *réelle* organisation – comprendre : toute organisation d'autre chose que du chaos *level playing field* – comme un très grand malheur, il faut donc rappeler qu'organiser la coexistence de différences est l'objet d'une *politique*. Et qu'en cette matière les plus conscientes d'elles-mêmes sont toujours les meilleures.

La pensée de la crémaillère

Il y a peut-être plus stupide encore dans la mise en forme présente du débat sur le protectionnisme, notamment ce schème antinomique dont il ne parvient pas à sortir : soit l'ouverture à tous les vents de la concurrence mondiale, soit la Corée du Nord. La finesse du raisonnement étonne, mais sans laisser voir la principale caractéristique de la pensée concurrentialiste : elle est à crémaillère. Comme ces petits trains qui pour monter poussivement des pentes très raides comptent sur une roue dentée engrenée sur un rail central afin de bloquer tout recul, la pensée concurrentialiste ne veut jamais redescendre, fût-ce d'un pouce. Toute avancée de la concurrence est aussitôt transformée en acquis en deçà duquel commence le « protectionnisme ». Ainsi indexé, le « protectionnisme » devient une notion continûment évolutive dont le plancher est en constant relèvement. Heureusement pour leur santé mentale, les amis de la mondialisation ne se rendent pas compte qu'avec l'écart d'un peu de temps ils pourraient se faire à eux-mêmes un procès en « protectionnisme », puisque les personnes qu'ils étaient il y a quelques années et qui se satisfaisaient du degré de déréglementation de l'époque leur apparaîtraient, ramenées dans le présent, comme d'épouvantables suppôts du nationalisme de forteresse.

Serait-il possible dans ces conditions de les transporter par la pensée quarante ans en arrière et d'obtenir d'eux qu'ils ouvrissent les yeux sur un temps où nul ne parlait de protectionnisme, où la déréglementation des échanges internationaux n'avait cependant aucune commune mesure avec celle d'aujourd'hui... et où pourtant les économies – l'économie française en tout cas – croissaient à 5 % l'an, rivées au plein-emploi ? Comme elle a curieuse allure, l'identité proclamée du « protectionnisme » et de la « guerre », à propos d'une époque que l'« effet de crémaillère » appliqué rétrospectivement fait indiscutablement apparaître comme un enfer de nationalisme économique. Et pourtant : pas plus de guerre mondiale que de Grande Dépression... À supposer qu'ils ne fassent pas une attaque d'être exposés à pareille cruauté mentale, ils rétorqueraient sans doute : « Et le développement des nouveaux pays industrialisés ?! » C'est en général la singulière logique de ceux qui, n'ayant rien à craindre et tout à gagner de l'ouverture maximale, se permettent de faire aux autres la leçon d'altruisme – d'un altruisme dont eux-mêmes sont parfaitement dispensés – par cet argument bizarre qu'un État devrait avoir pour souci directeur non pas le bien-être de sa population mais celui des populations d'à côté. Quel objectif le gouvernement français, par exemple, devrait-il poursuivre ? L'amélioration des conditions de vie du salariat chinois, c'est évident. Que la note du développement chinois soit parfois payée par les ouvriers français, voilà bien le genre de sordide détail que leurs altesses du libre-échange, généralement retranchées dans d'inamovibles positions qui les tiennent à l'abri de tout, écartent avec cette moue un peu dégoûtée qu'on réserve aux êtres jugés moralement inférieurs – car donner son poste à un plan social ou à une délocalisation qui fera, là-bas, embaucher quelques travailleurs du bout du monde, c'est un geste élémentaire de solidarité qu'il faudrait être une bête pour ne pas consentir.

La croissance par le libre-échange : rêvée ou réelle ?

Toute considération morale mise à part, encore faudrait-il poser la question plus factuelle de la contribution réelle, plutôt que supposée, de la grande ouverture des échanges au développement des pays nouvellement industrialisés. L'exclusivité de l'argument, seul opposé à toutes les critiques des excès du concurrentialisme, et la constance avec laquelle aura été répétée la thèse séculaire du libre-échange-qui-fait-la-croissance jouent gros sur cette affaire, à proportion de ce qu'elles y ont misé. Que resterait-il de cet immense effort de promotion idéologique quand les dégâts du *level playing field* mondial seraient difficilement contestables dans les pays à modèle socioproductif ambitieux (et coûteux), et que rien ne pourrait être mis en face, ou trop peu, du côté de la croissance des supposés bénéficiaires de l'ouverture ? L'heure des bilans est toujours un moment délicat, même pour les entreprises doctrinales les plus endurcies et les plus décidées à la cécité volontaire. Et puis on n'est jamais trahi que par les siens : voilà qu'au sein même de la Banque mondiale, peu connue pour ses tendances spontanées à l'altermondialisme, l'heure des grandes révisions a sonné. Jacques Sapir rappelle ainsi que, à l'encontre des prévisions radieuses dont l'OMC avait habillé son agenda, comme chaque fois les organisations les plus dévouées à la libéralisation lorsqu'elles se proposent de franchir une « nouvelle étape », les évaluations des effets de ses préconisations ont dû être singulièrement revues à la baisse[1]. Sous les vivats des déréglementateurs début de siècle, le modèle LINKAGE de la Banque mondiale en 2003 n'avait pas hésité à chiffrer à 539 milliards de dollars les gains pour les pays en développement du passage aux règles de l'OMC. Las, la version révisée de 2005 n'en donne plus que 90 milliards – ce qui, par parenthèse, n'a pas arrêté une seconde le mouvement affirmatif de l'OMC. Et là où LINKAGE 2005 avait déjà divisé sa prévision initiale par 5, le modèle GTAP, lui, ne voyait plus que 22 milliards de dollars de gains de production. L'estimation par GTAP des effets du cycle de Doha livre des résultats encore plus misérables : 4 milliards de dollars, c'est-à-dire rien, et en fait même beaucoup de négatif si l'on considère que Chine et Inde, incluses dans le groupe « pays en développement », raflent à elles deux des gains qui excèdent le total des bénéfices estimés… laissant donc des pertes pour tous les autres[2]. L'invocation des modélisations économétriques est trop exposée au risque de

---

1. Jacques Sapir, « Le protectionnisme et le contrôle des changes conduisent-ils à la guerre ? Leçons des années 1930 pour comprendre la crise actuelle », document de travail CEMI, EHESS.

2. Voir Jacques Sapir, « Libre-échange, croissance et développement : quelques mythes de l'économie vulgaire », *La Revue du MAUSS*, n° 30, 2007, p. 151-171 ; Mark Weisbrot, David Rosnick et Dean Baker, « Poor numbers : the impact of trade liberalization on world poverty », *CEPR Briefing Paper*, 18 novembre 2004.

fonctionner comme boîte noire et argument d'autorité pour qu'on en use sur un mode catégorique et définitif – il faudrait oser présenter à l'opinion, celle à qui on assène ces résultats comme s'ils étaient des verdicts de la Science en majesté, les coulisses de la modélisation, et comment on y « aide » les équations à dire ce que depuis le début on voulait leur faire dire[1]. Mais, précisément, la réserve vaut dans les deux sens. Et les organisations internationales, elles, ne s'embarrassent pas de précautions méthodologiques pour lâcher à grand son de trompe des résultats mirifiques présentés comme des certitudes de la mécanique céleste.

Un élément, surtout quand il est aussi fragile, ne fait pas une conviction, mais l'accumulation des indices, elle, devrait normalement avoir le pouvoir d'ébranler des certitudes aussi mal assurées. Dani Rodrik, par exemple, porte quelques sérieux coups au gospel de la mondialisation et de la « croissance par le libre-échange » en faisant observer que, finalement, la croissance de l'économie mondiale aura été beaucoup plus vive entre 1950 et 1973 – les années « nord-coréennes » – qu'à partir de 1990, pourtant franchi le seuil de la hourra-mondialisation. Pis encore, il apparaît que les pays généralement cités à l'appui des thèses concurrentialistes de l'ouverture sans restriction, le Japon et la Corée du Sud hier, aujourd'hui la Chine, l'Inde, le Vietnam..., sont précisément ceux qui ont le moins joué le jeu idiot du *level playing field* et ont pris bien soin de laisser à d'autres les consensus de Washington et autres programmes clés en main aimablement fournis par les organisations internationales, Banque mondiale, FMI et autres GATT/OMC[2].

---

1. Il se trouve que l'auteur, qui n'est pas économètre lui-même, a eu fortuitement l'occasion de jeter un œil sur ces coulisses et en a été bien édifié.

2. Dani Rodrik, *Nations et mondialisation. Les stratégies nationales de développement dans un monde globalisé*, La Découverte, 2008.

Déjà ténus – quand ils existent vraiment ! – en période de croissance générale, les bénéfices de l'ouverture concurrentialiste se transforment en un redoutable piège au moment où l'économie mondiale se retourne. De ce point de vue, la crise présente promet de fonctionner comme un crible d'une redoutable brutalité, et les désignés de la dégringolade sont déjà connus : les pays les plus engagés dans le libre-échange de la mondialisation seront les plus touchés. Parmi les grands pays industrialisés, le Japon et surtout l'Allemagne, qui s'est distinguée par la déflation salariale compétitive qu'elle s'est imposée, voient leur croissance connaître les plongées les plus spectaculaires au quatrième trimestre 2008, le premier de la récession franche : – 13 % et – 8 % respectivement en taux annualisé. Et, bien sûr, plus la dépendance au commerce international est allée loin, plus les dégâts de la récession s'annoncent sévères. Taiwan, dont les exportations font 60 % du PIB, s'attend à une décroissance de 11 % pour 2009, Singapour de 17 %[1]. *The Economist*, qui rapporte ces données et ne perd pas toute honnêteté dans la déconfiture, doit bien constater que, par contraste, les économies les plus modérément ouvertes sont celles qui s'en tireront le mieux : ouverte à 15 %[2], l'économie indienne s'attend à un taux de croissance de 7,1 % pour l'année échéant en avril 2009 ; le Brésil, qui figure parmi les pays les moins dépendants du commerce mondial, avec un taux d'ouverture de 12,3 %[3], a continué de croître au dernier trimestre 2008 et envisage 1,5 à 2 % de croissance pour 2009 – évidemment à la condition de ne

---

1. « Turning their backs on the world », *The Economist*, 21 février 2009.

2. Ceci signifiant que le ratio exportations sur PIB est de 15 %.

3. Pour l'année 2006 et pour la définition du taux d'ouverture comme moyenne des exportations et des importations ramenée au PIB ; *World in Figures*, The Economist Edition, 2006.

pas avoir été rattrapé entre-temps par de possibles tornades financières ou monétaires.

Le plus drôle est que l'hebdomadaire si ardemment engagé dans le combat idéologique de la mondialisation libérale doit en venir à énoncer lui-même des questions que sans doute il n'aurait jamais pensé poser il y a encore quelques mois, et le voilà donc qui s'interroge, passablement abasourdi : « *Est-il possible qu'on soit trop dépendant du commerce international*[1] *?* » Moment de bascule et de pur vertige : une « possibilité » jamais envisagée vient de faire irruption dans un entendement qui l'avait exclue dès le début. « Est-il possible que la terre ne soit pas le centre de l'univers ? », « Est-il possible que les femmes aient une âme ? », « Les Noirs ne sont tout de même pas nos égaux, non ? Si ? ». Le premier ébranlement est fatal, et sitôt effleurée la possibilité jadis impossible les questions les plus inouïes s'ensuivent. Par exemple : « *Jusqu'où devrait-on libéraliser les banques*[2] *?* » « Jusqu'où ? »... C'était pourtant la question absurde par excellence il y a peu, puisque la réponse était toujours nécessairement « jusqu'au bout » : déréglementer jusqu'au bout, ne laisser subsister aucune barrière, aucune « distorsion », flexibiliser jusqu'au bout, n'épargner aucune « rigidité », aucune protection, privatiser jusqu'au bout, de la propriété publique il ne doit rien rester. Et voilà que, pour la première fois depuis des décennies, *The Economist* cale : peut-être « jusqu'au bout » est-il « un peu trop », peut-être serait-il raisonnable de s'arrêter en chemin. Peut-être est-il un peu tard, d'ailleurs, pour y penser et s'aviser que le maximalisme de la déréglementation dont on n'avait pas voulu voir les dégâts à bas bruit, ceux de la croissance payée en inégalités et en régressions salariales,

---

1. « Turning their backs on the world », art. cité.
2. *Ibid.*

promet aujourd'hui de la ruine à grand spectacle. *The Economist* peut bien en appeler aux souvenirs de l'âge d'or – « *pendant des années les pays pauvres ont crû plus vite que les riches*[1] » –, c'est pour mieux faire oublier les promesses frelatées de la mondialisation concurrentialiste qui aura jeté ces pays dans des régimes de croissance parfaitement déséquilibrés, misant tout sur l'exportation et, par là, faisant l'impasse sur la constitution de leur marché intérieur. On peut penser que si, dans le registre du commerce international, cette crise a une vertu, ce sera de conduire ces pays à une grande réorientation et de les inciter à cheminer vers des modèles de croissance plus autocentrée – donc généralement plus stable. En attendant, ils souffriront des effets présents de l'effondrement du commerce international, dont certains économistes, d'ici à quelques années, viendront certainement affirmer qu'ils sont l'épouvantable conséquence de la « montée des protectionnismes » – la croissance de 20 % des échanges internationaux au premier semestre 2008 s'est quasiment annulée dès le début du second pour passer dans le rouge à partir du mois de septembre, dixit le FMI, et cela – on aimerait que les amis du concurrentialisme en prennent bonne note – sans que soit intervenue la moindre mesure protectionnniste.

Le nationalisme financier spontané du secteur privé

On doit cependant à la vérité de reconnaître qu'il y a bien un peu de protectionnisme dans les coins. Mais ce n'est nullement celui des États – demeurés les coupables ordinaires de tous les maux de la terre au moment où ledit

---

1. *Ibid.*

« marché » a produit l'une des plus gigantesques catastrophes de l'histoire du capitalisme. Pourtant ce protectionnisme rampant n'est pas le leur. Il est le *protectionnisme
spontané du secteur privé*. Le secteur bancaire est sans
doute le lieu où il se manifeste le plus vite. En témoigne
l'effondrement des crédits internationaux, non seulement en
volume, comme il est normalement attendu en situation de
credit crunch général, mais surtout en proportion du total
des nouveaux octrois. Il n'y a que chez les professionnels
du commentaire sans conséquence que le discours résiste
obstinément à toutes les rebuffades du réel ; les agents eux-
mêmes, pourtant guère avares de rationalisations idéologiques par beau temps, savent davantage ce qu'il en est et
n'ont aucun scrupule avec le principe de non-contradiction
lorsque la survie est en jeu. Aussi les banques n'ont-elles
pas tardé à tirer les conclusions pratiques de l'effondrement
général et, oubliés tous les plaidoyers pour le monde
ouvert, les voilà fuyant comme la peste la jadis belle aventure planétaire pour faire retour au plus vite aux sûretés de
leurs espaces nationaux respectifs. Il est vrai que les pays
émergents n'ont pas fait à moitié dans le *delirium* financier,
en cela bien aidés par les banques « développées » elles-
mêmes. Il faut d'ailleurs étendre la catégorie d'« émergent » pour en faire un fourre-tout dans lequel on trouvera
aussi bien l'Islande que la Hongrie, l'Ukraine ou les États
baltes. Et l'on découvre stupéfait l'énormité des engagements des banques de la zone euro dans des économies
centre-européennes, à l'image, par exemple, des banques
autrichiennes, prêteuses particulièrement exposées dans la
zone, spécialement en Hongrie, pour des encours atteignant
80 % du PIB autrichien, et qui sentent venir leur dernière
heure au moment où tout le système financier hongrois est
au bord de l'écroulement. Il faudrait un entêtement idéologique que des gens qui ont des capitaux dans la nature
n'ont pas les moyens de se permettre pour demeurer brave-

ment en Hongrie au nom des bienfaits de la mondialisation à maintenir et de l'exemple à donner. Sans surprise, un rapport de la Banque d'Angleterre fait apparaître au détour de statistiques ingrates le bond en arrière des engagements externes des banques opérant sur le territoire britannique entre la fin 2007 et 2008[1]. Et le mouvement de fuite est général : ruée des banques islandaises et irlandaises hors du territoire britannique, abandon précipité des pays baltes par les banques suédoises qui s'y étaient engagées pour des montants invraisemblables, etc.

Et voilà que ce sauve-qui-peut fait revenir le spectre, le spectre étatique-national, cette horreur, cet épouvantail, mais dont on redécouvre en catastrophe, après avoir tant voulu l'oublier, qu'il offre à ses résidents des sécurités juridiques, réglementaires, financières que toute la mondialisation heureuse ne fournira jamais en territoire étranger. Les banques islandaises savent de quoi elles parlent : le gouvernement de Londres n'a-t-il pas activé ses lois antiterroristes pour bloquer leurs avoirs dans les banques britanniques et tenter de venir en aide à ses ressortissants... dont les fonds déposés à Reykjavik étaient en train de s'évaporer sans retour ? – une insécurité en réponse à une autre, ou les joies de la mondialisation financière en période de crise. Non, l'espace de la finance mondialisée n'est pas la simple extension de l'espace financier national. Les plans de sauvetage aux frais du contribuable, les liquidités de la Banque centrale, la certitude de ne pas être abandonné du gouvernement, les garanties que donne le régulateur de dénouer les problèmes, c'est à la maison et à la maison seulement.

Il aura donc fallu un choc de cette ampleur pour enfin dessiller les ravis de la « terre plate », comme Thomas

---

1. Bank of England, *Monetary & Financial Statistics*, février 2009, vol. 13, tableau C.3.1, « External business of banks operating in the UK », p. T102.

Friedman, éditorialiste mondialisé du *New York Times*, qui, il y a quelques années encore, célébrait sous la figure de la terre aplatie le monde mondialisé[1], défait de toute aspérité et de toute barrière, l'équivalent pour touristes fortunés du *level playing field* rêvé de l'idéologie concurrentialiste, son monde à lui en fait, celui des *lounges* de classe affaires et de la téléphonie mobile quadribande, celui des hôtels internationaux pour publicité de CNN, celui d'une *jetclass* internationale ahurie de ses privilèges au point de les penser parfaitement universels. Et puis voilà que tout s'écroule, et sans crier gare Thomas Friedman s'avise que tout bien réfléchi, non, la terre est « *trop peuplée* », « *trop chaude* » et... « *trop plate* »[2]. Elle est toute en vrac, la pauvre terre de Thomas Friedman, qui la voudrait ronde à nouveau. Il faut le rassurer bien vite : elle n'avait jamais cessé de l'être. Mais à force de la passer au rouleau compresseur depuis tant d'années, elle est tentée de reprendre ses formes et ses plis, avec une violence sans doute proportionnelle à un trop long forçage. Le traitement de faveur national pour les opérateurs nationaux est une donnée bien trop puissante pour pouvoir être ignorée même des banquiers les plus mondialisateurs... en parole – car en pratique ils connaissent comme personne le chemin de l'écurie. Marri autant qu'il peut l'être, *The Economist* est bien forcé, une fois de plus, de se rendre à cette évidence-là : « *Le fonctionnement spontané du système a le même effet que le nationalisme financier*[3]. » On imagine aisément ce que pareil aveu a pu lui coûter. Car il faut se donner la peine de relire le funèbre

---

1. Thomas Friedman, *The World is Flat. A Brief History of the Twenty-First Century*, Farrar, Straus & Giroux, 2005 (trad. fr. *La Terre est plate. Une brève histoire du xxi* siècle, Éditions Saint-Simon, 2006).

2. Thomas Friedman, *La Terre perd la boule. Trop chaude, trop plate, trop peuplée*, Éditions Saint-Simon, 2009.

3. « Homeward bound », *The Economist*, 7 février 2009.

énoncé, éventuellement reformulé, pour mieux voir le degré auquel la période actuelle pourrait laisser certains déboussolés : « La mondialisation en temps de crise produit d'elle-même du nationalisme financier », ou encore, carrément, par passage au court-circuit : « La mondialisation détruit la mondialisation. »

« Le libre-échange ou la guerre »

Il est cependant des vérités trop dures à avaler pour être gobées d'un coup. Qui pourrait s'étonner que la croyance libérale, assurée d'elle-même pendant si longtemps, n'oppose pas jusqu'au bout la résistance des extrémités, celle qui précède la faillite historique – et pense encore l'éviter ? *« Le phénomène de court terme du nationalisme financier peut être le fait du marché autant que des hommes politiques[1] »* : il est donc dit que *The Economist* ne se rendra pas sans combattre. L'État est le coupable génétique, il ne peut pas ne pas avoir sa part dans le malheur du monde ; si on ne l'a pas encore vue, c'est qu'on ne l'a pas bien cherchée, et il n'y a que des avantages à en faire l'hypothèse tout de suite puisqu'on est certain d'en trouver la confirmation plus tard. Tout atteste que ce « nationalisme financier » est l'effet des réactions spontanées des agents bancaires privés, mais qu'importe, l'État aurait pu, et c'est assez pour considérer que c'est comme s'il avait. Par mesure conservatoire, les marques sont donc prises dès maintenant, avec pour intention de préparer quelques robustes positions de repli, peut-être même de contre-attaque, notamment par la différenciation du « nationalisme spontané du secteur privé », sans doute regrettable

---

1. *Ibid.*

mais finalement raisonnable d'après la raison immanente du marché, et du « nationalisme d'État », figure haïssable des bassesses politiciennes captives de tous les égoïsmes populaires. Au risque probablement de se laisser aller aux illusions du *wishful thinking*, on se prend à rêver d'une époque future dont les historiens revisiteront les discours d'aujourd'hui, et l'on se plaît à imaginer leur stupéfaction à lire ces obstinations dans le dogmatisme, cet acharnement dans le déni.

Ces archivistes en tout cas ne manqueront pas de tomber sur cet autre propos, plus extraordinaire encore, et pourtant si représentatif du discours concurrentialiste ordinaire, tenu par Pascal Lamy, directeur général de l'OMC, qui n'hésite pas à affirmer « *ne conna[ître] aucun protectionnisme qui ne porte une dose de xénophobie et de nationalisme*[1] ». On cherche en vain procédé plus indigent et, pourquoi ne pas le dire, plus bas de disqualification que celui-ci, qui promet la guerre et, disons-le plus clairement encore que Pascal Lamy, inexplicablement retenu de livrer le fond de sa pensée par on ne sait quelle réserve, le nazisme, donc les camps, l'holocauste, à tous ceux qui pourraient être tentés de revenir sur les « avancées » de la libéralisation concurrentielle. On voudrait rappeler le précédent argument de la « crémaillère » et ramener par la pensée Pascal Lamy quarante ans en arrière, dans un monde qui, rapporté à ses critères d'aujourd'hui, avait tout de l'enfer protectionniste, par conséquent nationaliste et xénophobe, mais où pourtant les miradors n'ont pas fleuri – avec peut-être pour partie les effets d'enjolivement du regard rétrospectif, il arrive même à bon nombre de salariés de trouver que, dans ce monde-là, on ne vivait pas si mal, relativement à celui d'aujourd'hui en tout cas. Mais qui ne voit la parfaite inutilité d'une dis-

---

1. Entretien, *Libération*, 23 mai 2008.

cussion rationnelle *a minima* dont les conditions de possibilité ont été détruites depuis longtemps, à supposer même qu'elles aient jamais existé ? Comme beaucoup d'autres de son espèce, Pascal Lamy a décidé que céder si peu que ce soit sur les acquis du « monde aplati » vouait le monde à la guerre. Comment hésiter dans ces conditions entre les « petits malheurs » de la régression salariale et les grands du conflit planétaire ?...

Avec une insistance un peu plus nerveuse chaque jour, le bunker concurrentialiste répète « la guerre, la guerre, la guerre », dernier argument avant la liquidation intellectuelle, spectre d'épouvante brandi pour faire peur aux enfants, puisqu'ils tiennent pour des enfants les populations qu'ils tentent de contenir comme ils le peuvent, des enfants à qui l'on fera peur lorsque la « pédagogie » n'aura plus prise sur eux. Quelle tête feraient-ils, ces héros du concurrentialisme, si l'on tentait de leur expliquer que la guerre n'a pas moins ses chances entre leurs mains – qu'elle les a peut-être même plus. Car au moins le néolibéralisme a un bilan qui parle pour lui, c'est-à-dire, en l'espèce, contre lui. Un bilan de régression salariale et d'inégalités, de pauvreté et de précarisation, de surendettement aussi – subprimes, subprimes... Faut-il parler une fois encore de ce bond en arrière de quatre-vingts ans, de la structure de la répartition secondaire ramenée en deux décennies à son modèle des premières années du XXᵉ siècle, pour donner son vrai sens au « progrès » libéral ? Jusqu'où le déni concurrentialiste devra-t-il aller pour ignorer ce qu'il en résulte pour les corps sociaux, pour ne pas voir ce que peut produire en leur sein la réapparition de situations d'incroyable misère cohabitant avec d'insolentes fortunes, pour méconnaître les combinaisons létales de la souffrance sociale, de l'envie et de la marchandise reine sans cesse exposée mais de fait inaccessible, et pour ne pas sentir venir ce vent de colère qui pourrait tout balayer ?

Et il y a pire. Car l'ignorance obtuse par le concurrentialisme des données élémentaires de la grammaire politique des nations, plus encore que tout le reste, est le lieu de tous les dangers. Il faut le degré d'enfermement autistique d'un commissaire européen, par exemple, pour venir morigéner un gouvernement, français en l'occurrence, qui consacre de la ressource *fiscale* à un plan de sauvetage des constructeurs automobiles, en lui reprochant d'y avoir adjoint des clauses de non-délocalisation et de protection des emplois nationaux. La question n'est même pas de savoir si ce plan est opportun ou pas, s'il est habile ou inefficace, elle est dans le choc politique radical en quoi consiste le déni des devoirs particuliers que contracte un État souverain à l'endroit du corps politique dont il tient sa légitimité. Par une prévisible extension du schème du *level playing field*, dont on ne dira jamais assez la force toxique, le concurrentialisme voudrait que l'abolition des barrières et la réalisation du parfait plain-pied, donc de la grande homogénéisation, de la dissolution des différences entre un intérieur et un extérieur, ne s'arrêtent pas à l'ordre des échanges de marchandises, mais produisent des effets similaires dans celui des populations, et que cette barrière qui, du point de vue d'un État, continue de séparer des ressortissants nationaux et des non-résidents finisse par céder à son tour. Qu'on puisse faire le constat de l'excès d'affirmation des différences nationales est très évident, mais il faut s'abandonner à une logique extraordinairement défectueuse pour se rendre aussitôt, par brutale contraposition, à l'idée inverse que l'annulation de ces différences s'impose *a contrario*. Suspendant même toute conclusion normative en cette matière, il y a d'ores et déjà de quoi s'effrayer des risques immenses que fait courir en toutes les enceintes du concurrentialisme le degré d'ignorance – il faudrait y ajouter le mépris ouvert – pour le fait résistant des grammaires politiques nationales, et, si entreprendre de les hybrider patiemment avec d'autres répertoires du politique est l'entreprise la plus louable du monde, celle qui consiste à en dénier les réquisits les plus élémentaires est, elle, exécrable. Elle est surtout d'une formidable dangerosité. Il faut l'ignorance profonde, l'ignorance crasse de la chose politique de la part de ceux qui se disent des politiques pour s'imaginer réduire par forçage et simple mépris un pli aussi profond de la vie collective des hommes, et il faut cette sorte d'inconscience propre aux apprentis sorciers pour ainsi persévérer avec le sourire et n'avoir pas même l'élémentaire prudence de pressentir la violence des retours de bâton qui peuvent suivre pareille forfanterie. Car il faut en être sûr : il est des données de la vie collective qu'on n'insulte pas durablement sans qu'elles fassent un jour retour, mais possiblement de la plus désordonnée, et peut-être de la plus éruptive des manières. À ce moment-là, on peut en être également certain, le concurrentialisme, mi-grimaçant mi-triomphant, croira sa vérité confirmée par la guerre, la guerre qu'il aura lui-même déclenchée.

Un autre commerce et la paix

À l'image de tous ceux, dont il fut, qui à Bruxelles, travaillant visiblement sans s'en rendre compte à nourrir ce mortel mélange de la souffrance sociale et du mépris pour le fait national, contribuent un peu plus chaque jour à rendre cette Europe odieuse, c'est-à-dire à tuer eux-mêmes l'idée européenne, la belle idée européenne qu'ils sont censés défendre, Pascal Lamy désormais à la tête de l'OMC y répète avec obstination les deux idées générales qui lui tiennent lieu de vision du monde, acquises tout au long d'une carrière vouée à la déréglementation sous toutes ses formes : « la concurrence est bonne », et « là où il n'y a pas concurrence, il y a guerre ». On voudrait avoir la force d'en rire, mais on ne peut qu'être effaré de l'absolue indigence intellectuelle de ces gens que les fausses élites des médias ont sans hésiter appelés des élites, et l'on se perd en conjectures quant aux dérèglements qui ont conduit à confier tant de responsabilités à des individus à si médiocre pensée – on pense à l'emprise de l'ENA en France, mais Barroso n'est pas passé par l'ENA... Pascal Lamy n'a probablement pas lu Fichte ; connaîtrait-il son existence qu'il refuserait sans doute de lire la moindre ligne de l'auteur de *L'État commercial fermé*[1]. Rassurons d'emblée Pascal Lamy : il n'est pas question de faire argument d'autorité d'un philosophe consacré et d'un titre de livre écrit au tournant du XIXe siècle. Il faudrait être singulièrement peu précautionneux pour imaginer que l'argument fichtéen, formulé en 1800, pourrait être transposé à l'identique pour qu'en soient tirées des leçons à l'usage de notre propre conjoncture. Si un minimum de méthode prémunit aisément contre le risque de ce genre d'anachronisme ou contre les tentations les plus grossières de l'usage impropre des textes, il reste néanmoins le meilleur à extraire d'une œuvre que sa distance dans le temps n'empêche nullement de continuer à nous parler. Car là où, sans l'ombre d'un doute et sur la foi d'un seul titre bien fait pour l'épouvanter, Pascal Lamy rejetterait Fichte dans les ténèbres de l'enfermement national dont on fait les guerres, l'auteur de *L'État commercial fermé* plaide sans relâche pour la plus grande restriction des échanges internationaux économiques... mais pour la plus grande extension des échanges internationaux philosophiques, intellectuels, artistiques, culturels. Et voilà véritablement révélée l'abyssale indigence de la pensée Lamy, l'indigence de la pensée

---

1. Puisque la culture personnelle est un processus sans fin, je dois à l'honnêteté de dire que moi non plus je ne l'avais pas lu... jusqu'à ce que Bruno Théret (IRISES, université Paris-Dauphine) me le fasse connaître. Qu'il en soit remercié.

concurrentialiste, ce vertigineux abîme de nullité, cette non-pensée sans rémission, incapable d'en revenir aux significations premières de ce qu'on appelait encore au temps de Fichte le « commerce des hommes », commerce des idées et non des marchandises, échange de simples paroles ou d'œuvres plus élaborées plutôt que de choses monnayables, c'est-à-dire incapable de penser les rapports des nations autrement qu'au prisme de la marchandise et de la valeur d'échange. Comment ne comprendrait-on pas que, dans cette pensée sans pensée, il résulte logiquement que, si les objets marchands ne circulent pas, et les capitaux en sens inverse, alors rien du tout ne circule – et la guerre menace ? Aussi, dans ces esprits, la paix ne se situe-t-elle jamais qu'à la sortie des entrepôts, et n'est-elle concevable que sous la forme des stocks, des piles, des rayons et des caisses. Faut-il avoir l'entendement dévasté pour avoir ainsi oublié en route tout le reste de ce qui fait vaille que vaille une humanité. Quel électrochoc faudrait-il pour les voir se mettre à dire : « Il est vrai, nous pourrions échanger autre chose que nos habituelles camelotes, nous pourrions décider qu'il n'est rien de plus précieux que de nous faire voyager les uns chez les autres, non pas pour nous y salarier, y faire baisser les prix, mais pour développer cet autre commerce dont le sens a été depuis si longtemps oublié, échange d'idées ou de paroles sans importance, paysages vus, nous pourrions multiplier les écoles bi- ou plurinationales, intensifier les échanges universitaires, les cursus internationaux, mettre davantage pour les résidences d'artistes, former les futures élites des pays en développement, nous pourrions faire tout cela, et sans doute la paix entre nous n'en serait-elle que plus durable – et elle aurait de moins en moins besoin de la marchandise » ? Il y faudrait un électrochoc, en effet. Mais la foudre ne frappe pas sur commande.

Fin de la mondialisation, commencement de l'Europe ?

On ne prendrait pas mieux conscience de l'écrasant pilonnage idéologique des deux dernières décennies qu'en voyant à quel degré le schème intellectuel de la mondialisation, ou, quitte à faire lourdement pléonastique, du « monde mondialisé », a pénétré les entendements, jusqu'à faire dire même aux plus critiques de la mondialisation libérale que le salut ne s'envisage désormais plus qu'à l'échelle du monde, ou pas du tout. Comme s'il fallait donner sans cesse les gages d'une sorte de « modernité », ce mot creux si intensément mis à contribution pour couvrir toutes les régressions, et témoigner de sa bonne éducation postnationale, c'est-à-dire de sa conscience fraîche et rose de « citoyen du monde », selon l'expression consacrée, il n'est plus possible de penser qu'à l'échelle mondiale, de raisonner mondial ou rien, et d'aspirer au gouvernement mondial du monde. L'altermondialisme ne serait pas complètement prémuni contre ce rapport de gémellité inversée avec la mondialisation libérale s'il se définissait simplement comme un mondialisme autre. Qui nierait que sont désormais apparus des problèmes, et pas des moins urgents, dont le règlement en effet n'a aucun sens à une échelle qui ne serait pas mondiale – on pense évidemment au changement climatique et à la destruction de la planète. Mais qui pourrait *a contrario* sérieusement en conclure que tout de la politique a été aboli qui ne serait pas formulé au niveau mondial et qu'il ne reste plus à l'humanité que la perspective de son homogénéisation dernière ? S'il fallait un indice des chausse-trapes du monde-seul-horizon-politique, on le trouverait sans doute dans la dilection que lui voue la mondialisation économique libérale, elle qui n'a rien tant en horreur que le politique et a parfaitement compris qu'en appeler au gouvernement mondial était le plus sûr moyen d'avoir la paix – entendre : pas de gouvernement du tout – pour encore très longtemps. Sur un mode mineur, et peut-être moins conscient, on prêtera attention également à ce fait que certains économistes, jadis bien installés dans la défense et illustration de toutes les déréglementations, mais sentant les vents tourner, ont semblé épouser les critiques minoritaires et proposé des ouvrages aux titres tous plus radicaux et apocalyptiques les uns que les autres – *Le Capitalisme total*[1], *Le capitalisme est en train de s'autodétruire*[2], *Globalisation. Le pire est à venir*[3]. Or tous ces ouvrages ont en commun le saisissant contraste entre la virulence affichée de leurs analyses et la parfaite innocuité de leurs préconisations, ces dernières affichant une passion commune pour... toutes les coordinations mondiales possibles et imaginables. Oui ! coordonnons-nous à l'échelle du monde – bien sûr la chose demandera un peu de temps... Ainsi l'évocation des grands horizons mondiaux sert-elle invariablement de faux-fuyant à toutes les hypo-

---

1. Jean Peyrelevade, *Le Capitalisme total*, Seuil, coll. « La République des idées », 2005.

2. Patrick Artus et Marie-Paule Virard, *Le capitalisme est en train de s'autodétruire*, *op. cit.*

3. Patrick Artus et Marie-Paule Virard, *Globalisation. Le pire est à venir*, La Découverte, 2008.

crisies de l'action indéfiniment différée et à toutes les stratégies de l'éternel regret.

Adieux à la mondialisation

Accordons à cette idée de n'être pas toujours aussi grossièrement instrumentée. Il lui arrive de connaître des élaborations un peu plus subtiles d'où elle tire une force apparente et un pouvoir de conviction captieux. Des économistes étasuniens comptant parmi les plus critiques au sein des plus consacrés – propriété qui borne tout de même sensiblement le degré de la critique –, Dani Rodrik[1] et surtout Joseph Stiglitz[2], ont proposé une analyse dont les hétérodoxes français, ceux de l'école dite de la « régulation »[3], par exemple, ne peuvent que se sentir proches... pour l'avoir développée eux-mêmes dès le milieu des années 70, au mieux dans un parfait anonymat, au pis sous les sarcasmes de leurs chers collègues amis de la théorie standard des marchés : le capitalisme n'est pas viable sans un appareil d'institutions venant encadrer et réguler les tendances autrement

---

1. Dani Rodrik, *Nations et mondialisation, op. cit.* Mais il semble que la position de Rodrik évolue rapidement sur cette question, comme en témoigne son intervention en faveur de régulations *nationales* de la finance, à l'encontre de la *doxa* qui l'envisage comme une évidence « globale ou pas » : « A plan B for global finance », *The Economist*, 14 mars 2009.

2. Joseph Stiglitz, *Un autre monde. Contre le fanatisme du marché*, Fayard, 2006.

3. Michel Aglietta, *Régulation et crises du capitalisme*, Calmann-Lévy, 1976 ; Robert Boyer et Jacques Mistral, *Accumulation, inflation, crises, op. cit.* ; Robert Boyer, *Théorie de la régulation. Une analyse critique*, La Découverte, coll. « Agalma », 1986. Pour une synthèse récente des travaux de la théorie de la régulation, voir Robert Boyer et Yves Saillard (dir.), *Théorie de la régulation. L'état des savoirs, op. cit.*

déstabilisatrices du fonctionnement « spontané » des marchés[1]. Autrement dit, le capitalisme ne se donne jamais à voir qu'en ses configurations institutionnelles. Or, poursuit l'argument Rodrik-Stiglitz, la mondialisation a précisément eu pour effet de redéployer les marchés à l'échelle mondiale, c'est-à-dire dans un nouvel environnement de faible densité institutionnelle. Retournant, faute d'institutionnalisation suffisante, à leurs dynamiques intrinsèquement instables, les marchés mondialisés ont alors propagé toutes sortes de déséquilibres – dont la crise financière, logiquement, donne la manifestation la plus spectaculaire, puisque le marché financier peut être considéré comme la réalisation la plus proche de l'idéal-type du « marché pur » cher aux théoriciens : aussi « pur » il a été construit, aussi instable il aura été. Contrairement à l'idée reçue, la mondialisation aura été un cauchemar paradoxal pour les théoriciens des marchés puisque, autant leurs préconisations auront tenu le haut du pavé, autant leurs réalisations se seront révélées catastrophiques. Sous ce rapport, on n'imagine pas faillite théorique et pratique plus complète que celle de la transition « vers le marché » des ex-pays socialistes, feuille blanche offerte à l'intransigeance intellectuelle « réformatrice », certaine de tenir là l'occasion historique d'une démonstration en vraie grandeur des bienfaits de la construction libérale du monde. Aussi le « marché », d'ailleurs confondu avec le « capitalisme », et réduit dans ces esprits à l'indigente équation

---

1. La thèse est ici très sommairement énoncée et donne, improprement, à penser qu'il y aurait d'un côté quelque chose comme des « marchés » et de l'autre des constructions institutionnelles, les secondes venant s'articuler aux premiers pour les « corriger ». Or, ce serait ne pas voir que la chose ordinairement appelée « marché » est déjà en soi un objet éminemment social et *toujours nécessairement institutionnalisé*. En d'autres termes, il n'est pas un marché qui n'ait congénitalement de dimension institutionnelle.

« capitalisme = "la concurrence" (la déréglementation des prix) + "la propriété" », a-t-il été plaqué avec une brutalité proportionnelle à sa pauvreté intellectuelle... avec les résultats que l'on sait. Il faut croire que ceux-ci ont été suffisamment éloquents puisque même Michel Camdessus, alors à la manœuvre comme directeur général du FMI, a fini par laisser échapper quelques remords d'une libéralisation mal pensée, ignorante du politique comme du fait institutionnel : « *Nous n'avons pas vu que le démantèlement de l'appareil communiste était le démantèlement de l'appareil d'État. Nous avons contribué à créer un désert institutionnel*[1]... »

Au moins Rodrik et Stiglitz ont-ils pleinement médité cette leçon de l'histoire, à l'encontre de tous ceux qui, désastre après désastre, persistent à demander le moins de régulation possible, peut-être même pas de régulation du tout. De cette analyse ils tirent donc l'argument, en apparence logique, que si les marchés se sont redéployés à une certaine échelle territoriale où ils manquent de leurs institutions régulatrices, alors il faut les leur donner et à cette échelle même. Mais voilà, l'échelle en question est celle du monde. La chose n'est pas suffisante pour arrêter l'optimisme « régulateur » de Stiglitz, et c'est probablement là qu'il se trompe. C'est ne pas voir les réquisits politiques fondamentaux des processus de constructions institutionnelles que de les imaginer aussi vite, non seulement réalisées, mais « efficaces », non pas au sens de l'efficacité économique mais au sens de la *capacité politique de ces institutions à imposer réellement leurs normes*. Il n'est pas anodin d'observer qu'historiquement le capitalisme ou plutôt les capitalismes ont connu leurs institutionnalisations respectives à l'intérieur des cadres nationaux. Il ne pouvait

---

1. Interview à *Libération*, 31 août 1999, cité *in* Michel Aglietta et Sandra Moatti, *Le FMI. De l'ordre monétaire aux désordres financiers*, Economica, 2000.

en être autrement pour cette simple raison qu'il n'est de processus d'institutionnalisation significatif que muni d'une force adéquate, c'est-à-dire *adossé à une authentique communauté politique constituée.* Parce que les États-nations offraient le type même de cette *politeia* réalisée, l'institutionnalisation des capitalismes qui procède non seulement par règles, par lois, mais aussi par normes, par mœurs, par mœurs communes, a trouvé la force de se rendre exécutoire, « réelle » pour ainsi dire, par opposition au tissu des promesses sans suite et des vaines déclarations qui font l'ordinaire des cénacles internationaux. Max Weber rappelait que l'État s'est institué comme monopoleur de la violence légitime, violence physique, faut-il le redire, celle de son droit armé de police, à laquelle Bourdieu n'a pas omis d'ajouter la violence symbolique, celle de ses verdicts d'énonciation, mobilisés dans tous les actes d'agrément : reconnaissance officielle des titres et des métiers, déclaration d'ouverture de commerce, autorisations d'exercer l'activité bancaire, concessions diverses, etc., toujours dûment accompagnées d'un enregistrement et d'un contrôle. Mais où est l'État mondial qui pourrait revendiquer d'être doté d'une force pareille ? Il n'est nulle part, et pour la simple raison que n'existe pas d'authentique communauté politique mondiale, c'est-à-dire de corps constitué comme corps social-monde, dépositaire en dernière analyse de la force que les États s'approprient par capture.

Est-ce trop demander que de bien vouloir lire ici « État » comme un générique, capable d'autres formes que celle de l'État-nation *stricto sensu*, et désignant toute forme de structuration politique d'une communauté politique transférant sa force ? Mais, si générale que soit la définition, on ne lui trouve pour l'heure aucun début de réalisation à l'échelle mondiale. En témoigne l'impuissance si souvent constatée des institutions politiques internationales, tentatives sympathiques pour mettre de l'ordre dans l'anarchie des rapports internationaux, mais tentatives presque désespérées pour manquer absolument des moyens de leurs fins, c'est-à-dire des moyens de force. L'ONU, non sans raison, est ainsi l'objet d'une déploration aussi récurrente que bien fondée – le FMI, c'est autre chose, lui a le pouvoir de l'argent. L'OMC également, dont Stiglitz décrit à merveille les impuissances, ne peut être davantage que la chambre d'enregistrement des rapports de force nus entre puissances commerciales nationales inégales. Pur champ de forces, elle est intégralement dépendante du bon vouloir de ses membres à se soumettre à ses règles, et nul ne peut douter que si des enjeux vitaux se faisaient connaître, ces puissances n'hésiteraient pas un instant à reprendre toute leur liberté. Pourquoi l'OMC est-elle ainsi impuissante à faire autre chose que constater l'équilibre fragile et momentané des intérêts en lutte ? Parce qu'elle est littéralement sans force.

L'ère des régionalisations

On peut continuer longtemps à rêver d'un monde vraiment politisé, et par suite significativement institutionnalisé. Mais il faut se demander si les corps sociaux auront la patience d'attendre jusque-là. Car la constitution de la *politeia* mondiale n'est pas pour demain. À ce point précis, les sincères désirs de voir la mondialisation politique enfin resynchronisée avec la mondialisation économique rejoignent sans le savoir les plus cyniques partisans de la « régulation mondiale » éternellement renvoyée à plus tard.

Vers des croissances régionales « autocentrées »

Est-ce à dire que le problème demeure sans solution ? Lorsque deux entités A et B sont trop loin l'une de l'autre alors qu'il les faudrait coïncidentes, on a toujours la possibilité de diviser le travail de rapprochement – faire baisser A pendant qu'on fait monter B – plutôt que d'en laisser une seule porter tout le poids de l'ajustement. Si la mondialisation économique est trop loin des possibilités présentes d'institutionnalisation politique, nul ne devrait écarter de réduire l'ambition et le libre déploiement des marchés – ne viennent-ils pas de démontrer assez spectaculairement l'extrême danger de les avoir laissés faire ? Tel est bien le sens de propositions déjà émises à propos de la finance[1], tel est également celui d'une réouverture du débat sur les formes de la concurrence internationale – alias le « protectionnisme ». Mais pendant que les marchés « redescendent », il n'est pas interdit d'envisager de faire « monter » le niveau des constructions politiques. De ce point de vue, l'échelon régional s'impose avec force comme le nouveau plan territorial où pourraient être intensifiées des expériences politiques déjà en cours quoique encore peu développées. L'Europe tombe sous chacun des termes de la proposition précédente : un demi-siècle d'existence, ce qui n'est pas rien !... mais toujours à la recherche d'une construction politique digne de ce nom. Disons qu'il y a là une bonne base de travail, enfin une base de travail, car il y a tant à refaire... Plutôt que de poursuivre la chimère fuyante d'une mondialisation politique hors de vue pour encore une génération au moins, il pourrait donc être de meilleure allocation de travailler à rétablir, en fait à établir tout court, des cohérences économico-politiques là où elles peuvent être constituées, c'est-à-dire à l'échelle régionale – pour nous, européenne. Il ne faut pas méconnaître tout ce que cet objectif requiert d'exigeant et d'immenses progrès encore à accomplir. Des cohérences de cette sorte ont pour conditions de possibilité, notamment dans leur volet économique, de réunir des pays suffisamment homogènes sous le

---

1. Frédéric Lordon, *Jusqu'à quand ?*, *op. cit.*, chapitre 5.

rapport de leurs formes de vie collective – le choix du plus haut niveau de vie salarial et des plus faibles inégalités possibles, de la protection sociale, puis peut-être, espérons-le, celui des préoccupations environnementales définissent une telle forme de vie collective que rien ne justifie d'exposer à tous les risques de déstabilisation par la concurrence externe, et que leur réaffirmation solennelle, au contraire, devrait convaincre de faire tout ce qui doit l'être pour la *protéger*. Or il est assez évident qu'après l'élargissement à 27 cette condition *sine qua non* d'homogénéité a été brisée, et pour longtemps, en Europe. Pour avoir le sens précédemment indiqué d'une cohérence économico-politique, la « région Europe » ne pourra correspondre à son périmètre actuel, à moins d'attendre – une nouvelle fois attendre – le temps long du rattrapage et de l'homogénéisation des standards sociproductifs au sein des 27. Quand bien même elle serait à nouveau adéquatement circonscrite, il resterait à cette région Europe l'essentiel à faire pour se porter à l'existence : devenir une communauté politique, ou s'en rapprocher autant que possible. On mesure le chemin à accomplir… Mais, à l'inverse des fantasmes du gouvernement mondial, c'est au moins un chemin dont le commencement est tracé et dont on peut imaginer et le terme, et le sens.

Non plus la mondialisation mais l'interrégionalisation

La structuration en espaces régionaux n'est pas une nouveauté et il y a des raisons de penser que ces dynamiques vont s'intensifier. Iront-elles jusqu'à constituer à leur échelle les authentiques cohérences économico-politiques dont il vient d'être question ? Rien n'est moins sûr – on n'imagine guère l'irrésistible puissance chinoise en train de transiger dans des compromis régionaux trop exigeants alors qu'elle est en pleine ascension. À tout le moins est-il permis d'envisager un scénario possible dans lequel le

constat des extraordinaires dégâts de la mondialisation économique pourrait convaincre les moins obtus de méditer la
leçon et d'envisager d'approfondir leurs échanges par sous-
groupes, à des échelles plus restreintes et plus maîtrisables
que le « monde ». Les crises financières de 1997 et 1998,
particulièrement violentes en Asie du Sud-Est, avaient déjà
fait naître des velléités d'organisation régionale, sans doute
très partielle, mais tout de même. La puissance étasunienne,
pas encore entamée comme elle l'est aujourd'hui, avait
pesé autant qu'elle le pouvait pour les dissuader d'aller plus
loin. Il n'est pas certain qu'elle en ait désormais les
moyens, et il se pourrait que les nations asiatiques, particulièrement la nation chinoise, n'aient qu'un rapport tout
pragmatique avec le thème de la « mondialisation », auquel
elles n'accrochent aucune idée générale universaliste ni
aucune pacotille idéologique – la mondialisation est la
bienvenue tant qu'elle donne plus d'avantages que d'inconvénients, et du jour où le bilan penchera dans l'autre sens
on la congédiera *ad nutum* pour lui trouver la remplaçante
qui convient ; par parenthèse on comprend mieux les appli-
cations à géométrie (très) variable avec lesquelles elles
l'ont adoptée et adaptée jusqu'ici. Que ces ensembles
n'aillent pas jusqu'au seuil de la cohérence économico-
politique, c'est très possible, c'est même très probable. Ils
n'en constitueront pas moins des zones d'échanges privilégiés et de croissance (relativement) autocentrée, défaits des
schèmes d'un mondialisme sans horizon.

Rien de cela ne signifie que, pour rompre avec le mondialisme, ces ensembles ignoreraient le monde. Évidemment ils noueront les uns avec les autres des relations
économiques transrégionales, mais, et c'est ce qu'il faut
espérer, sur une base débarrassée des *a priori* du *level
playing field* mondial poursuivi avec acharnement par ladite
« Organisation » mondiale du commerce – qui parfois méri-
terait plutôt d'être appelée la Désorganisation mondiale du

commerce. Ces relations transrégionales auront tout à gagner à s'établir selon des compromis d'ouverture modulée, mettant de côté d'emblée les agendas maximalistes qui ne connaissent que le libre-échange poussé à ses dernières extrémités. Les compromis stabilisés dans lesquels pourrait se matérialiser ce régime d'échanges auraient pour caractéristique de ne pas appeler systématiquement leur renversement par la poursuite forcenée d'un surplus de « libéralisation » sans fin, et d'être laissés à leur viabilité aussi longtemps que celle-ci est maintenue. Exit donc la mondialisation entendue comme entreprise de l'aplanissement du monde, acharnée à traquer et débusquer tout ce qui jusqu'ici lui avait encore échappé, jamais en repos tant qu'il lui restera la moindre enclave de vie économique à soumettre à la grande indifférenciation. Exit la mondialisation, et retour à une idée sans doute plus terne – on hallucine de voir ramenées des choses si lourdes de conséquences pour la vie concrète d'un si grand nombre aux critères quasi esthétiques, le « terne » et le « brillant », du jugement intellectuel pour idéologues inconscients –, l'idée simple et bête de l'*internationalisation* – appliquée à un monde régionalement structuré, on pourrait dire l'*interrégionalisation*. Seuls les plus enragés, ou les plus intellectuellement démunis, des partisans du concurrentialisme, européen autant que mondial, peuvent imaginer que la mondialisation admet pour seule alternative l'autarcie albanaise (ou nord-coréenne, plus en vogue ces temps-ci). On peine à croire qu'il soit devenu à ce point impossible de penser l'existence de rapports économiques internationaux plutôt que rien ou tout, c'est-à-dire leur stabilisation à un certain niveau n'appelant pas la recherche de son approfondissement indéfini. Ah, sans doute, « internationalisation », ou « interrégionalisation », c'est une idée à moins grand spectacle que « mondialisation ». Mais pour rustique et moins élancée qu'elle soit, n'est-elle pas infiniment moins toxique ?

Tuer cette Europe, refaire l'Europe

Au moment où s'ouvre peut-être cette ère des régionalisations, l'Europe est paradoxalement la mieux et la plus mal partie de toutes les régions. Qu'elle soit la plus avancée dans le processus d'intégration institutionnalisée n'est pas discutable. Mais la chose en soi n'a aucune valeur ou presque, et seuls comptent en définitive les contenus de cette intégration institutionnalisée. Or, comme souvent les crises, la secousse actuelle jouit d'impitoyables propriétés révélatrices, au sens quasi photographique du terme, et s'apprête à mettre au grand jour les tares irrémédiables de la construction européenne. Depuis longtemps – en fait depuis le début – bien visibles... à qui voulait les voir, ces effrayantes malfaçons parvenaient toujours à être recouvertes des habituels dénis, rendus possibles par la « basse » intensité de destructions sociales devenues une sorte de « régime permanent » et pour ainsi dire fondues dans l'ordinaire paysage des jours. Mais la singularité et la violence du pic de crise portent ces destructions à un niveau intolérable, aux yeux mêmes d'un corps social qui s'est pourtant de longue date habitué à endurer beaucoup, et rendent dérisoires les stratégies habituelles de la minimisation, des nécessaires « efforts », et de l'appel à la patience « qui tout paiera ». Il y a là une opportunité politique comme l'histoire en sert rarement. Car voilà que ce qui était inconcevable à froid redevient possible à chaud : détruire cette Europe. Pour en refaire une autre.

L'Union européenne à l'épreuve de la crise : carnage juridique

Y aura-t-il vraiment à la détruire ? À bien des égards, on pourrait être tenté de considérer que cette Europe-là est morte. C'est juste qu'elle ne le sait pas encore. En bonne logique, pourtant, elle ne devrait pas tarder à le découvrir. À cet égard il semble presque qu'elle, ou plutôt son incarnation, la Commission, fasse d'elle-même et à répétition, mais évidemment sur le mode de la parfaite inconscience, tout ce qui est en son pouvoir pour hâter cette révélation terminale. Dans une sorte d'apothéose de bêtise doctrinaire et avec un insurpassable sens de l'à-propos historique, Mme Kroes, commissaire gardienne des règles de la concurrence, n'a pas hésité dès l'automne 2008 à intervenir dans le grand débat de la crise financière, pour signifier que les injections d'un total de 10,5 milliards d'euros décidées par l'État français pour recapitaliser six banques (BNP Paribas, Crédit Agricole, Banques populaires, Crédit Mutuel, Société Générale, Caisse d'épargne) étaient illégales au regard des saintes lois de la concurrence libre et non faussée[1]. Il faut bien lui accorder que, sur le papier et d'un point de vue tout à fait formel, elle n'a pas complètement tort. Il y a bien en effet dans l'adorable traité de Lisbonne un article 107 qui interdit les aides d'État. À la vérité l'article en question n'est pas le seul à connaître les derniers outrages en cette époque de sauve-qui-peut-tout-va-s'écrouler. Le fait est que les impérieuses nécessités du bord du gouffre n'ont pas laissé aux gouvernements européens d'autre choix que de cesser de finasser et de faire tout ce qu'ils devaient à moins d'aller au grand effondrement – entre autres piétiner allégrement une bonne poignée d'articles jusqu'ici réputés intouchables du traité européen. Mieux valait donc ne pas trop s'étendre sur ces irrégularités et rester discret à propos de ces intempestifs piétinements en espérant que, le gros de la crise passé, et quelques effets d'amnésie aidant, tout rentrerait dans l'ordre

---

1. Il s'agissait alors de la première tranche d'un plan de « recapitalisation » d'une enveloppe globale de 21 milliards d'euros.

de la légalité européenne un instant suspendu d'ailleurs c'est déjà oublié.

Il va falloir pourtant rester vraiment discret pour que tout cela ne se voie pas car, pour quelques-unes de ses dispositions d'ordre économique les plus fondamentales, le traité, mine de rien, est à l'état de courageuse pelouse municipale un dimanche de rugby un peu pluvieux. L'article 123, qui interdit à la Banque centrale européenne de prêter « aux administrations centrales, aux autorités régionales ou locales, aux autres autorités publiques des États membres », ne l'a pas retenue d'ouvrir un crédit de 5 milliards d'euros à un gouvernement, hongrois en l'espèce, qui plus est pas même membre de la zone euro ! Il y a aussi les articles 101 et 102, retour à la concurrence, qui, interdisant les constitutions de positions dominantes et servant plus généralement de dissuasion aux opérations de concentration, n'ont visiblement pas fait le moindre obstacle aux mouvements de restructuration bancaire, d'ailleurs encouragés par les États, qui n'y ont vu que l'opportunité d'économiser un peu les finances publiques en organisant la reprise des banques les plus fragiles par celles qui l'étaient un peu moins. Du rachat, houleux, de Fortis par BNP Paribas, de HBOS par Lloyds TSB, de LBBW par la Banque régionale de Bavière, de Dresdner par Commerzbank, ou de Bradford & Bingley, dont les bons morceaux ont été partagés entre Abbey et Santander, la « consolidation » du secteur bancaire a connu une accélération prodigieuse en se passant visiblement de toute approbation européenne, là où, il ne faut pas en douter, tous ces dossiers auraient été longuement passés à la loupe en temps ordinaires et, pour certains d'entre eux, on ne peut pas l'exclure, peut-être retoqués.

À un moment, ça fait trop. Neelie Kroes veut bien tout ce qu'on veut – se taire quand les banques jouent au Monopoly sous ses fenêtres, laisser faire de terribles dérèglements qui, s'ils ont beau ne pas être de son ressort, la font souffrir quand même –, mais on ne peut pas lui demander non plus de se renier toujours plus et indéfiniment, sinon quel sens pour l'existence et à quoi bon commissaire à la Concurrence ? On notera l'occasion choisie pour craquer : l'article 107, les aides d'État. Car dans la hiérarchie des abominations, c'est toujours l'État qui vient en premier. On bafoue les articles anticoncentration, c'est sans doute très mal mais, à titre exceptionnel, Mme Kroes peut se faire une raison puisque c'est celle du capital : le privé sait ce qu'il fait, même s'il faut parfois gentiment le gourmander. Mais l'État, c'est vraiment l'horreur, lui passer quoi que ce soit est un inadmissible manquement à des principes sur lesquels on ne transige pas, puisqu'il est l'antimarché par excellence. Il était donc logique que, parmi toutes les violations caractérisées du traité européen, ce fussent les aides d'État qui poussassent la commissaire à bout – et à sa première révolte.

Morts, mais purs

Mais cette « logique » n'a, comme telle, pas d'autre titre que l'acharnement dans la cohérence doctrinaire. Car il faut être à demi fou, et même en bonne voie de le devenir complètement, pour envisager de soumettre au droit commun de la concurrence les mesures d'extrême urgence qu'une crise financière séculaire rend vitales. Mais rien n'arrête la Commission, et d'autant moins qu'elle n'en est pas à son coup d'essai en cette matière. En 1998, le dingue de service s'appelait Karel van Miert, et, dans le bras de fer qui l'opposait à l'État français à propos du plan de sauvetage du Crédit Lyonnais, il avait trouvé malin, sans doute pour refaire le rapport de force à son avantage, de menacer de laisser la banque aller à la faillite si le gouvernement ne passait pas sous ses fourches caudines en matière de contreparties – car, en matière d'aides d'État, la doctrine européenne veut qu'on ne les tolère qu'à titre tout à fait exceptionnel et surtout qu'on les fasse payer de « contreparties » consistant à exiger de l'entreprise aidée qu'elle se coupe un bras et deux jambes, probablement pour qu'elle garde un souvenir plus net de son « sauvetage » et qu'elle soit dissuadée d'y revenir de sitôt.

La seule chose qui avait échappé alors à Karel van Miert, comme à Mme Kroes aujourd'hui, est qu'une banque n'est pas tout à fait une entreprise ordinaire, et qu'on ne devrait envisager la possibilité de sa faillite – ne parlons même pas de l'annoncer publiquement à grand son de trompe – qu'avec la plus extrême circonspection, peut-être même quelques tremblements. C'est qu'à l'inverse d'une entreprise ordinaire une banque, quand elle s'écroule, n'a pas le bon goût de tomber seule, ou de n'entraîner « que » quelques malheureux sous-traitants avec elle. La densité des engagements interbancaires est telle qu'une faillite locale, dès lors qu'elle est un peu importante, en induit immanquablement d'autres, qui à leur tour, etc. Les ruées de déposants qui s'ensuivent intensifient l'état de panique bancaire et rendent encore moins contrôlable la série divergente des faillites en cascade, au bout de laquelle il n'y a plus que la perspective de l'effondrement du système financier *dans son ensemble*. C'est cette caractéristique absolument singulière à l'univers bancaire, où prend naissance ce qu'on nomme le risque systémique, qui devrait dissuader à tout jamais de soumettre le traitement des faillites bancaires à des procédures de droit commun ; et c'est précisément sur cette prévention élémentaire – on pourrait même dire vitale, car autant le dire carrément : même pour ceux qui détestent les financiers, le spectacle d'une ruine totale de la finance n'est pas beau à voir – que s'asseyent depuis le coup de force de 1994[1] tous les commissaires européens à la Concurrence successifs, avec une parfaite tranquillité et une certitude dogmatique qui font froid dans le dos. Non sans faire penser aux témoins de Jéhovah, qui préfèrent laisser mourir plutôt que d'offenser leurs interdits de la transfusion, la doctrine européenne de la concurrence prend, l'âme claire, le risque du cataclysme financier ultime plutôt que de renoncer si peu que ce soit à ses parfaits principes – et paraître céder à la bête étatique. Mais le monde est méchant et les États membres des ingrats. Incohérents avec ça, au surplus. Car la levée de boucliers n'a pas tardé – où l'on trouvera accessoirement d'ailleurs un utile rappel de philosophie politique quant aux vraies sources de la souveraineté. Des États membres, et pas spécialement connus pour plaisanter avec la construction européenne, l'Allemagne, la Suède, la Belgique, ont fait connaître à Mme Kroes qu'elle avait intérêt à se faire oublier et à passer son chemin. Plaise au ciel qu'il reste « quelque part » un ultime minimum de lucidité pour, au dernier moment, lever les interdits doctrinaires et ne pas aller aux cataclysmes définitifs, ce « quelque part » n'étant visiblement pas à la Commission.

---

1. Karel van Miert, commissaire à la Concurrence de 1994 à 1999, n'a jamais caché qu'il avait fait du dossier Crédit Lyonnais une opportunité de soumettre « enfin » au droit européen de la concurrence les secteurs bancaires des États membres, jusqu'ici sanctuarisés sous l'exclusive tutelle des Trésors nationaux. Les discussions entre la France et la Commission à propos du sauvetage du Lyonnais ont commencé en 1994 et se sont achevées en 1998.

LA COMMISSION D'AUJOURD'HUI,
À L'IMAGE DE LA RÉSERVE FÉDÉRALE DE 1929

À l'extrême rigueur, la commissaire Kroes était prête à envisager quelques dérogations mais sans manquer de faire savoir qu'elles seraient chèrement payées : les fameuses « contreparties » en l'espèce prendraient pour les banques aidées la forme d'une obligation... de réduire leurs encours de crédit ! Réduire leurs prêts à l'économie, à un moment où tout le monde se bat pour tenter de dénouer le *credit crunch* et pour faire redémarrer à la manivelle les crédits sans lesquels nous allons à la récession meurtrière, n'est-ce pas là une idée proprement géniale ?! Seule la Commission européenne grande époque – la nôtre – peut en avoir de pareilles et camper en toute bonne foi sur le sentiment d'une impeccable logique. Si, dans son esprit hélas, oui, implacablement « cohérent », les contreparties consistent en mesures destinées à détordre ce qui a été tordu, et à rétablir en vérité ce qui a été faussé – la concurrence bien sûr –, alors il faut imposer aux entreprises indûment aidées de restituer sous une forme ou sous une autre les parts de marché qu'elles ont injustement captées (ou pas perdues) grâce aux aides, c'est-à-dire « logiquement », dans le cas présent, empêcher les banques de prêter davantage...

L'occasion est donc donnée de redécouvrir que la logique n'est pas qu'un innocent jeu de l'esprit mais que, plongée dans certains contextes et prospérant dans certains cerveaux, elle mute en effrayante tare et en fléau social. Il faut avoir chevillé au corps, à la façon des européistes les plus exaltés, l'acharnement dans le soutien aveugle, de cette sorte qui leur ferait dire sans hésiter « *right or wrong, my Europe* », pour s'indigner de l'offense faite au droit de la concurrence et ne pas voir l'aberration profonde, on pourrait même dire l'imbécillité simplement logique, qu'il y aurait à retirer d'une main aux banques, sous la forme de contreparties, ce qu'on vient de leur donner au moment où l'on décide pourtant qu'il est vital de les aider. Qu'il faille des contreparties pour que cette aide aux fauteurs de crise financière ne soit pas un scandale politique absolu, c'est une évidence, mais sûrement pas les contreparties bornées auxquelles peuvent seuls penser les commissaires européens et tout leur équipage de publicistes bruxellois inconditionnels, qui persistent à vouloir que les banques se coupent une jambe au moment où l'on voudrait qu'elles marchent à nouveau. La seule contrepartie sensée à imposer aux banques pour prix de l'aide reçue est la refonte intégrale du terrain de jeux sur lequel elles auront fait tant de profits... et pris tant de risques, à savoir les marchés de capitaux[1]. Mais de cela les inconditionnels de cette Europe pourraient-ils avoir la moindre idée ? Il leur faudrait penser le renoncement à l'une des plus « brillantes » réalisations de leur chose adorée, la déréglementation financière intra- et extraeuropéenne, et c'est là plus qu'on ne peut leur demander, eux qui ont pour exclusif mobile d'indignation que les traités ne soient pas correctement appliqués.

Les Étasuniens doivent n'en pas croire leurs yeux au spectacle européen, et se féliciter chaque jour davantage de ne pas avoir sur le dos l'équivalent d'une institution aussi nuisible que la Commission dans sa forme actuelle. Eux au moins ont compris l'urgence de la situation et des mesures impératives qu'elle requérait, fussent-elles tout à fait hors du commun – et prouvent chaque jour davantage que l'exceptionnel ou la transgression des règles ne leur font pas peur quand il se révèle que respecter les règles est plus dangereux que de s'en affranchir. En fait, des règles aussi stupides, ils ont surtout la sagesse de s'en donner assez peu,

---

1. À ce propos, voir Frédéric Lordon, *Jusqu'à quand ?*, *op. cit.*, chapitre 5.

en tout cas sous forme juridique « dure » – quant aux « règles » simplement doctrinales, plus molles, ils les trouvent les plus faciles à renverser et ne s'en privent pas chaque fois qu'il le faut. En Europe, c'est l'inverse. Les règles doctrinales sont aussi résistantes que le reste ; en fait, par une aberration typique de l'esprit dogmatique, toutes ont été scrupuleusement transcrites en règles dures – juridiques : ces traités que le monde entier nous envie – et qui ne laissent plus aucune marge d'interprétation, de flexibilité ou d'adaptation, bref le piège parfait. Un instant toutefois, au mois d'octobre 2008, on a été tenté de penser qu'à l'épreuve de la crise majuscule le juridisme européen borné l'avait cédé à la réaffirmation des souverainetés politiques – pour une fois à peu près coordonnées – et que la situation extrême avait commandé. Nous sommes en train de nous apercevoir qu'il n'en est rien et que la grande caractéristique des extrémistes doctrinaires est qu'ils ne renoncent jamais, en aucune circonstance – de ce point de vue la Commission d'aujourd'hui, dans son entêtement dans l'aberration, n'est pas sans faire penser à la Réserve fédérale de 1929, qui prit un soin particulier à faire tout ce qu'il ne fallait pas faire, mais dans le plus parfait respect de ses principes orthodoxes d'alors.

Comme pour donner un indestructible crédit à cette idée d'une vocation au pire, voici que Joaquín Almunia, commissaire aux Affaires économiques et monétaires, n'a rien trouvé de mieux que de faire une entrée en scène remarquée pour rappeler que, aux termes de l'article 126 et du pacte de stabilité réunis, les déficits publics sont tenus de rester sous la barre des 3 %. Le tout au milieu de la récession du siècle. On cherche des images convaincantes qui aideraient à se faire une idée du degré de délire où tombe la Commission en cette période : une ambulance arrêtée par une police bizarre parce qu'elle vient de passer à l'orange en se rendant sur une scène de carambolage ? Un avion à court de carburant interdit d'atterrir par la tour de contrôle parce qu'il y a à bord un yaourt périmé ? Bien sûr on peut compter sur les inconditionnels, toujours les mêmes, pour répéter le gospel, fidèles au label « La voix de son maître » : les déficits se creusent, les dettes publiques s'accumulent. Croient-ils être les seuls à s'en être aperçus ? En tout cas ils sont les seuls à ne pas comprendre les enjeux vitaux de la substitution intertemporelle de la crise des finances publiques (plus tard) à la crise des finances privées (tout de suite). Ils ne comprenaient déjà pas à l'automne (2008) pourquoi il fallait sauver le secteur bancaire, il n'est pas illogique qu'ils ne comprennent toujours pas au printemps (2009) que, laissées à leur dynamique propre, qui plus est en pleine récession, les institutions de la finance privée seront toutes par terre en un rien de temps, et nous avec. Que la mobilisation de sommes astronomiques par les budgets gouvernementaux soit de nature à préparer une crise gratinée des finances publiques, tout le monde s'en inquiète. Mais il est normalement d'une rationalité élémentaire de préférer une crise possible plus tard à une mort certaine tout de suite. Gagner du temps : c'est sans doute la dernière marge de manœuvre qui reste aux États pour tenter d'endiguer le désastre, et ça n'est pas rien : parfois gagner du temps sauve !

Comme toujours incohérents dans leur cohérence, les cerbères européens, journalistes énamourés en tête, n'ont pas remarqué, ou pas voulu remarquer, que dans l'ensemble des concours de la sphère publique *lato sensu* à la finance privée les banques centrales ne faisaient pas exactement de la figuration. La Réserve fédérale étasunienne a réalisé une expansion de son passif sans précédent, et la Banque centrale européenne n'est pas en reste. Ceux qui s'inquiètent de l'insoutenabilité des finances publiques devraient s'inquiéter également de la détérioration de la confiance en la monnaie au regard d'émissions jamais vues. Car la formule complète de la substitution intertemporelle est en fait celle qui consiste à troquer la crise de finance privée d'aujourd'hui avec le risque pour demain d'une crise de finances publiques *et d'une crise monétaire*. Curieusement, pas un mot européen sur ce sujet. Serait-ce parce que la BCE rendue indépendante des gouvernements a été, de ce fait même, déclarée par principe au-dessus de tout soupçon ? Il est vrai qu'en Europe l'« État », c'est l'ennemi. D'abord parce que ses réalisations, les États membres, sont toujours suspects de poursuivre leurs intérêts propres au détriment de ceux de l'Union. Ensuite par pure et simple détestation libérale – mais en fait c'est tout un : la disqualification libérale de l'État se sera trouvée être l'instrument adéquat sinon à la dissolution, du moins à la diminution du niveau étatique-national, jugée indispensable pour faire émerger le niveau européen. Mais la Banque centrale, elle, est une bonne mère – dès lors qu'elle a été soustraite aux sales pattes de l'État abuseur, bien sûr. Et saint Jean-Claude ne peut pas faire le mal, c'est écrit dans le traité. Aussi, la crise monétaire telle qu'elle germe peut-être dans les décisions (contraintes) de la Banque centrale européenne n'intéresse personne, là où celle des galeuses finances publiques fait pousser de hauts cris. Pourtant, il ne faut pas en douter un instant : les États choisiraient-ils de se conformer aux règles européennes et de renoncer à tout effort de soutien des demandes évanouies, ils signeraient pour que, d'affreuse, la récession devienne carrément sanglante – le pire étant d'ailleurs que ce calcul idiot serait voué à être défait en rase campagne puisque l'effondrement (encore plus grand) des recettes fiscales du fait d'un défaut (encore plus grand) de croissance enverrait les déficits par le fond en fin d'exercice : la récession aiguë *et* les déficits, ce serait la double peine. Pendant ce temps, les États-Unis, qui savent visiblement mieux que les Européens ce que bord du gouffre veut dire, préparent un « *stimulus package* » de 13 % du PIB. Cherchez l'erreur...

Il faut bien reconnaître, à la décharge de ces pauvres commissaires, que cette situation inouïe met la construction européenne en grand déséquilibre juridique. Articles 101, 102, 107, 123, 126, ça commence à faire beaucoup. Or si les idéologues de cette Europe en prennent à leur aise avec la cohérence intellectuelle, tel n'est pas le cas des juristes qui, eux, ont à faire avec la cohérence du droit. Il va falloir dire bien vite ce qu'il peut advenir du droit européen au moment où les nécessités vitales emportent tout et conduisent à en violer allégrement quelques poignées d'articles. Disons immédiatement que l'idée d'un « droit par intermittence » n'est pas de celles où va spontanément la préférence des juristes... C'est pourtant bien cette allure que revêt déjà l'appareil juridique européen, dont les capacités d'accommodation interprétatives et jurisprudentielles ne pourront pas digérer un choc de cette ampleur. La crise absorbée dans un certain nombre d'années et les affaires reprenant leur cours, quels arguments la Commission et puis surtout la CJCE[1] opposeront-elles à des candidats retoqués de la fusion bancaire à froid quand ceux-ci viendront rappeler les précédents de Fortis-BNP Paribas ou de HBOS-Lloyds TSB ? C'est là la faiblesse des constructions institutionnelles trop fortement juridicisées, comme l'Union européenne, qu'elles admettent très peu de flexibilité et que toute tentative pour faire un pas hors des clous, fût-ce dans l'urgence d'une situation de crise, crée potentiellement un problème de droit. On pourrait objecter que le droit rectifie

---

1. La Cour de justice des communautés européennes.

le droit et que de nouvelles lignes directrices opèrent de fait l'adaptation des anciennes. Il faudra toutefois soumettre à des juristes plus qualifiés la validité, non pas de l'apparition de nouvelles lignes directrices, mais de lignes directrices *temporaires* et *réversibles*, c'est-à-dire *ad hoc*. Que la Commission émette à jet continu de nouvelles lignes directrices à propos de tout et n'importe quoi, tout le monde le sait. Mais cette émission continue est tout de même régulée par un principe de cumulativité et de non-contradiction tolérable. Qu'il puisse y avoir des revirements de jurisprudence qui défont ce qui avait été fait et semblent briser la dynamique cumulative est aussi une chose connue, mais ces revirements mêmes sont en général appelés à faire droit pour longtemps. Le tête-à-queue juridique « je-détends-je-resserre » – car on a bien compris que cette tolérance de la Commission n'est pas appelée à durer –, équivalent du double demi-tour au frein à main, est un genre assurément très neuf, dont il reste à savoir si le droit européen va l'épouser entièrement. Et si jamais le nouveau paradigme juridique du tête-à-queue était *in fine* validé, il faudrait s'en réjouir comme d'une bonne nouvelle annonçant que ce que la Commission aura été capable de faire une fois, elle pourra donc le refaire, ceci signifiant qu'à ce degré de révision discrétionnaire et *ad hoc* on est en bonne voie de sortir du droit pour refaire de la politique.

OUVRIR UNE CRISE POLITIQUE EUROPÉENNE

Or c'est bien de cela qu'il s'agit. Car que peut-on dire d'articles qui ont été si mal pensés, et doivent être répudiés à la première crise sérieuse, sinon qu'il faut les réécrire de fond en comble, et en fait bien d'autres avec eux... et que la période présente en offre la formidable opportunité ? Cette malfaçon congénitale ne devrait étonner personne : la part économique des traités européens est intimement solidaire d'un corpus dogmatique dont la crise a précisément révélé la profonde nocivité. C'est pourquoi on ne saurait attendre de ces textes qu'ils fournissent la moindre ressource pour endiguer une catastrophe... qu'ils ont eux-mêmes contribué à armer. En tout cas le gouvernement français, s'il avait deux sous de sens historique, saisirait cette occasion sans pareille pour ouvrir une crise politique positive, aussi brutale que nécessaire, mais tolérable, et même désirable, justement parce qu'elle offre de refaire à chaud ce qui est depuis si longtemps avéré impossible à froid – fût-ce avec quelques « non » retentissants à tous les référendums... –, c'est-à-dire relancer enfin la construction européenne sur de nouvelles bases expurgées de la pollution concurrentialiste. Et, en effet, jamais *casus belli* européen ne s'est si bien présenté. La Commission, qui a le don de se mettre en tort, pulvérise ici ses propres records : se proposer d'exiger des restrictions de crédit, au moment où toute l'économie en attend la reprise comme de son oxygène vital, ou bien s'opposer aux tentatives pour réanimer si peu que ce soit des économies en chute libre, sont de véritables performances dans l'art de nuire – et aussi dans celui de ne rien comprendre –, une sorte d'équivalent de la mise en danger d'autrui mais à l'usage des collectivités.

Comme tous les grands pouvoirs dérangés, la Commission a perdu tout sens commun et, n'ayant jamais eu le moindre contact avec la population de ceux qu'elle baptise dans un irrésistible élan d'humour involontaire les « citoyens européens », elle est fatalement exposée au pas de trop, à l'excès marginal insupportable, mais commis avec une parfaite bonne foi et en toute bonne conscience. Et puisque l'analyse des dynamiques historiques requiert sa dose de cynisme, on observera qu'une fraction non négligeable des dominants pourrait parfaitement apporter son concours à l'ouverture de cette crise. Car le capital lui-même n'a pas vraiment intérêt aux outrances d'une

Commission qui l'a certes beaucoup et bien servi, mais finira par tuer tout le monde à force de pureté idéologique. On dira ce qu'on voudra, mais les grands libéraux, les vrais, pas les demi-sel qui couinent « Europe sociale » en faisant « oui oui » de la tête à toutes les avancées du concurrentialisme européen, les grands libéraux, donc, sont, eux, souvent très articulés, plus encore politiquement qu'économiquement, la chose curieuse étant qu'à l'opposé de leurs orientations économiques leurs analyses politiques sont souvent d'un réalisme matérialiste qui fait d'eux des quasi-marxistes à l'état pratique. Les rédacteurs de *The Economist*, qui entrent dans cette catégorie, ne s'y trompent pas qui perçoivent avec une parfaite clarté et la montée des contestations, et les enjeux de la gigantomachie à venir : « *Sauver le marché intérieur est le combat idéologique européen d'une génération, et la Commission est l'organe qui importe le plus à ce propos*[1]. » Au moins, les choses sont claires – le plus étonnant est qu'il s'en trouve pour ne pas les voir dans leur évidence nue.

Que ce soit un gouvernement de droite en France qui se retrouve le protagoniste possible de cette épreuve de force possible est une ironie qui ajoute au charme de la période. Quand ce gouvernement est celui de Nicolas Sarkozy, évidemment, il y a lieu de s'en tenir à des anticipations modérées, connaissant la disproportion entre ses aboiements et ses passages à l'acte. Le drame politique est cependant que, s'il devait y avoir le moindre espoir, c'est de ce côté qu'il se situerait. Car on ne doit se faire aucune illusion : jamais au grand jamais aucune contestation de cette sorte ne pourrait venir des rangs du socialisme de gouvernement. Eux feraient don de leur personne et se jetteraient pour faire bar-

---

1. Charlemagne, « Beware of breaking the single market », *The Economist*, 14 mars 2009.

rage de leur corps à pareille infamie puisqu'il est désormais irréversiblement engrammé dans leurs esprits que s'en prendre à *cette* Europe, c'est s'en prendre à *l'*Europe. Nous voilà donc au bout d'un certain chemin, là où quelque espoir paradoxal renaît en même temps que le nombre des solutions restantes s'effondre. Car, si ce que les verdicts de la supposée « démocratie » et ses référendums parodiques n'ont pas pu faire, le moment décisif de la crise maximale ne le peut pas non plus, quelles issues restera-t-il ? L'Europe dans sa forme actuelle prend un soin particulier à écœurer autant qu'elle le peut, parfois même, mais dans le silence de leurs âmes tourmentées, jusqu'à ses défenseurs les plus sincères, et voudrait-elle précipiter des accès de refermements nationaux qu'elle ne s'y prendrait pas autrement. Si vraiment c'est là le produit chaque jour plus probable de cette délirante aventure, on se demande presque si, pour l'idée européenne elle-même, il ne faudrait pas souhaiter qu'un beau jour les manants – je veux dire les « citoyens européens » – se rendent sur place dire un mot en direct aux grands malades qui ont rendu cette Europe irréparable. Et le cas échéant se proposent de leur désigner la porte.

Et pourquoi pas plus loin ?
L'horizon des récommunes

Bousculer la contrainte actionnariale avec le SLAM, refaire le régime des échanges internationaux et les structures de la concurrence, fort bien. Mais cela ne fait jamais que changer de *configuration* du capitalisme... c'est-à-dire rester dans le capitalisme. Or on pourrait avoir d'autres envies. Et notamment celle d'en sortir.

Même si elle n'est pas *a priori* la plus probable, cette sortie n'en fait pas moins bel et bien partie de ces possibilités qui naissent du grand effondrement. Car la faillite est si complète – économique, morale, idéologique – que l'histoire s'est d'un coup rouverte et, riche à nouveau de possibles inouïs, elle est comme suspendue dans l'attente de la formation des forces qui la feront basculer dans un sens ou dans l'autre, et l'emmèneront, ou non, passer quelques seuils inédits. S'il est vrai, pour être allumée par le spectacle des inégalités et l'affolant aveuglement des enrichis persistant à vouloir plus encore, le cas échéant aux frais de la collectivité, que la colère débordante du corps social a pour objet véritable les souffrances de la vie salariale, alors il ne devrait pas être impossible de passer de la mise en cause des *formes actuelles* de cette vie à la mise en cause de son *essence* même. C'est une chose de souffrir ces tourments que ne souffraient pas les salariés de l'époque fordienne – la stagnation des revenus, les horaires en miettes, la destruction des collectifs de travail, les chantages à la délocalisation, l'angoisse des plans sociaux, etc. –, mais c'en est une autre de s'en prendre à la souffrance du *rapport salarial lui-même*, souffrance de la dépossession de tout, non seulement celle des outils et des produits de la production, comme le notait Marx, mais aussi de toute emprise sur sa vie de travail, sa vie individuelle et plus encore collective, totalement remise à l'empire patronal-actionnarial, souffrance d'avoir à baisser la tête dans des rapports de subordination où le commandement hiérarchique a toujours le dernier mot.

Profondeur de l'aliénation marchande

À la vérité le capitalisme est le plus fragile dans ce qu'il a de plus central – le rapport salarial, précisément. Les rapports marchands-monétaires, qui entrent évidemment dans son concept, mais comme le legs d'une histoire économique plus ancienne, sont sans doute l'un de ses rocs les plus difficiles à défaire. La division du travail jette inévitablement les agents dans un monde monétaire, car si chacun est privé absolument des moyens de subvenir par lui-même à *toutes* les nécessités de sa vie matérielle, alors il n'a d'autre choix que de jouer la spécialisation et la complémentarité, c'est-à-dire la division du travail et l'échange marchand par monnaie interposée qui en est l'inévitable corrélat – en tout cas à l'extension de sociétés aussi nombreuses et aux niveaux de développement matériel qui sont les nôtres. Mais, disons-le, il y a plus dans la force des rapports marchands que les nécessités de la reproduction matérielle dans une économie monétaire à travail divisé : il y a la fascination de la marchandise elle-même et l'aliénation du désir aux choses offertes contre monnaie. La servitude passionnelle instituée par l'ordre marchand n'est pas un vain mot et il faut se méfier de tous ceux qui se proposent de la balayer d'un revers de main pour instituer du jour au lendemain le règne de la frugalité : quoiqu'il n'y ait aucune raison de douter de leur sincérité, il faut se rendre à l'évidence que leur frugalité *à eux* n'est pas partagée par tous. Aucune déploration morale n'y pourra rien, et pas davantage – pour l'heure – les imprécations au nom de la planète à sauver. Des siècles d'« individualisme possessif » ont façonné des « sujets » parfaitement adaptés à l'ordre marchand, parfaitement réceptifs à ses permanents messages. Il n'est pas question de faire de ce constat un état de choses indépassable, preuve en est que çà et là fleurissent des dissidences d'avec la marchandise, des expérimentations de la vie sous d'autres rapports, des mises à distance de la monnaie – qui d'ailleurs ne peuvent jamais être complètes, car même les dissidences doivent manger, boire et se vêtir. Mais, précisément, ce ne sont pour l'heure que des dissidences, des devenirs minoritaires, et le corps central de la société n'est pas là. Rien ne permet d'exclure qu'il « rejoigne » un jour, simplement il faut lui en laisser le temps. Pour l'heure il faut souffrir encore qu'il y ait quelque chose d'affreusement bien fondé dans le discours de contentement des publicitaires faisant l'apologie des « couleurs » et des « lumières » de leurs réclames qui « embellissent la ville » et sont « appréciées » du « public », à qui elles « manqueraient » fussent-elles supprimées. Lorsqu'elle sait ne pas franchir les seuils soit de l'abrutissement pur et simple, soit de la provocation qui fait miroiter des choses inaccessibles, la publicité offre son reflet au désir de l'individualisme marchand – et celui-ci s'y reconnaît avec délice.

Extirper ce désir-là, à l'échelle qui est la sienne, n'est pas une petite affaire. Il n'est d'ailleurs dans le pouvoir de personne en particulier de décréter cette extirpation. Seul un lent travail du corps social lui-même, un travail qu'on pourrait qualifier de culturel, pourrait ou pourra l'en débarrasser. C'est pourquoi d'ailleurs, si toutes les exhortations du monde, écologiques, décroissantes, « citoyennes » ou « solidaires », tous les appels à la « responsabilité » vis-à-vis de la « planète », des « générations futures » ou de tout ce que l'on voudra, ne peuvent rien *aujourd'hui* contre des aliénations de cette profondeur, tous sont en même temps les indispensables microcontributions dont la répétition et la sommation historiques feront le changement pour lequel ils se battent. Entre-temps, si l'on comprend « sortie du capitalisme » au sens le plus rigoureux du terme, comme la subversion radicale de *tous* ses rapports sociaux constitutifs, au nombre desquels le rapport marchand-monétaire, alors force est de constater que le compte n'y est pas et pour longtemps encore.

Les rapports médiévaux de la servitude salariale

Et pourtant, non contradictoirement, il est permis d'envisager d'en changer la face à un degré tel qu'on hésiterait à le nommer encore « capitalisme », et précisément en le prenant sur son point central, qui est aussi son point faible : le rapport salarial. C'est peut-être le paradoxe de ce qu'on appellera pour faire vite la « matrice idéologique » du capitalisme, à savoir l'individualisme libéral, que de lui être à ce point ambivalente, et de lui offrir aussi bien ses ancrages les plus sûrs que ses fragilités les plus grandes, à savoir, pour qui veut bien s'en servir, les points d'appui de son renversement. S'il est vrai que l'individualisme, renvoyant chacun au souci déclaré légitime (et même vertueux)[1] de ses seuls intérêts, ne cesse de corroder toutes les constructions collectives, notamment celles de la solidarité de redistribution fiscale – « pourquoi payer pour "les autres" ? » – et celles de la protection sociale soustraite à l'ordre du marché – typiquement la répartition contre la capitalisation individuelle –, il n'est pas moins vrai que l'individualisme politique ou philosophique pose une exigence dont le capitalisme a les plus grandes difficultés à s'accommoder : l'exigence d'égalité en droit et en dignité de tous les hommes. Car voilà le problème : on ne fait pas plus attentatoire à l'égalité en dignité des hommes que le commandement patronal qui définit le rapport salarial ! Bien sûr les excroissances appliquées de la philosophie libérale s'escriment autant qu'elles le peuvent à masquer cette tache disgracieuse à l'aide des fictions juridiques et économiques du contrat de travail, librement négocié entre parties parfaitement égales. Combien de temps faudra-t-il encore attendre pour que ces arguties, contemplées rétrospectivement, ébahissent des observateurs futurs, comme nous ébahirent les « raisons » de l'ordre naturel et des décrets divins jadis apportées en justification des rapports de servage ?

La référence médiévale n'est pas choisie au hasard, car si la séquence historique ouverte au tournant du XVIe siècle et qu'on a coutume d'appeler la « modernité » – laquelle n'a strictement rien à voir avec la bouillie homonyme en

---

1. Comme on sait, la naissance du discours de l'« économie politique » est souvent renvoyée à des textes comme *La Fable des abeilles* de Mandeville ou *La Richesse des nations* d'Adam Smith, et à la thèse qui s'y trouve posée que la poursuite par les individus de leurs seuls intérêts, par un effet de composition propre à la dite « main invisible du marché », produit le meilleur état social possible. Dans cette nouvelle vision de l'ordre social du marché, c'est l'abandon par les individus des préoccupations du collectif qui devient le principe de production du collectif.

usage dans le débat des éditorialistes et sous laquelle on fait passer les pires régressions –, si donc la modernité historique s'est construite autour de la figure de l'individualisme et de l'autonomie démocratiques, proclamant, en rupture avec les asservissements hérités de la tradition, que les hommes sont seuls à façonner leur destin et qu'il leur revient pleinement de décider de leur existence collective, alors force est de constater que la sphère économique est largement demeurée prémoderne – en ce sens médiévale. L'entreprise capitaliste est, *par construction*, et la chose n'a pas pris une ride depuis que Marx l'a notée, le lieu du despotisme patronal. Il est oiseux d'objecter qu'il se trouve parfois des despotes éclairés, voire aimables, peut-être même des dirigeants soucieux de ne pas aller au bout du potentiel despotique que les rapports sociaux de production mettent objectivement entre leurs mains : ces événements n'ont aucun caractère *structurel* et sont à chaque fois des sortes de miracles abandonnés aux dispositions, au bon vouloir ou à la philosophie personnelle d'un individu-patron. Comme toujours, la règle, c'est-à-dire ici la régularité, celle que confirment les exceptions, est inscrite dans les rapports sociaux du capitalisme, et notamment dans le rapport salarial. Pour qui trouverait lassant ou sans objet le jeu abstrait des concepts – structures, rapports sociaux, rapport salarial –, il faut montrer de quelle manière ceux-ci, lorsqu'ils sont adéquatement construits, plongent directement au cœur du réel, et trouvent leurs expressions concrètes dans les constructions institutionnelles les plus prosaïques – et les mieux connues de l'expérience. Le rapport salarial de Marx, c'est le droit du travail et le règlement intérieur. Le droit du travail formalise explicitement l'échange de la rémunération monétaire et de l'acceptation de la subordination hiérarchique. L'obéissance productive contre monnaie : voilà le fin mot du rapport salarial. C'est assurément un progrès ramené aux trocs de l'esclavage – l'obéissance contre la vie sauve –, mais pas exactement à la hauteur des idéaux solennellement proclamés de l'individualisme démocratique – dont la lumière occidentale est supposée éclairer le monde.

Les épreuves de réalité sont souvent douloureuses et l'écart qui sépare des déclarations de principes peut surprendre jusqu'à leurs promoteurs mêmes – quand ils ne font pas le choix de la cécité volontaire. Le degré de dépossession et de dévoiement parodique où ont conduit les mécanismes de la représentation politique, réduisant la maîtrise du corps social sur son destin à l'expression de quelques choix électoraux d'une affligeante pauvreté, sous drastique encadrement, on pourrait parfois dire confiscation, du débat public, fait déjà peine à voir quand il s'agit de trouver un commencement de réalisation à la promesse numéro un de la « modernité », la promesse démocratique de la délibération et de l'autonomie politiques. Au moins la parodie peut-elle être dénoncée comme parodie, et cela précisément parce que les principes de l'égalité en participation, pour être systématiquement bafoués, n'en ont pas moins été *dits* et que leur spectre ne cesse de hanter les arrière-plans de la dépossession. Or il n'y a pas même de présence fantomatique de cette sorte dans les rapports économiques dont les principes directeurs, eux, répètent obstinément la subordination hiérarchique, et ne sont pas décidés à lâcher ni la grammaire du despotisme ni celle de la servitude – aussi l'entreprise quoi qu'elle puisse dire met-elle tous ses efforts à persévérer dans son être médiéval.

Il faut en effet une mièvrerie un peu ahurie de gentil consultant, ou bien de la gauche de réconciliation-du-capital-et-du-travail, pour ne pas voir persister, derrière l'euphémisation de la servitude par la « gestion participative » et tous les procédés destinés à donner un « visage humain » à ce qui ne peut en avoir, le noyau sombre de despotisme d'entreprise, ce qui reste, ou apparaît, quand on a mis bas tous les masques, le fin mot de ses vrais rapports : quelques-uns commandent et tous les autres obéissent[1]. À ceux qui viendront, l'« humanisme d'entreprise » en bandoulière, parler des fructueuses conversations de machine à café, des boîtes à idées offertes à « toute l'intelligence du personnel », des salariés rebaptisés « collaborateurs », des affirmations aussi creuses que fréquemment répétées selon lesquelles « il n'est de richesse que d'hommes », ou bien de cette chose que le management appelle l'autonomie des tâches pour parler des diverses formes de l'autoaliénation des salariés abandonnés à leurs objectifs impossibles et à la violence concurrentielle interne, à ceux-là il faudra demander qui *décide* ? Qui décide le niveau des salaires et celui des effectifs ? Qui décide quand un site est fermé, qui décide qui part et qui reste au moment du plan social, qui décide de qui va faire quoi et à quelle cadence, qui décide de garder ici ou de reclasser à cent kilomètres ? Et qui s'exécute ? Alors oui, il est bien permis de dire qu'à l'époque « moderne » ce sont là des formes de vie médiévales, puisque dans le monde supposé de l'autonomie démocratique il est des pans entiers de la vie sociale – le

---

1. À la vérité, le paysage de la domination dans l'entreprise est plus compliqué que ne le laisse croire cette formule. Car on pourrait considérer qu'au lieu d'opposer deux sous-groupes, évidemment très dissemblables en taille, dont l'un réunirait ceux qui ne font que commander et l'autre ceux qui ne font qu'obéir, l'entreprise se présente plutôt comme un continuum hiérarchique au sein duquel, les deux extrémités mises à part, chacun est à la fois « commandant » et « obéissant ». C'est d'ailleurs bien cette propriété qui pose son principal problème théorique à la reformulation d'une théorie des classes. Pour autant il demeure des différences nettes entre les degrés du commandement et ceux de l'obéissance – le directeur général, qui obéit au président et commande à tous les autres, n'obéit ni ne commande comme le contremaître qui obéit à l'ingénieur et commande à quelques ouvriers.

travail, c'est tout de même la moitié du temps éveillé – où les intéressés, n'ayant jamais voix au chapitre, doivent plier et se plier.

Démocratie radicale partout

Mais le médiéval au cœur du moderne proclamé à son de trompe jure affreusement et depuis trop longtemps. L'histoire a certes abondamment montré de quelles ressources jouissent les pires servitudes pour se maintenir à n'en plus finir, ressources des asymétries matérielles, comme celle qui sépare le propriétaire du capital du détenteur de sa seule force de travail, ressources symboliques, aimablement fournies par tous les collaborateurs intellectuels de l'ordre social, préposés à sa célébration ou à la certification de sa naturalité. Pouvoir dire à nouveau la contingence de ce qui se donnait jusqu'ici pour inévitable est le privilège spécifique des grandes crises, telles qu'elles brisent les « évidences » constitutives du régime en cours d'effondrement. Et faire voir l'épouvantable écart qui sépare les glorieux principes de leurs misérables réalisations – plus encore : faire de cet écart abyssal un objet de conscience collective – est l'une de ces opérations politiquement décisives où l'histoire trouve parfois l'impulsion de se remettre en mouvement. C'est donc presque un devoir méthodologique que toutes les occasions soient saisies, fussent-elles en apparence les plus improbables. Et si nul ne saurait présumer de leur devenir effectif, il est au moins permis de profiter de celle-ci pour sortir de son enfouissement cette idée que la vie salariale est *dans son essence* indigne, indigne d'un idéal d'égalité de dignité dès lors qu'elle est instituée sur le double manquement de l'asymétrie et de la dépossession, et cela quand bien même certaines de ses réalisations offrent parfois à ceux qu'elles concernent de grandes et réelles satisfactions – mais les exceptions ne rachètent pas un genre. Les salariés qui connaissent de près, pour le vivre au quotidien, le despotisme d'entreprise, ses harcèlements et ses coups de force, ses mises sous pression et ses chantages, ses ordres sans réplique et ses diktats sans appel, sont immensément plus nombreux que tous les professionnels de la dénégation ; c'est pourquoi, quelle que soit l'intensité des forces du maintien de l'ordre, de toutes les forces du maintien de cet ordre, aussi bien l'expertise stipendiée, jurant qu'il ne faut toucher à rien ou bien au minimum, que la flicaille qui contient les grévistes derrière les barrières, on ne peut exclure totalement que mettre en question, non pas seulement la présente configuration antisalariale du capitalisme au sens qu'on lui a donné, mais la vie salariale même, et partant le capitalisme tout court, produise des effets du seul fait de rencontrer l'expérience la plus commune, la mieux partagée et la plus douloureuse de la vie au travail, l'expérience de l'inégalité de dignité.

Et si finalement, à la question « jusqu'où ? » posée à nouveau par l'histoire – jusqu'où porter la remise en question ? jusqu'où faire aller la nouvelle donne ? –, la réponse pratique, celle que donne le corps social en mouvement, dépassait les simples limites d'un changement de configuration du capitalisme pour demander davantage, il faudrait être un éditorialiste, un ministre sarkozyste ou un expert du parti socialiste pour ne pas voir ce qu'il y a à demander : la démocratie radicale *partout*. Car voilà le charme particulier du principe moderne, principe de l'autonomie démocratique : là où d'habitude les principes très généraux laissent les individus dans de grandes perplexités opérationnelles, lui détermine ses réalisations avec une déconcertante facilité ; l'autonomie démocratique, c'est que *tous* décident collectivement de la forme de vie qui les rassemble. Les nécessités de la reproduction matérielle qui rivent les hommes à la division du travail et à la production d'utilités sont suffisamment pesantes pour qu'on n'y ajoute pas au surplus d'avoir à les assumer dans des conditions d'hétéronomie et d'exploitation qui sont un redoublement de servitude. Vivre l'existence productive, c'est encore vivre malgré tout, et rien ne justifie que cette vie, déjà privée des réalisations qui normalement lui donnent sa qualité, le soit en plus des élémentaires conditions de maîtrise collective sans lesquelles elle devient indigne. Si « dépasser le capitalisme » peut avoir quelque sens, ce ne peut être que celui d'effacer cette incompréhensible anomalie voulant qu'aux temps dits démocratiques les intéressés se trouvent à ce point dépossédés de tout pouvoir sur la conduite de leur activité collective. Et celui de pourvoir à la plus complète réappropriation en cette matière.

Vers la récommune

Démocratie est la forme prise, ou prétendument prise, à l'époque moderne par la république, la *res publica*, la chose publique – la chose qu'est pour le groupe la vie comme groupe. On pourrait s'inspirer du mot pour reconstruire analogiquement la situation du groupe plus étroit que constitue une collectivité de travail, une entreprise. Parler à son propos de « république », ce serait évidemment trop dire : son objet ne concerne pas tous et ne poursuit que des fins trop partielles ; il n'est pas à proprement parler, et si les mots ont un sens, une chose *publique*. Et pourtant il y a bien, même à cette petite échelle, une chose partagée, une chose *commune*. Une *res communa*. Si donc, de l'entreprise, on ne peut pas dire sans forfanterie qu'elle est une république, on peut en revanche assurément soutenir qu'elle est une récommune. Et voici où joue pleinement l'analogie politique : si, au moins dans les principes (car on sait ce qu'il en est dans la réalité), la démocratie est la forme incontestable de la république à l'époque moderne, alors il est simplement impensable qu'il en aille différemment pour la récommune productive. De la même manière *en principe* que les hommes de la république n'obéissent jamais qu'aux lois qu'ils se donnent, les hommes de la récommune devraient décider collectivement et intégralement des modalités sous lesquelles ils assument les activités productives auxquelles les assignent les nécessités de la division du travail[1].

Dépasser le capitalisme, c'est donc faire entrer en grand dans la sphère des rapports économiques, d'où elle a toujours été soigneusement exclue, l'exigence démocratique radicale, c'est-à-dire faire exister en actes ce principe qui, en simples mots, a si souvent servi de bouclier dogmatique aux défenseurs du plus foncièrement antidémocratique des systèmes – la démocratie, c'était toujours bon pour la comédie parlementariste, jamais pour les travailleurs associés. Cette idée, d'une logique limpide dès lors qu'on a admis, et surtout pris au sérieux, les prémisses du principe démocratique – pour toute chose commune à laquelle ils sont intéressés, l'égalité en droit et en dignité appelle tous les individus à la détermination d'un destin collectif qu'eux seuls sont qualifiés à se donner –, cette idée, donc, n'a au surplus rien de neuf. Ne faudrait-il pas en fait demeurer stupéfait de ce que, pour avoir été dite de si longue date, elle soit restée si longtemps sans suite ? Marx en tout cas, dont les défenseurs les plus épais du « capitalisme démocratique » ont fait l'épouvantail que l'on sait, le nom propre de toutes les « menaces contre la démocratie », Marx au moins prenait-il au sérieux les idées que leurs conservateurs mêmes semblent, ou feignent de, ne pas comprendre ; et ça n'est certainement pas un hasard si la *Critique du programme de*

---

1. Et, par extension, on pourrait très bien imaginer, il le faut sans doute même, que les assignations de la division du travail, qui ne tombent pas plus du ciel que le reste, entrent de plein droit dans le périmètre d'une délibération collective élargie.

Gotha donne très explicitement à la première phase de la société communiste le projet d'une réalisation *véritable* de ces idéaux dont il n'hésite pas à dire la provenance : les idéaux de l'individualisme bourgeois même, dont l'étonnait déjà le paradoxe qu'ils fussent à peu près autant célébrés que méthodiquement bafoués partout où ils auraient pu trouver de parfaites occasions d'être mis en œuvre – et spécialement dans l'ordre des rapports économiques.

C'est pourquoi la démocratie vraie condamne absolument le droit de propriété, non pas bien sûr le droit à des possessions personnelles, comme le glapissent sans cesse tous ceux qui n'ont plus que la peur comme argument, mais la propriété des moyens de production quand celle-ci est convoquée pour justifier l'injustifiable empire sur la vie active des enrôlés du capital. Comme l'a déjà laissé entendre la forme institutionnelle proposée pour un système socialisé du crédit (voir *supra*, chapitre 3), il n'est simplement pas question, dès lors que les rapports au sein d'une organisation quelconque, fût-elle économique, ont été reconnus pour ce qu'ils sont, à savoir des rapports des hommes entre eux, c'est-à-dire la définition même de rapports authentiquement politiques, que la propriété y confère le moindre privilège. On ne s'étonnera pas *a contrario* que la logique du capitalisme financiarisé ait trouvé son accomplissement le plus conséquent dans le délire de ladite « démocratie actionnariale »[1], forme d'organisation des rapports de pouvoir sur l'entreprise dans lesquels, précisément, la capacité politique se trouve entièrement indexée sur la participation financière – puisque sont déclarés seuls légitimes à se prononcer les détenteurs de titres de propriété. À l'exact opposé de cette formidable mystification censitaire opérée au nom même de la démocratie, la récommune

---

1. Pour une analyse critique de la « démocratie actionnariale », voir Frédéric Lordon, *Fonds de pension, piège à cons ? Mirage de la démocratie actionnariale*, Raisons d'agir, 2000, chapitre 5.

productive rejette absolument qu'un seul, au nom de la propriété, dispose du droit de régir l'existence d'un grand nombre d'autres, et se fait valoir précisément comme récommune en accordant à tous une capacité égale de participation politique en toute matière dont la vie du collectif de travail est l'objet.

Autogestion est le nom que prend dans l'entreprise le mot d'ordre de la démocratie radicale[1]. Bien sûr, des contraintes minimales d'efficacité ne font pas échapper à des formes minimales de délégation et de représentation, mais sous le contrôle régulier de la récommune entière pour que les bénéficiaires de la délégation ne deviennent pas des captateurs, et ne s'autonomisent pas comme des oppresseurs en puissance. La question des contrôles démocratiques récommunaux est particulièrement décisive car la division du travail interne elle-même produit sans cesse des asymétries et des formations de pouvoir, dont jouissent par exemple tous ceux qui occupent les fonctions supérieures de synthèse d'informations et de coordination, très vite tournées en fonctions de direction, donc de commandement, et dont il importe de ne pas laisser les détenteurs se transformer en potentats séparés, devenus régisseurs pour les autres. Car, autant le dire tout de suite, en l'occurrence à la manière de Spinoza, il faut compter avec les hommes « tels qu'ils sont et non tels qu'on voudrait qu'ils fussent[2] », c'est-à-dire avec leur part

---

1. Au-delà des quelques évocations présentes, il faut impérativement mentionner les travaux autrement approfondis menés de longue date sur ce sujet déserté de la plupart des économistes, et notamment ceux de Thomas Coutrot, *Démocratie contre capitalisme*, La Dispute, 2005 ; Catherine Samary, *Le Marché contre l'autogestion*, La Brèche, 1988 ; Daniel Bachet, Gaëtan Flocco, Bernard Kervella et Morgan Sweeney, *Sortir de l'entreprise capitaliste*, Éditions du Croquant, 2007 ; voir également Michael Albert, *Après le capitalisme. Éléments d'économie participaliste*, Agone, 2003.

2. Spinoza, *Traité politique*, chapitre I, § 1.

de désir, leurs élans de puissance et toute la violence qui peut en résulter. La récommune n'est pas plus indemne que la société par actions de cette violence qui sourd de chaque groupe humain, ou plutôt : qu'elle s'épargne les évidentes violences de la société par actions n'entraîne pas *ipso facto* qu'elle soit soustraite à *toute* violence. Il lui reste sa violence interne, celle-là même qui peut naître, par exemple, des désirs de capture, désirs de ceux qui occupent les « bonnes » positions, les positions « hautes », de capter tout l'effort de la structure, de la faire travailler « pour eux », au service de leurs fins – grandeur personnelle, importance sociale, domination à l'intérieur et à l'extérieur, etc.

Les différentes formes de structuration des activités collectives, d'organisation de la vie des groupes, font évidemment des différences dans le niveau des violences qui y règnent, et assurément la violence récommunale n'est pas la violence actionnariale. Mais il n'existe aucune formule, pas plus récommunale qu'autre chose, de la *parfaite* harmonie sociale, et tous les projets d'éradication définitive de la violence sont voués à finir dans les plus grandes violences. C'est pourquoi, plutôt que de rêver à d'impossibles pacifications définitives, il vaut mieux regarder bien en face la violence des groupes et, au lieu de la nier, songer à la couler dans les agencements institutionnels qui en minimiseront les effets. Si l'on n'échappe pas à la violence inhérente à ces élans de puissance que Spinoza, encore lui, nomme les *conatus*[1], on peut cependant envisager de la stabiliser en organisant leur jeu dans des compromis institutionnalisés. Ainsi, par exemple, de la question toute prosaïque, mais en fait de première importance, du mandat des occupants des

---

1. « Chaque chose autant qu'il est en elle s'efforce pour persévérer dans son être » (« ... *in suo esse perseverare* conatur ») : le conatus est l'effort de la persévérance dans l'être (Spinoza, *Éthique*, partie III, proposition 6).

fonctions de « direction » – les captateurs en puissance. Entre la fixation des conditions de la désignation, de la reconduction ou de la révocation, d'une durée du mandat, du nombre maximum de ses renouvellements, des conditions de validation par les diverses assemblées récommunales d'un éventuel et exceptionnel dépassement, le compromis institutionnalisé doit chercher la balance entre les éléments antagonistes que sont, d'une part, les bénéfices opérationnels de la continuité liés au temps passé en place par un dirigeant et, d'autre part, les inconvénients symétriques de l'« installation » du dirigeant à la tête d'une entreprise dont il se sent le chef naturel et permanent, avec tous les risques du développement de ses propensions à la capture du fait même d'être devenu quasi inamovible et d'avoir oublié qu'il n'était que de passage.

On l'a compris, il n'est pas question de donner ici le plan détaillé des structures de la démocratie récommunale, encore moins de suggérer qu'il en existerait une forme unique et optimale, mais simplement, au hasard d'un risque de dévoiement facile à identifier, de rappeler, au-delà de la diversité possible des arrangements institutionnels, dont les membres de la récommune décideront eux-mêmes comme de leur « constitution », de rappeler, donc, que les compromis institutionnalisés qui régissent toute collectivité productive, quelle qu'en soit la forme, sont placés sous un principe directeur qu'ils expriment, et qu'en cette matière le principe du *capital* n'est pas celui de la *récommune*. Le principe fondamental, sinon de la démocratie authentique – si l'on entend par là sa réalisation « parfaite », quel sens la chose pourrait-elle avoir ? –, du moins de l'effort démocratique maximum, c'est-à-dire du projet d'étendre aussi loin que possible l'idée démocratique dans la sphère des rapports économiques, admet pour énoncé le plus limpide que, dans la récommune, les intéressés décident en leurs assemblées. Ils décident du niveau et de l'éventail des salaires, ils décident des temps et des cadences, ils décident du niveau de l'emploi et de ses ajustements, ils décident des occupants temporaires des fonctions de direction-coordination, ils décident de la stratégie, de l'opportunité de croître ou non, ils décident des conditions de travail, de la part du surplus qui doit y être consacrée, de l'allocation du reste, bref ils décident de tout ce qui les concerne collectivement. À tous ceux qui hurleront aux « soviets » il faut dire tout de suite que, oui, ils ont bien raison ! – tout en leur rappelant que les soviets, les vrais, n'ont pas existé... un an[1], et que, par conséquent, les effrayés ne savent pas de quoi ils ont peur. Quant à ceux qui, sans références historiques mais la tête près du bonnet managérial, objecteront les coûts, les pertes d'efficacité et les dissipations de toutes sortes dont la démocratie économique est vouée à souffrir, il faut objecter... que ce n'est pas une objection, qu'ils n'ont pas compris grand-chose à l'essence même de la proposition récommunale, dont les objectifs cardinaux ne sont pas

---

1. Il est question ici des soviets d'entreprise. Le 3 mars 1918, le VSNKh (Conseil supérieur de l'économie nationale) prend un décret modifiant les conditions de nomination des directeurs d'entreprise, nomination qui, échappant aux comités d'usine, revient désormais aux directions de l'administration centrale tutelles des entreprises en question. Les comités ouvriers se trouvent par la même occasion dépossédés de leurs prérogatives de souveraineté, leurs décisions étant soumises à l'approbation d'un conseil économique administratif au sein duquel ils n'ont plus la majorité. Charles Bettelheim, à qui tous ces éléments sont empruntés, évoque la défense de Lénine parlant d'un « pas en arrière », présenté comme temporaire et justifié par les circonstances, et note pour sa part : « *La position de principe de Lénine est donc claire, et elle est d'autant plus importante à noter que le "pas en arrière" alors accompli, et le renforcement des rapports sociaux capitalistes qui lui correspond, n'ont pas donné lieu plus tard à l'adoption de mesures conformes aux "méthodes soviétiques" et aux* Thèses d'avril. » In Charles Bettelheim, *Les Luttes de classes en URSS*, vol. I : *1re période, 1917-1923*, Seuil/Maspero, 1974, p. 135.

l'accumulation indéfinie du profit pour le profit (ou la satisfaction et des rêves de grandeur, et de la fortune des
patrons-actionnaires), mais la vie productive collective
moins malheureuse, la levée d'une part de servitude[1], la
réappropriation d'une partie de sa vie éveillée sous l'espèce
de l'égale participation à en décider dans son cadre collectif, peut-être même la découverte de satisfactions, satisfactions de réaliser, de faire bien, fût-ce dans le monde
transitif des utilités matérielles, et que toutes ces choses
viennent bien avant le résultat financier, pourvu que la
récommune productive trouve les voies de se maintenir
dans la viabilité économique.

Les conditions externes
de la viabilité des récommunes

Cette viabilité économique ne trouve d'ailleurs nullement toutes ses conditions au-dedans de la récommune elle-
même mais aussi, et peut-être surtout, au-dehors. Car même
les arrangements institutionnels les mieux conçus ne résistent
pas à des pressions externes quand celles-ci dépassent les
valeurs de tolérance. Certaines des structures récommunales pourraient voler en éclats de se trouver exposées aux
contraintes féroces que connaissent par exemple les entreprises d'aujourd'hui, et cela pour se voir obligées de faire
fonctionner leur démocratie interne à ne rendre que des
arbitrages de sauvegarde et de sacrifice, à ne travailler que
dans le « négatif », à ne gérer que des diminutions. C'est
pourquoi l'ensemble des propositions visant, sous le registre

---

1. Une part seulement car, il faut le redire, l'assignation à un seg-
ment donné de la division du travail et plus généralement les nécessités
de la reproduction matérielle telles qu'elles vouent à une vie productive
d'utilités en constituent une autre part non moins importante.

du changement de *configuration* du capitalisme (voir *supra*, chapitres 3, 5 et 6), loin d'être sans rapport – car trop « en deçà » – avec la perspective plus radicale d'un *dépassement* du capitalisme, en apparaît au final comme une sorte d'indispensable prérequis. Détendre la contrainte actionnariale (en fait par principe, ici, l'annuler purement et simplement), la contrainte de l'accès au crédit et celle de la concurrence, tel est bien le préalable nécessaire à la création d'un environnement où les récommunes productives auraient les plus grandes chances de protéger leurs formes politiques des pressions qui pourraient les détruire.

Évidemment, dans ce paysage général des contraintes à détendre, la contrainte actionnariale est tout à fait à part puisque, par construction, l'avènement de la récommune productive suppose son abolition pure et simple... En imposant un plafonnement à la rémunération de la propriété financière, le SLAM opérait déjà un desserrement significatif de la contrainte actionnariale. Mais l'idée de la récommune est tout autre chose puisqu'elle déclasse radicalement le principe même de la propriété capitaliste en tant qu'il constituait la source exclusive de la capacité politique dans l'entreprise. Et puisque, en ces matières économiques, les oppositions les plus politiques se masquent en prenant la forme la plus ostensiblement « technique », il faudra sans doute répondre à l'objection mettant en cause la possibilité d'une économie sans fonds propres externes. Comme la discussion sur le SLAM l'a déjà montré (voir *supra*, chapitre 5), c'est le capitalisme actionnarial qui s'est paradoxalement lui-même chargé d'y apporter la réponse – et pas dans un sens qui lui soit favorable... Car une économie sans fonds propres externes, c'est exactement ce que ce capitalisme-là fait régner dès lors que sa contribution nette au financement des entreprises devient tendanciellement nulle (en Europe), voir carrément négative (aux États-Unis) ! De cette prémisse que les marchés d'actions soutirent aux entreprises plus de moyens financiers qu'ils ne leur en apportent, une logique élémentaire tirerait la conclusion que la Bourse est devenue une forme institutionnelle parfaitement dispensable du capitalisme – et c'est bien cette conclusion que partage, à sa façon, l'idée récommunale qui se voit donc, si besoin en était vraiment, « couverte » par les aberrations mêmes du capitalisme actionnarial... Ajoutons qu'une économie sans fonds propres externes n'est pas une économie sans fonds propres du tout, puisque les entreprises récommunales disposeront toujours de ceux qu'elles sécréteront elles-mêmes au titre d'un profit qui sera bien le *leur*, un surplus revenant entièrement aux collectivités productives, pour leur développement et pour l'amélioration de la condition de leurs membres, et non voué à être capté par des propriétaires extérieurs et parasitaires (plus quelques grands *insiders* associés à la capture actionnariale par primes et stock-options interposées).

Capitalisme actionnarial ou pas, et ça n'est d'ailleurs pas là le moindre de ses paradoxes, l'essentiel du financement des entreprises vient du crédit bancaire. On imagine sans peine le peu d'enthousiasme d'un système bancaire classique à venir en soutien financier d'entreprises abandonnées à des soviets ! Le système socialisé du crédit, dont les éléments ont été donnés au chapitre 3, se trouve d'emblée en affinité avec les unités productives d'un mode de production récommunaliste, dont il partage en partie les principes, puisque lui aussi se donne pour but de faire entrer la démocratie dans la sphère du pouvoir monétaire. Il est utile de rappeler que le système socialisé du crédit repose sur des établissements bancaires dont les prétentions au profit ont été d'emblée (réglementairement) limitées, et qu'il se trouve dès lors adéquat au monde économique des récommunes, où la rentabilité a été déclassée dans la hiérarchie des objectifs au profit des indicateurs de développement social. Déclassement ne veut pas dire disparition, au moins au sens où les récommunes productives ont aussi vocation à dégager des surplus permettant leur développement par l'investissement. Comme on sait, indépendamment du mobile d'extraction de la rentabilité financière, des désirs de puissance et d'expansion peuvent s'emparer de ce genre d'objectif et aliéner l'effort collectif à des rêves de grandeur. Mais, précisément, ce sont les structures politiques de la récommune qui doivent donner à la collectivité de ses membres le dernier mot, pour éventuellement préférer une croissance moindre et « raisonnable » à des rythmes d'expansion qui dégraderaient les conditions de la vie au travail. Ce genre d'arbitrage, proprement inconcevable dans le monde capitaliste, n'aurait aucune chance d'être soumis par des entreprises récommunales à des banquiers qui seraient restés « classiques » et dont l'esprit demeurerait habité par une tout autre grammaire de la vie économique. Le récommunalisme est une cohérence d'ensemble qui s'étend nécessairement aux apporteurs de fonds, et l'on découvre ici ce qu'est la généralité d'un rapport social, c'est-à-dire de ce qu'on vient de nommer allusivement une « grammaire », quand il est constitutif d'un mode de production : de même que le rapport social du capital fait régner *partout* la logique de la valeur et de l'accumulation, de même le rapport social récommunaliste affirme l'universel primat de la vie productive collective *concertée*.

La grammaire récommunaliste ne soumet pas les comportements des groupements économiques à la contrainte première de la performance-profit, mais à celle d'être la meilleure expression possible de la volonté de ses membres. Ce primat récommunaliste de la démocratie productive, qui a vocation à se substituer au primat capitaliste de la valeur captive, n'a de chances de survivre qu'à être reconnu comme tel dans tous les secteurs de la vie économique, les secteurs productifs mais aussi, et en fait surtout, les secteurs financiers. Qu'on le déplore ou qu'on s'en félicite, rien de cela ne signifie l'abolition des contraintes fondamentales de la vie marchande, à savoir : contrainte de paiement, contrainte de liquidité, contrainte de solvabilité[1]. Le désir collectif récommunal demeure soumis à l'obligation de faire face aux engagements à payer courants et de disposer des assises patrimoniales qui permettraient éventuellement de rembourser les dettes en cas d'illiquidité. Mais ce sont des contraintes *a minima* et, *a contrario*, rien ne condamne à l'acharnement forcené qui les transforme en planchers à partir desquels viser le profit maximum. Ces contraintes minimales de la simple viabilité économique (intertemporelle) définissent en fait les seuls critères véritables susceptibles de gouverner les offres de crédit par un système bancaire qui n'a *rien d'autre à exiger*.

Enfin il y a la concurrence. Comme on sait, tout le débat actuel s'efforce d'enfermer la question dans une antinomie sommaire au terme de laquelle il y aurait soit « la concurrence », soit « pas de concurrence du tout » – ce dont on ne voit pas trop d'ailleurs à quoi cela pourrait ressembler, sans doute, dans l'esprit de ceux qui se reconnaissent dans ce genre de présentation, à un monopole étatique monstrueux et généralisé. Aux amis de la pensée binaire, et quitte à les désorienter momentanément, il faut donc dire que la

---

1. La contrainte de paiement est celle qui oblige l'acheteur à s'acquitter de sa contrepartie dans une transaction marchande élémentaire – à savoir *payer* pour l'objet ou la prestation reçu(e). La contrainte de liquidité est celle qui exige de chaque agent économique qu'il soit en état de faire face à chaque instant à *tous* ses engagements à payer. La contrainte de solvabilité est celle qui demande que son actif net soit positif, c'est-à-dire que son actif (ses possessions) dépasse son passif (ses dettes) pour que le second puisse être remboursé par réalisation du premier en cas de liquidation de l'entreprise.

concurrence n'est pas affaire de tout ou rien, mais connaît des *degrés*, avec peut-être l'espoir de leur faire entendre que ceux qui ont été atteints au stade où nous en sommes des processus de déréglementation de tous les marchés peuvent être jugés excessifs sans que les abandonner fasse pour autant retomber dans le monde du Monopole. En tout cas, et le point important est là, la concurrence déchaînée, loin d'être l'indispensable aiguillon de l'« efficacité », est au contraire la force irrésistible qui conduit les agents à des comportements aberrants (comme l'a spectaculairement montré l'intensité de la concurrence financière[1]), mais surtout, en mettant les agents dans des situations de vulnérabilité permanente, du fait d'avoir à défendre leurs positions contre des attaques incessantes, et même d'en venir aux extrémités d'avoir à lutter pour leur survie pure et simple, elle est le facteur de violence économique par excellence. La démocratie récommunale ne peut pas ne pas souffrir de se trouver plongée dans des environnements aussi agressifs, et des distorsions des comportements, individuels comme collectifs, qui suivent nécessairement d'être soumis à des tensions trop vives. Le sentiment, dans des conditions exagérément hostiles, d'avoir à défendre des enjeux vitaux peut conduire à des résurgences incontrôlables des intérêts les plus immédiats, ou au moins mettre sérieusement à mal les formes de l'action collective coopérative, c'est-à-dire déstabiliser la récommune en ses principes fondamentaux mêmes. La pacification des rapports sociaux, spécialement celle des rapports économiques, suppose un minimum de *protection* des individus, c'est-à-dire d'abaisser les tensions extérieures auxquelles ils sont exposés au-dessous de leurs niveaux critiques, définis comme ceux qui les mettent dans

---

1. Pour des éléments d'analyse plus approfondis sur le lien entre concurrence et crise dans la sphère financière, voir Frédéric Lordon, *Jusqu'à quand ?*, *op. cit.*, chapitre 1.

des situations de danger telles qu'elles rendent « légitime »
de leur part de recourir à tous les procédés, fussent-ils les
moins coopératifs, voire les plus violents. Rien de cela ne
dit quelles formes concrètes doit prendre la concurrence,
mais un principe général n'en est pas moins indiqué : si la
déréglementation forcenée et la mise en concurrence géné-
ralisée sont des plaies dont on connaît déjà assez les effets
dans le capitalisme classique, *a fortiori* sont-elles radicalement incompatibles avec un mode de production récommunaliste.

Réanimation utopique

Tout cela fait-il un sens possible à donner à « anticapita-
lisme » ? En tout cas, qu'il lui en faille un aussi précis que
faire se pourra est une évidence, à moins de l'abandonner
non seulement au registre du simple slogan mais surtout du
pur rejet, sachant ce que ne veut pas mais incapable d'indiquer un peu précisément ce que veut, « un peu précisément » signifiant : sur un mode autre que le propos
purement fantasmatique et voué à demeurer sans suite, refus
quasi enfantin démuni du premier moyen d'un commencement de réalisation, incantation creuse et impuissante. Et
pourtant, contradictoirement, on ne devrait pas, quand ils
sont si puissants, soumettre les refus et les colères à une
obligation de livrer immédiatement leur monde alternatif
clés en main – ce sont là des contraintes pour universitaires,
pas celles de l'histoire en marche : un jour, ceux qui, à
force de n'avoir pas été écoutés, sont très furieux se mettent
en marche et renversent tout sur leur passage. On le devrait
d'autant moins que l'utopie est un imprescriptible droit
d'imaginer des sociétés, peut-être une sorte d'équivalent
pour elles des bienfaits du rêve pour la vie psychique individuelle – mais on le dit pour le plaisir d'une métaphore

hasardeuse et vouée à rester sans suite. Qui ne voit en tout cas les dégâts laissés par trois décennies de désertion de l'utopie, trois décennies d'horizons bouchés, de fatalités écrasantes et d'impossibilités proclamées, trois décennies d'attrition de la vie imaginative collective, mais dont semblent s'esquisser çà et là quelques sorties ? Envisager de ne changer *que* de « configuration du capitalisme » comme cet ouvrage s'y est principalement essayé est un parti que bien des raisons retiennent de qualifier de « réaliste », mais dont on pourra dire au moins que, dans la conjoncture présente, il n'est pas privé de toute productivité politique, c'est-à-dire de possibilité de voir le jour à un terme suffisamment proche pour n'être pas complètement désespérant. Mais ce choix-là ne saurait être le motif désolé d'un abandon de l'utopie, à la façon du réformisme qui, à force de différer, de remettre à plus tard et de sacrifier à « tout de suite », a parfaitement réussi – ce qu'il souhaitait dès le début ? – à oublier définitivement.

Les raisons qui maintiennent vivace le projet d'un au-delà du salariat, c'est-à-dire d'un capitalisme si profondément transformé qu'il en serait presque méconnaissable, ne sont pas près de s'estomper. Le déni d'égalité et de dignité qui accompagne nécessairement les rapports de commandement sous lesquels le capital fait vivre ses enrôlés est voué à continuer de travailler pour longtemps des consciences pliées malgré elles, et que la colère rend réceptives à la proposition d'autre chose si elle est suffisamment articulée. Le capitalisme fait vivre aux salariés des expériences communes à grande échelle, expériences de la dépossession et de la servitude, et l'on ne voit pas par quel miracle il échapperait au même enchaînement des causes et des effets qui il y a quelques siècles produisit, par la mise en mouvement venue d'un affect commun d'indignation, le renversement d'un ordre politique qui s'était rendu odieux à tous. C'est à la fois la force et la faiblesse des ordres régnants : ils s'imposent à grande échelle mais nourrissent des refus et amassent contre eux des forces de même extension. Le capitalisme n'échappe pas à cette fatalité, même si l'intensité du travail de transfiguration symbolique qu'il déploie sans cesse, par célébrants interposés, lui permet de durer très au-delà de ce que la réalité nue de ses rapports pourrait jamais lui assurer. L'expérience historique cependant montre assez l'inéluctable insuffisance de ces accommodations, et leur caractère de simples retardements. On pourrait juste avoir l'envie d'accélérer le cours des choses.

Références bibliographiques

AGLIETTA Michel, *Régulation et crises du capitalisme*, Calmann-Lévy, 1976.

AGLIETTA Michel et André ORLÉAN, *La Violence de la monnaie*, PUF, 1982.

AGLIETTA Michel et Sandra MOATTI, *Le FMI. De l'ordre monétaire aux désordres financiers*, Economica, 2000.

ALBERT Michael, *Après le capitalisme. Éléments d'économie participaliste*, Agone, 2003.

ARTUS Patrick et Marie-Paule VIRARD, *Le capitalisme est en train de s'autodétruire*, La Découverte, 2005.

ARTUS Patrick et Marie-Paule VIRARD, *Globalisation. Le pire est à venir*, La Découverte, 2008.

ARTUS Patrick, Jean-Paul BETBEZE, Christian de BOISSIEU et Gunther CAPELLE-BLANCARD, *La Crise des subprimes*, Rapport CAE n° 78, La Documentation française, 2008.

BACHET Daniel, Gaëtan FLOCCO, Bernard KERVELLA et Morgan SWEENEY, *Sortir de l'entreprise capitaliste*, Éditions du Croquant, 2007.

BETTELHEIM Charles, *Les Luttes de classes en URSS*, vol. I : *1re période, 1917-1923*, Seuil/Maspero, 1974.

BOISSIEU Christian de, « Vers plus de régulation ? », *in* Catherine Lubochinsky (dir.), *Les Marchés financiers dans la tourmente. Le défi du long terme*, PUF, 2009.

BOYER Robert, *Théorie de la régulation. Une analyse critique*, La Découverte, coll. « Agalma », 1986.

BOYER Robert, « How to control and reward managers ? The paradox of the 90s. From optimal contract theory to a political economy approach », document de travail de l'association Recherche & Régulation, n° 2005-1.

BOYER Robert et Jacques MISTRAL, *Accumulation, inflation, crises*, PUF, 1978.

BOYER Robert et Yves SAILLARD (dir.), *Théorie de la régulation. L'état des savoirs*, La Découverte, coll. « Recherches », 2002 (2ᵉ édition).

COUTROT Thomas, *Démocratie contre capitalisme*, La Dispute, 2005.

FRIEDMAN Thomas, *The World is Flat. A Brief History of the Twenty-First Century*, Farrar, Straus & Giroux, 2005 (*La Terre est plate. Une brève histoire du XXIᵉ siècle*, Éditions Saint-Simon, 2006).

FRIEDMAN Thomas, *La Terre perd la boule. Trop chaude, trop plate, trop peuplée*, Éditions Saint-Simon, 2009.

FRIOT Bernard, *Puissances du salariat*, La Dispute, 1998.

GREENSPAN Alan, « Financial Derivatives », Remarks by Chairman, Futures Industry Association, Boca Raton, 19 mars 1999.

GUILHOT Nicolas, *Financiers, philanthropes. Sociologie de Wall Street*, Raisons d'agir, coll. « Cours et travaux », 2004.

HUSSON Michel, *Un pur capitalisme*, Éditions Page deux, 2008.

INSEE, *France, portrait social*, INSEE, 2008.

INSEE Première, n° 1203, juillet 2008.

KRUGMAN Paul, *L'Amérique que nous voulons*, Flammarion, 2008.

LANDAIS Camille, « Les hauts revenus en France (1998-2006) : une explosion des inégalités ? », École d'économie de Paris, juin 2007.

LANDIER Augustin et David THESMAR, *Le Grand Méchant Marché. Décryptage d'un fantasme français*, Flammarion, 2007.

LORDON Frédéric, « La "création de valeur" comme rhétorique et comme pratique. Généalogie et sociologie de la valeur actionnariale », *L'Année de la Régulation* (La Découverte), n° 4, 2000.

LORDON Frédéric, *Fonds de pension, piège à cons ? Mirage de la démocratie actionnariale*, Raisons d'agir, 2000.

LORDON Frédéric, *Et la vertu sauvera le monde... Après la crise financière, le salut par l'« éthique »* ?, Raisons d'agir, 2003.

LORDON Frédéric, *Jusqu'à quand ? Pour en finir avec les crises financières*, Raisons d'agir, 2008.

LORDON Frédéric, « Réguler ou refondre ? Les insuffisances des stratégies prudentielles », *Revue de la Régulation*, n° 5, mai 2009, http://regulation.revues.org/.

MALINVAUD Edmond, « Jusqu'où la rigueur salariale devrait-elle aller ? Une exploration théorique de la question », *Revue économique*, n° 2, mars 1986.

MISTRAL Jacques, *La Troisième Révolution américaine*, Perrin, 2008.

ORLÉAN André, *De l'euphorie à la panique. Penser la crise*, Rue d'Ulm, collection du Cepremap, 2009.

PEYRELEVADE Jean, *Le Capitalisme total*, Seuil, coll. « La République des idées », 2005.

PEYRELEVADE Jean, *Sarkozy : l'erreur historique*, Plon, 2008.

POLANYI Karl, *La Grande Transformation*, Gallimard, 1984.

RIMBERT Pierre, *Libération. De Sartre à Rothschild*, Raisons d'agir, 2005.

RODRIK Dani, *Nations et mondialisation. Les stratégies nationales de développement dans un monde globalisé*, La Découverte, 2008.

SAMARY Catherine, *Le Marché contre l'autogestion*, La Brèche, 1988.

SAPIR Jacques, « Le protectionnisme et le contrôle des changes conduisent-ils à la guerre ? Leçons des années 1930 pour comprendre la crise actuelle », document de travail CEMI, EHESS.

SAPIR Jacques, « Libre-échange, croissance et développement : quelques mythes de l'économie vulgaire », *La Revue du MAUSS*, n° 30, 2007, p. 151-171.

STIGLITZ Joseph, *Un autre monde. Contre le fanatisme du marché*, Fayard, 2006.

TIMBEAU Xavier, « Le partage de la valeur ajoutée en France », *Revue de l'OFCE*, n° 80, janvier 2002.

VERNANT Jean-Pierre, *Les Origines de la pensée grecque*, PUF, 1962 (rééd. 2004).

WEISBROT Mark, David ROSNICK et Dean BAKER, « Poor numbers : the impact of liberalization on world poverty », *CEPR Briefing Paper*, 18 novembre 2004.

Table des matières

PREMIÈRE PARTIE

Arraisonner les banques,
arraisonner les banquiers

DEUXIÈME PARTIE
Défaire le capitalisme antisalarial

Photocomposition Nord Compo
Villeneuve-d'Ascq

Imprimé en France
FROC031929090720
24456FR00021B/124